TOEIC® TEST 文法別問題集

200点upを狙う 780問

TOEIC® TEST 全国1位・990点取得
石井 辰哉

講談社

はじめに

文法が苦手なために TOEIC の点数が伸びないという方が大勢いらっしゃいます。しかし、実際は、文法が苦手な方も文法知識の量としては、それほど文法が苦手でない人と変わらないということが多々あります。この本をご覧のみなさんも、文法書をぱらぱらと見たときに「見たことも聞いたこともない」文法項目はあまりないのではないでしょうか？

それでは、文法が苦手な方はどうしたら得意になるのでしょう？
私は、その答えは「正しいステップで考えること」と「反復練習を行うこと」にあると思います。つまり、ただ単に問題をがむしゃらに解くのではなく、1問1問よく考え、どのような考え方で解答を選べばよいのかを深く考えながら解くことと、そして、類似の問題を大量にこなすことが大切だと考えています。この2つのうちのどちらかが欠けても上達しません。正しい考え方ができても場数を踏まなければ、定着する前に覚えたことを忘れてしまい、いつまでたっても使えるようになりませんし、「当たればラッキー」とばかりに具体的な目的もなくがむしゃらに問題を解き散らしていても、なかなか実践的な能力は身につきません。本書は、詳しい解説と780問という他に類を見ない多量の問題で、問題を解きながら正しいステップで文法を考えられるようになることを目標にしています。

また、本書は TOEIC の類書の中では珍しく、文法項目を網羅した問題集になっています。私自身は、文法書→文法別の問題→模試と進むのがいちばん文法力がつくと考えているのですが、ちまたでは、模試形式の問題集や文法項目別とは言ってもある文法の難しいところだけをピックアップしているものはよく見かけても、文法書1冊を丸ごとカバーして、さらに問題が多量についている問題集がありませんでした。そこで、ないなら作ってしまおうと考えて執筆したのが本書です。本書は、拙書『TOEIC TEST 文法完全攻略』（明日香出版社）で解説している文法を丸ごとカバーしています。特に TOEIC のリーディングパートのスコアが350点前後、またはそれ以下の方は、一緒にご覧になるとさらに効果が上がるでしょう。

本書の全問題は書き下ろしではなくレッスンで実際に使っているものです。使いながら加筆・修正を繰り返し、そして、実際のレッスンで私が解説していることをそのまま本書の解説に使いました。

本書が少しでも英語上達のお役に立てれば、著者として、また TOEIC 講師としてこれ以上の幸せはありません。ご自分の目標に向かって、ぜひがんばってください。

石井辰哉

A brief word from the question writer:

Parts 5 and 6 of the TOEIC Test are designed to test students' knowledge of English grammar, vocabulary and usage. Therefore, when writing the questions for this book, particular care and attention has been paid to each of these points.

The first two points are fairly straightforward. The grammar targets have been chosen to improve areas that commonly cause problems for students taking the test. The questions contain a wide selection of vocabulary covering a variety of real life situations of the type that are covered by the TOEIC Test, including words from the business, financial, political and scientific worlds.

The third point, that of usage, is perhaps the most difficult for students. During my many years teaching in Japan, I have come across numerous examples of English that have been designed to test grammar or vocabulary issues without any regard to their actual usage in English. This does a great disservice to the student, wasting valuable time on something that is unusable in the real English-speaking world. Therefore, the key question I asked myself when writing each question was: "Is this English natural?" Only after this condition was satisfied was the question accepted. Clearly, this is my own judgment and as there are many millions of English speakers out there, I would encourage students to expose themselves to as much native English material as possible.

A final point: Studying for an examination is clearly hard work but the process of studying a foreign language and the knowledge gained can open up hitherto unknown opportunities and experiences. With such goals in mind, the study itself can be a far more enjoyable experience.

We hope that studying this set of questions will not only improve your TOEIC score but also lead to an improvement in your real English grammar skills.

David de Pury (オックスフォード大学を卒業。本書の問題作成を担当)

CONTENTS ☆ TOEIC® TEST 文法別問題集 ── 200点 up を狙う780問

はじめに	1
A brief word from the question writer	2
本書の特長	6
本書の構成	10
本書の効果的な使い方	11

解答&解説編

Chapter 1	Sentence patterns & Voice 文型と能動態／受動態	16
Chapter 2	Tenses 時制	38
Chapter 3	Modals 助動詞	67
Chapter 4	Infinitives, Gerunds & Participles 不定詞・動名詞・分詞	95
Chapter 5	Relatives 関係詞	148
Chapter 6	Conditionals 仮定法	181
Chapter 7	Interrogatives 疑問詞	200
Chapter 8	Nouns & Pronouns 名詞・代名詞	221
Chapter 9	Adjectives, Adverbs & Comparison 形容詞・副詞・比較	242
Chapter 10	Conjunctions & Prepositions 接続詞・前置詞	262

POINT

Point 1	受動態：前置詞のついた動詞に注意	17
Point 2	受動態：動詞のあとにある名詞に注意	24
Point 3	現在形の使い方	38
Point 4	現在進行形には未来の予定を表す使い方がある	40
Point 5	when を使った疑問文には現在完了は使わない	41
Point 6	状態動詞	44

Point 7	used to の否定文	45
Point 8	時と条件を表す接続詞に注意	49
Point 9	could/was able to/could have done の違い	67
Point 10	can と be able to との違い	71
Point 11	否定的意志を表す won't と wouldn't	72
Point 12	may と might	73
Point 13	would like の過去	80
Point 14	可能性を表す can	88
Point 15	to不定詞の活用	95
Point 16	不定詞のみを目的語にとる動詞	96
Point 17	動名詞のみを目的語にとる動詞	96
Point 18	不定詞／動名詞で意味が変わる動詞	97
Point 19	形容詞として使う ed/ing形	98
Point 20	接続詞として使う ed/ing形	98
Point 21	分詞構文は and で考えよう	99
Point 22	have＋目的語＋do/done	101
Point 23	V＋O＋to do になる動詞	102
Point 24	知覚動詞＋O＋do/doing/done	104
Point 25	動名詞・分詞を使った表現	106
Point 26	to do の否定形	108
Point 27	it is ～ for/of＋人＋to do	111
Point 28	分詞構文の時制	112
Point 29	使役動詞 make の受動態	113
Point 30	疑問詞＋to do	118
Point 31	分詞構文としての being	127
Point 32	enough to の使い方	132
Point 33	would rather/had better の否定文	133
Point 34	関係詞を問う問題の解き方	148
Point 35	what の特徴	149
Point 36	関係副詞 when	150
Point 37	コンマ＋which	152
Point 38	前置詞＋関係詞の注意点	154
Point 39	関係副詞 why	156
Point 40	～ever と no matter ～	157
Point 41	人々を表す those	163
Point 42	関係副詞 where	166
Point 43	仮定法の基本	181
Point 44	時制のクロスに注意	187

Point 45	were to と should	189
Point 46	疑問詞の基本	200
Point 47	間接疑問文	201
Point 48	前置詞＋疑問詞	202
Point 49	もう1つの間接疑問文	203
Point 50	特殊な複数形を持つ名詞	221
Point 51	よく使われる不可算名詞	222
Point 52	冠詞をつけないで使う名詞	223
Point 53	数量表現	225
Point 54	〜 of＋限定詞	226
Point 55	不可算名詞⟷可算名詞が変わる場合	227
Point 56	another と the other	229
Point 57	by＋交通機関	231
Point 58	ly をつけると意味が変わる形容詞	243
Point 59	ed/ing形の形容詞の区別	244
Point 60	the＋形容詞＝形容詞＋people	245
Point 61	比較の強調	246
Point 62	前置詞が必要そうに見えて必要ではない動詞	264
Point 63	「〜の」を表す前置詞に注意	265

問題編

本書の問題は全て、巻末の「別冊問題集」に収録してあります。なお、問題編の内容については、「別冊問題集」の目次をご参照ください。

本書の特長

① 文法項目別に多量の問題を収録

いわゆる模試形式（いろいろな文法項目がランダムに出題される実戦形式）ではなく、文法項目別に問題を分け、それぞれの項目について多数の問題を収録しました。模試形式はある程度まんべんなく文法ができている人が、さらに完全な習得を目指すために行うのに適しているのに対し、文法項目別の問題集というのは、それぞれの文法項目の確認と定着、ならびに弱点の発見を目指すのに適しています。

文法項目別に分かれているということは、同じ項目の問題が連続して出題されているということですが、この形式だと問題と問題で連携がとれることになります。どういうことかというと、模試形式の場合は、今解いている問題が関係詞の問題だとすると、直前に解いた問題は名詞の問題だったり、このあとに解く問題が仮定法だったり、1つのセットにたくさんの文法項目の問題が出題されるわけですから、問題と問題との間には何の関連性もありません。しかし、文法項目別に出題されている場合は、1セットを解いている間に、類似の問題を何度も解くことになります。解いている最中に、「さっきやった問題と似ているな」と感じることがあると思います。そのときに、さっきはどうやって考えて解いたのかを考えるのですが、このプロセスが「どのように考えればいいのか」を定着させることになるのです。

また、本書では780問という大量の問題を収録することによって、文法項目の反復練習を行えるようにしました。「文法」というと頭に入れることが大切であると考えられがちですが、実際はそんなことはありません。次の例を見てください。

1．The man who has 3 brothers speak English very well.
2．I met several computer engineer at the party.

これらの文章を見て、瞬時に間違いに気がつく人は実はそれほど多くありません。だいたいは、何度も読み返して気がついたり、または全く気がつかなかったりする場合もあります。しかし、両方とも三単現の S と複数形の S という中学 1 年の初期に習う文法項目です。そして、この 2 つの文法項目を「知らない」という学習者は皆無に近いでしょう。

つまり、文法問題ができるかどうかは知っているかどうかには関係ない場合が多々あり、正しい読み方や考え方ができているかどうかがポイントになるわけです。本書では、この正しい読み方や考え方にこだわって問題を作成しました。問題によっては、難しい単語が使われ

ていたりしますが、それらはみんなこけおどしにしか過ぎません。たとえば、左記の例題１でも the man の代わりにどんな難しい単語を使っても、三人称単数形である限り、間違っている箇所は変わりませんよね。このように文章の構造や S+V などに気をつけて読むことがクセになるように配慮しています。

② 下線なし間違い探しを収録

文法項目別に問題が収録されている場合、下線が引いてある間違い探しの問題は非常に簡単です。どの項目のページで出題されているのかが分かっていますから、その項目に該当する下線部を見ればよいことがあまりに明白だからです。次の例を見てください。

<u>The man</u> <u>whom</u> I talked at the party <u>has been living</u> <u>in</u> Kyoto for 10 years.
　(A)　　(B)　　　　　　　　　　　　　(C)　　　(D)

たとえば、上記の問題が「関係詞」のセクションで出題されていた場合、どう考えても(B)が怪しいのであって（正答は whom → to whom）、関係詞とは関係なさそうな(A)(C)(D)には目がいかないと思います。しかし、そのような解き方をしたところで練習にならないのは当然のことですよね。

そこで、本書では各セットにある15問の間違い探しのうち、TOEIC と同じ形式の下線部のある間違い探しは５問のみとし、残り10問は下線を引いてありません。さらに、間違いがない問題も入れてあります。これにより、英語以外の条件がヒントになる問題を減らし、同時に問題の１つ１つを深く丁寧に考えながら解く練習ができるようにしました。間違いがあると分かっていてそれを探すことより、間違いがないかもしれない文章を読み、間違いがあるのかどうかを判断し、さらに間違いがある場合はどこが間違いかを探すというほうが、はるかにいろいろなことを考えさせられ、それが練習になると考えたからです。

この練習は実は、TOEIC だけではなく日常生活の英語力向上にも役立ちます。間違った文章を読んで、間違いに気がつかないということは、自分がレポートや手紙を書いたとき、読み直しても自分の間違いに気がつかないことになるからです。本書では、間違いを発見するためにどのように英文を読んで、何を考えればよいのかが身につくように問題と解説を書きました。

③ 構成にも工夫を凝らした

文法項目別に出題することは、よけいなヒントを与えることになると、先ほどお話ししました。これは間違い探しだけではなく、穴埋めでも同じことです。たとえば、「不定詞」という章を読んでいるときに、

 He hesitated ( ) the offer.
 (A) to accept (B) accepting (C) to accepting (D) accepted

という問題があったとしても、「不定詞」を学んでいるわけですから、(A)が正解である可能性が高くなります。

そこで、本書では類似の文法項目はまとめて1つの項目として取り扱い、同時に出題することにしています。たとえば、不定詞は動名詞や分詞などと同じように「動詞を変化させて特殊な使い方をする」という性質を持ちますから、別々にせず、すべて1つの章にして、的確に区別が付けられる能力が身につくように配慮しています。

④ 全問題にヒントを載せた

「文法」というのは頭に入れればそれでいいわけではありません。実際に使える必要があります。この「使える」というのは何を指すのかというと、「必要なときに正しく頭から引き出せる」ということです。学習者でよくあるパターンが、問題を間違えて解説を見ると、自分の知っている文法項目を問う問題で、「なんだ、このことを聞かれていたのか」とか「知ってたのに、気がつかなかった」という感想を持つ人は多いのではないでしょうか？

これはとりもなおさず、「暗記」＝「使える」ということではないということを表しています。使えるようになるためには、自分で「引き出して練習する」というステップが必要になります。そこで、全問題にヒントをつけました。ちょっと考えて分からない問題は、解説にすぐ頼るのではなく、ヒントを読んでできるだけ自分で正解を引き出してください。

文法は知識を入れることに集中するのではなく、自分で引き出して練習することが一番なのです。

⑤ 詳細な解説

本書では解説にも気を配りました。できるだけ、普段の TOEIC 用レッスンを再現するように解説しています。私の授業では正答したか誤答したかよりも、なぜそれが正解なのか、なぜ他の選択肢が間違いなのかを生徒に考えてもらい、そしてそれを私自身が解説するという形式をとっています。本書でも、できるだけ解説がみなさんの講師役を務められるように、正解までのステップを説明しています。解説部分というのは、特に間違えたときに読むほうが多いと思いますが、間違ったときに理解しなければならないのは「なぜ自分の答えが誤答なのか」です。たとえ正答がどれか分かってもこの点が分かっていないと、本当に理解できたことにはなりません。類書では正答の解説に終始するものが多い中、本書では、スペースの許す限り誤答選択肢がなぜ正答になり得ないのかまで説明し、正しい道筋で考えられる文法力の習得を目指しました。詳しいやり方はあとで述べますが、正答数に一喜一憂するのではなく、正しいステップで考えられているのかどうかに注意を払ってください。カンで書いた答えが正答だったり、正答しても理由が間違っていた場合は誤答扱いするぐらいのほうがいいと思います。

また解説では、何を問われているのかという Testing Point と、間違い探しでは「どこまで読めば答えが分かるのか」にも言及しています。これもやはり、正しいステップで解答までたどり着くために確認しなければならない項目です。なお、間違い探しの解説にある「どこまで読めば答えが分かる?」は、何に直すべきかが分かるのところではなく、間違っているものが何かを推測できるところを指しています。

このように、1問ごとにどのように考えるべきかまでを詳しく説明しているために、たった1問の解説が2ページにわたっている問題もあります。問題集というのは、現時点で自分が解けない項目を発見し、習得して別の機会に類似の問題に遭遇したときにもう間違えないようにするという目的で行うのですから、この詳細な解説こそがみなさんのお役に立てると考えています。

しかも本書では、同じような解説もあえて省略せず、繰り返し説明しています。これは文法項目を定着させるために、問題だけでなく解説も反復して頭に入れる必要があるからです。「知らない知識を頭に入れる」という観点で問題を解く方には、くどいと思われるかもしれませんが、「文法知識を使えるようにする」という観点で問題を解く場合には、この反復練習が絶対に大切なことだと考えています。特に文法が苦手な方にとっては、たとえよく似た解説であったとしても、問題ごとに解説があったほうが分かりやすいのではないでしょうか。同様に、重要単語の訳も出てくるたびに記載しています。

本書の構成

本書は、文法別に

Chapter 1	文型と能動態／受動態	60問	30問×2回分
Chapter 2	時制	90問	30問×3回分
Chapter 3	助動詞	90問	30問×3回分
Chapter 4	不定詞・動名詞・分詞	150問	30問×5回分
Chapter 5	関係詞	90問	30問×3回分
Chapter 6	仮定法	60問	30問×2回分
Chapter 7	疑問詞	60問	30問×2回分
Chapter 8	名詞・代名詞	60問	30問×2回分
Chapter 9	形容詞・副詞・比較	60問	30問×2回分
Chapter 10	接続詞・前置詞	60問	30問×2回分

に分かれており、それぞれの Lesson には穴埋め・間違い探し・間違い探し（下線なし）の3種類の問題が収録されています。1回分は30問です。これはちょうど本番の TOEIC 試験の文法問題の数の半分（Part 5 40問＋Part 6 20問）に当たります。1回分のテストの内訳は次のとおりです。

1回分のテストの内訳と時間配分

穴埋め	15問	1問30秒
間違い探し	5問	1問30秒
間違い探し（下線なし）	10問	1問1分
	計 30問 1セット 20分	

TOEIC では時間配分が非常に大きなポイントになりますので、普段の練習も時間制限とペース配分に気をつけて行う必要があります。

☆間違い探し（下線なし）の問題には、間違いのないものも含まれています。通常の英作文をチェックするときのように「正しいのか正しくないのか」まで、よく考えてください。

本書の効果的な使い方──3-Step メソッド

本書を効果的に使うために、同じ問題のセットを別の方法で3回行う 3-Step メソッドをおすすめしています。3回行うといっても、間隔をあけて問題を忘れたころにやり直すということではありません。そうではなく、1回分として3度同じ問題を解いていただきたいのです。以下のようなステップで行ってください。また、3回目が終わるまでは決して採点しないでください。

下準備

まず、自分がどのようなつもりでこの問題を解こうとしているのかを考えてください。もし、「今持っている文法力でどれぐらいできるのかをはかってみたい」とか「文法項目ごとに弱点を発見したい」とお考えなら、Step 1 に進んでいただいて結構です。そうではなく、この問題集を使って、「苦手な文法項目を練習したい」とお考えなら、まずは、下準備を行う必要があります。

下準備といっても、大したことではありません。文法書を復習するということだけです。これから解こうとする文法問題の項目を文法書を読んで復習しておいてください。たとえば、Chapter 5「関係詞」の問題を解こうとするなら、その前に文法書で関係詞のところをよく読んでおいていただきたいのです。

文法知識も使って練習しなければ定着しないのですが、使って練習する前にある程度の知識は詰めておかないと、使いようがないことになります。少なくとも、解説を読んだときに「そういえば、聞いたことがある」とか「確か文法書のあのページに書いてあった」と感じられるぐらいには理解しておいてください。

Step 1　制限時間あり

1回目は TOEIC を受けるときと同じ時間配分で行います。穴埋め・間違い探し、ともに1問30秒で解いてください。下線なしの間違い探しは TOEIC には出題されませんが、1問1分で解くように心がけます。1回目はとにかく最後まで時間内に解ききることを目標にしてください。「最後の5問は時間がなくなったから適当にマークした」などということのないように。正答率よりも、制限時間内に解くことに集中してください。これは、どのようなペースで解かなければならないのかを身につけていた

だくのと、時間にせっぱ詰まったときにどのような段取りで考えればよいのかを分かっていただくためです。

また、穴埋めについては Testing Point も考えながら解いてください。Testing Point というのは、その問題で問われている文法項目です。これは4つの選択肢を見れば分かります。たとえば、(A) to eat (B) eating (C) eaten (D) eat という選択肢であれば、問われているのは、「不定詞・分詞・動名詞の使い分け」ですし、同じ eat を使っていても (A) eat (B) ate (C) is eating (D) has eaten なら「時制」が Testing Point になります。そして、Testing Point が異なれば、解答までの段取りも異なるのは当然のことですね。よって、穴埋めについては何を問われているのか Testing Point を考えるのがとても大切です。

間違い探しは間違いが分かるところまでしか読まないつもりで解答してください。たとえば、

> The man speak English very well because he has been living in the U.S. for more than 10 years and also he is studying French so that he can make some friends who come from France.

という文章では、3語目の speak が speaks にならなければならないのですが、speak が間違っているということは、別に English 以降〜文末までを読まなければ解けないわけではありません。きちんと S+V の関係を考えていれば、speak が目に入った時点で間違いだと分かります。つまり、この問題では、English 以下を読むのは全くの時間の無駄であるということなのです。

実際の TOEIC でもこのように、文末まで読まなくても答えが分かるという問題が多数出題されます。よって、普段から間違いが分かるところまでしか読まないつもりで、解く練習が必要なのです。

Step 2 制限時間なし＋辞書・文法書なし

Step 1 が終わった時点で Step 2 に入ります。Step 1 と Step 2 の間隔はあまりあけないでください。できれば、Step 1 の直後に Step 2 を行います。

Step 2 は制限時間なしで、好きなだけ考えてください。このときに辞書や文法書を見てはいけません。あくまで自分の実力だけで解いてください。時間に焦っていた Step 1 とは異なり、Step 2 は時間の制限がありませんから、ゆっくり考えられます。

このときは、ただがむしゃらにやるのではなく、自分が選んだ答えの理由や、別の選択肢がだめな理由、そしてどのように考えて答えを選ぶに至ったのか、そのステップもよく覚えておきます。

また、難しい問題についてはこの段階でヒントを見てください。

Step 3　制限時間なし＋辞書・文法書あり

辞書や文法書なしで十分考えて、もう自分の力だけでは、これ以上考えてもどうしようもないというところまできたら、Step 3 に移ります。Step 3 は辞書や文法書を使い、答案を完璧なものにします。

このときに大切なのは、理由を考えることです。自分が選んだ答えの理由と、自分が選ばなかった選択肢が不適切である理由を文法的に説明できるようにしてください。間違い探しについては、間違っている箇所を指摘するだけではなく、何に直すべきなのかを必ず考えてください。

この Step 3 にどれだけきちんと理由を考えられたかが、進歩のカギとなります。文法書や辞書を使っているのですから、満点に近い点数になるはずです。

採点

Step 3 が終わったら採点します。Step 1〜3 は別々に集計します。それぞれのスコアの意味は以下のとおりです。

<u>Step 1 が Step 2 よりも極端に悪い場合</u>
Step 1 と Step 2 のやり方の違いは、制限時間があるかないかです。両方とも何も見ずに解いていますから、文法的知識には関係ありません。よって、Step 2 に比べて Step 1 が極端に悪い場合は、スピードがないということになります。どのように考えて解くべきなのか、問題の解き方の段取りを考えてください。また、意味をとることに執着していたり、Testing Point を考えていないとこのような結果になります。Testing Point をきちんと考えて、文章の構造を考えながら読み、解答までの段取りを考えましょう。

<u>Step 1 や Step 2 が Step 3 よりも極端に悪い場合</u>
要するに、文法書と辞書があればなんとかなるが、それがないといくら時間をかけても問題

が解けない状態です。何を問われているか分かるけれども知識が定着していない、というのが原因です。

また、単語に頼りすぎている場合もこの傾向が当てはまります。難しい単語があるだけで、どうしようもなくなってしまう人は、単語の意味から文章の意味をとるのではなく、文脈から単語の意味を想像するような読み方をする必要があります。

Step 3 が 8 割以下の場合
文法書や辞書を見ても 8 割しか解けない場合は、基本的な文法項目の知識が不足している可能性があります。つまり、文法書のどのページを見れば分かるのかが分かっていなかったり、基本的な知識が欠けているため、どのように考えればいいのかが分かっていなかったりする場合に、このような点数になります。まずは、基本的な文法項目をもう一度復習してみましょう。そして、間違えたところは解説を読んで、どういう考え方をするべきなのかに注意を払ってください。

また、Testing Point が何かを理解しているかどうかも確認してください。

復習

実際に間違えた問題だけでなく、正解はしたけれども偶然正答した問題や、理由が間違っていた問題も誤答扱いとして、解説をよく読んでください。特に、どのようなステップで考えれば正答が選べるのかを考えましょう。大切なのは、次に類似の問題に遭遇したときにどのようにすれば正答にたどり着けるのか、その段取りをつかむことです。

できれば文法書を 1 冊用意して、問題の解説と並行して読んでいただくとより効果的です。

問題集が効果的に使えるかどうかは、問題のやり方、そして採点したあとでどれだけ深く復習するかがカギとなります。決して、やりっ放しにはしないでください。

基本的にどの問題のセットも同じ項目を問う問題で、同じレベルにしてあります。進むに従って難易度が上がるという収録の仕方はしていません。たとえば、Chapter 4 の不定詞・動名詞・分詞には Test 1～Test 5 までの 5 回分の問題がありますが、どの回もほぼ同じ項目を問う問題を収録し、レベルも同程度にしています。したがって、きちんと復習できていれば、Test 1 よりも Test 2、Test 2 よりも Test 3 というように、あとになればなるほど点数が上がるはずなのです。逆にいえば、点数があまり変わらないということは、復習が足りないということです。

解答
&
解説編

Chapter 1

Sentence patterns & Voice
文型と能動態／受動態

Test 1

穴埋め

1.　（A）　S＋V の文型をとる動詞

「その国営の自動車製造会社は、数年前に倒産した」

several years ago は副詞だから、文型には関係ないので文型を考えるときは除外して考える。すると、この文章は空欄のところで文章が終了していてもかまわないことになる。あとは、選択肢の動詞を見比べて、文型の点で空欄に入れてもさしつかえないものを決める。（B）stopped は S＋V の文型でも使えるが、ここでは目的語がないと何をやめたのか不明なので不自然。（C）（D）は S＋V の文型には使えず、必ず目的語が必要な動詞なので誤答となる。こういった文型を問う問題は、意味を考えるだけでは解きようがない。文型は動詞で決まるので、普段から動詞を覚えるときにはその使い方や文型まで覚えておく必要がある。

➲issue「発行する」

2.　（A）　die は目的語をとることができない

「元気であったその前大統領は、とうとう95歳で亡くなった」

die は目的語をとることができない動詞なので、目的語を含む（B）（C）（D）はいずれも不可能。S＋V＋O は「S は O を V する」という意味だから、そこから考えても「S は O を死ぬ」というのは不適切であることが分かる。（C）は die と dye「染める」の混同をねらった選択肢なので引っかからないように。dye の過去形は dyed である。

➲heart failure「心臓麻痺」

3.　（A）　S＋V＋O＋C の文型をとる動詞

「ずっと机をきれいにしていなかったので、私は上司のオフィスに呼ばれた」

この問題では、my desk tidy が「私のきれいな机」ではなく、my desk と tidy が別パートであると気がつくかどうかが大きなポイントとなる。my desk tidy を「私のきれいな机」と考えた人は要注意。単語から意味をとり、文の構造を考えていない。「私のきれいな机」を英

Chapter 1　文型と能動態／受動態

語に直すと、my tidy desk となるのだが、設問ではそのような語順になっていないから、そのような意味にはならない。よって、tidy は my desk とセットになっているのではなく、別パートであることが分かる。そこで、ここでは S+V+O+C の文型をとる動詞を探す。keep+O+C で、O を C の状態にしておくという意味がある。
⊃summon「呼び出す」

4.　（B）　態の区別と時制

「去年のこの時期、新しい分譲マンションが建設に適していない地域に建てられた」

this time last year「去年の今ごろ」は過去を表す言葉なので、現在形の仲間である現在完了や現在形と一緒には使えない。したがって、（C）（D）ははずれる。「新しいマンションが建っていた」という日本語につられて（A）を選ばないように。condominium と build の関係は受け身のはずである。
⊃condominium「分譲マンション」

5.　（B）　熟語の受動態

「その若者は常に見下されてきた。そしてこのことが、結果的に深刻な自尊心の欠如を引き起こした」

（A）は受動態ではなく能動態。したがって、on のあとにあるはずの目的語がないことになるから、ここでは選べない。（C）（D）は文法的にはOKのように見えるが、look down も look もダイレクトに目的語をとることができないので、受動態にすることはできない。受動態とはもともと S+V+O／S+V+O+C／S+V+O+O という文型の O を主語にすることである。したがって、O のない文章を受動態にすることはできない。主語がないからである。熟語の受動態については次の Point 1 を参照。
⊃self-esteem「自尊心」　look down on ～「～を軽蔑する、さげすむ」

Point 1　受動態：前置詞のついた動詞に注意

2語以上でひとつの動詞になっている熟語を使った文を受動態にする場合は、その熟語のまとまりをすべて使う必要がある。

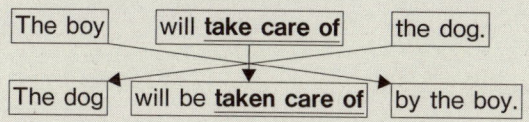

上記の例では、× The dog will be taken care by the boy. などとしないように注意。

6.　（C）　become と同じ意味の go

「その若い女性は、夫が帰ってこなかったとき、心配で錯乱した」

（A）を見た瞬間、これに飛びついた人は落ち着いて文章を最後まで読もう。確かに went home 自体は何の問題もないが、「夫が家に帰ってこなかったとき家に帰った」というのは意味的に不自然である。よって、別の正答がないかを考える。（B）to search him は日本語で考えていると、正答のような気がするが、search は目的語をとる場合 search＋場所 で「場所を探す」という構文をとる。したがって、search him にすると彼をボディチェックしているという意味になる。（D）は、どこに行ったのかが分からないので不自然。よって、（C）が正答となる。実は、go には become の意味があり、後ろに形容詞をとって S＋V＋C の文型になることがある。

　ex. He is going crazy. 「彼はおかしくなってきた」
➲go out of one's mind「気が変になる」

7.　（B）　態の区別＋result の使い方＋主語・動詞の一致

「このたぐいのケガは、大腿部の筋肉が激しく収縮することによって起こりうる」

主語の核は Injuries で of this kind はおまけ。したがって、動詞は Injuries に合わせなければならないので（A）（C）は不可。（D）は受動態だが、result はダイレクトに目的語をとれないので受動態にすることはできないから（D）は不可。受動態というのは能動態の文の目的語を主語にした文章である。よって、目的語をとれない動詞を使って受動態にすることはできない。（B）は cause injuries と言えるので受動態になる。
➲contraction「収縮、短縮」　thigh「もも、大腿部」

8.　（A）　能動態／受動態の区別

「製造工程のこの部分は、規定を満たすために改良されなければならない」

（B）は expect が能動態のままだから、process が期待するという動作を行うことになり不可。（D）はこの逆に、upgrade の主語はメインの主語である製造工程なのだから、（D）を入れると「製造工程が何かを改良する」という意味になってしまう。is expected to be upgraded なら正答となる。（C）も同じく受動態にする必要がある。（A）だけが正しく受動態となっている。
➲upgrade「品質を高める、向上させる」

Chapter 1 文型と能動態／受動態

9. （D） ask の使い方

「昨日、病院に行ったとき、医者は私に年齢を聞いた」

ask がとる文型を知っているかどうかを問う問題。ask は「尋ねる」という意味で S＋V＋O＋O の文型をとる。よって、ask him a question「彼に質問をする」、ask him his age「彼に年齢を尋ねる」という言い方ができる。したがって、（D）が正答。（A）は inquire into「～を調査する」からの類推だが、ask into とは言えない。（B）は ask ～ of ～ という構文がほとんど使われないうえに、me/my age の順番が逆。ask my age of me なら使われないにしても不可能ではない。（C）は on と about が同じような意味で使われるということを知っている人なら悩むかもしれないが、ask は on をとらないので不可。

10. （D） defeat の使い方

「皆がとても驚いたことに、政府は総選挙に敗れた」

defeat が「負ける」ではなく「負かす」であることを知っているかどうかを問う問題。しかし、それを知らなくても、（A）（B）ははずせる。なぜなら、（A）（B）は現在形なので、たとえ defeat の意味が「負かす」ではなく「負ける」だと間違って覚えていても、習慣の話をしているのではないから、ここには入らないことは分かるはず。なぜ、「習慣的にいつも defeat する」という意味にならないかというと、election に the がついているから。「その選挙で」と言っている以上、時制は未来か過去になる可能性が高く、少なくとも習慣的な話ではないことぐらいは予想がつく。したがって、（A）（B）を選ぶのはもっともまずい。（C）については defeat が「負かす」の意味であり、目的語をとる必要があるということが分かっていないと（C）を選んでしまうかもしれない。文型は使う動詞によって決まるのであり、したがって、いくら意味が分かっていてもとれる文型が分かっていないと正しく使えないことを理解しよう。
◯general election「総選挙」

11. （C） "spend＋時間／金＋doing"

「電車で座っている間、彼は多くの時間を新聞を読んで過ごした」

spend＋時間／金＋doing という構文を知っていれば簡単。しかし、知らなくても正答するのは不可能ではない。（B）が正答になるためには the time は不要。（D）の past は形容詞・副詞・名詞・前置詞の使い方があるが、動詞としては使えない。（D）を選んだ人はおそらく passed と混同したのだろう。（A）を正答候補からはずすのが一番難しい。結論として（A）が正答であるためには、reading を to read に直す必要が出てくるのだが、なぜ、had を入れれば reading のままにしておけないのかを考えよう。

ing形が使われている場合、動名詞「～すること」か現在分詞「～している」のどちらであ

るのかを考える必要がある。ここでは、reading が「読むこと」という名詞だったとしたら、the time と reading という２つの別々の名詞が連続して置かれていることになりおかしい。I had the time the book. とは言えないからである。

次の例を見てみよう。

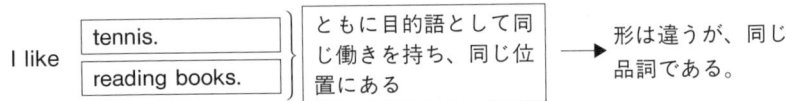

このように、英語では同じ品詞扱いのものは同じ位置に入れても文章として成り立つことになっている。しかし、ここでは、reading の代わりに the book を入れても成り立たない。よって、reading は動名詞ではなく現在分詞であるということが分かる。

reading が分詞であると分かったところで、次に考えるのはどんな使い方をされているのかである。同じ "reading the book" でも、次のような使い方がある。

① 進行形の一部として
   I am **reading** the book. 「私はその本を読んでいる」
② 知覚動詞＋O＋ing の構文で
   I saw him **reading** the book. 「私は彼がその本を読んでいるのを見た」
③ 形容詞として
   The boy **reading** the book over there is my brother.
   　　　　　　　　　　　　　「あそこでその本を読んでいる少年は私の弟である」
④ 接続詞として→分詞構文
   Reading the book, I didn't notice the bell ringing.
   　　　　　「その本を読んでいたので、私はベルが鳴っているのに気がつかなかった」
このうち①②はこの設問では除外できるが、あとは③と④である。それぞれに、考えてみよう。

③の場合→形容詞として後ろから前の名詞を説明する。
   I had the time **reading the book**. 「本を読んでいる時間を持った」

日本語で考えると正しいような気がするが、「本を読んでいる時間」というのは自分が本を読むのではなく、time が本を読んでいることになるのでまずい。③の例文と比べれば分かる。
   the boy reading the book   →　the boy is reading the book の関係が成り立つ
   the time reading the book   →　the time is reading the book???
よって、形容詞としては使えないことが分かる。

Chapter 1 文型と能動態／受動態

④の場合
　I had the time, reading the book. ＝ I had the time and I was reading the book.
「本を読みながら、その時間を持った」→「その時間を持った」がよく分からない。

となり、どのように理解しても不自然な意味になることが分かる。

よって、I had the time reading the book. はおかしいと言える。

12.　（C）　introduce のとる文型

「そのゲスト講演者ら2人は、もう互いに紹介を受けましたか？」
疑問文であり、have が文頭にきているので現在完了の文であることが分かる。したがって、空欄には動詞の過去分詞形が入るから、まず（A）は消える。（B）（C）（D）の Testing Point は何かお分かりだろうか？　それは、introduce の使い方である。（B）（D）については時制は違うが能動態で、（C）は受動態である。ということは何を聞かれているかというと、①時制は現在完了形なのか現在完了進行形なのか ② introduce は目的語をとらずに S＋V の文型に使えるのか？　ということである。そして、①については yet があることと文脈から、継続を表す現在完了進行形ではなく、完了を表す現在完了形であると考えられる。②については introduce は S＋V の文型には使えない。よって、このことから正答は（C）ということになる。introduce のような誰でも知っている単語でも正しく使うことは難しい。常日頃、意味だけではなく使い方まで気にしているかどうかがポイントである。

13.　（C）　S＋V＋C の文型

「その社長は、その若者のアイデアがよいもののようであると認めざるをえなかった」
空欄に入るべき語は idea という名詞を説明するはずなので、副詞ではなく形容詞が必要。文型は S＋V＋C となる。よって（A）は不可。（B）は the idea is interested が成り立つことになってしまう。ed のついた形容詞は、説明している名詞の気持ちを表すから、この場合は idea に感情があることになるので不可。interesting なら正答。（D）を「副詞だからだめ」と考えて正答候補からはずした人は要注意。well には形容詞の用法がある。ただし well の形容詞としての意味は「健康である」なので、ここでは意味的に合わない。

14.　（C）　能動態／受動態の区別

「その社員の販売に関する新しいアイデアは、会社に採用され、利益向上のために押し進められるだろう」
選択肢を見て Testing Point が2つあることに気がついただろうか。1つは時制で、もう1つは態である。take up「取り上げる、採用する」の意味が分からなくても、直後にある by

と全体の意味から受動態であると推測ができるはず。4つの選択肢の中で受動態の形になっているのは、（C）だけである。
◯employee「従業員、社員」 profit「利益、収益」

15. （A） S+V+O+O の文型＋enough の使い方

「会社側は、時間どおりにその仕事を終わらせるのに十分なスタッフを私に与えてくれなかった」

staff は people と同じく、すでに複数形になっているので staffs にはならない。よって、（C）は不可。あとは、文型と enough の使い方を考える。enough はこの場合 staff を説明しているはず。enough は名詞を説明する場合は名詞の前に置かれる。よって enough staff になっていなければならないので（D）は不可。（B）は S+V+O+O の文型になっていると考えられるが、このままだと「私にスタッフを」ではなく「私をスタッフに」となり不適切。

間違い探し

16. （D）→ be built

「もし請負業者がすぐに工事を再開しなければ、3つの川をせき止めるダムが建てられるのは間に合わないだろう」

どこまで読めば答えが分かる？： build

このままだと、dam が何かを建てるという意味になってしまう。dam と build の関係は「ダムが建てられる」という意味のはずだから受け身にする。もし build を見た瞬間にこの間違いに気がつかなかった場合は、問題の解き方がまずいことになる。要するに、意味をとることばかり考えて、基本的な S+V の構造すら頭に入れていないということになるからだ。動詞を目に入れたときにしなければならないのは、時制のチェックと S+V の整合性である。

if節に will が使われているのを見て、「怪しい」と思った方もいるだろう。if節には未来形は使えないからである。ただし、実はこれには例外があり、will が単なる未来ではなく be willing to または intend to と同じ、意志を表す場合には使ってもかまわないことになっている。

Chapter 1　文型と能動態／受動態

17.　（B）→削除

「正直に言って、私はたとえ夏であっても、コーヒーは熱くする」

どこまで読めば答えが分かる？：　to be hot
make は使役動詞なので、S＋make＋目的語＋原形 という構文をとる。よって、この原形の位置に to不定詞は使えない。とはいっても be hot にしたところで「させる」という使役の意味にとれるので不自然。ここは to be を削除し S＋V＋O＋C の文型であると考えたほうが自然だろう。ちなみに、make は S＋V＋O＋O の文型もとれるので、The witch made me coffee. は極論すれば、「その魔法使いは私にコーヒーを作ってくれた」と「その魔法使いは（魔法か何かで）私をコーヒーにした」の両方の可能性がある。もちろん、普段はその場の状況から正しく理解できるので問題ない。

18.　（B）→ was bitten off

「その少年は、サファリパークで働いているとき、カワウソに指の先を噛みちぎられた」

どこまで読めば答えが分かる？：　bit off
by があることと、全体の意味から受動態であることが分かる。したがって、was bitten off が正解。ただ、by があるからといっていつも受動態であるとは限らない。by には The sales increased **by** 10%.「売り上げは10％伸びた」、The man opened the safe **by** breaking the lock.「その男はカギを壊すことによって金庫をあけた」のように、程度・手段を表すこともあるからである。したがって、by を見たからといって「受動態だ!!」などと早合点せず、全体を見渡して判断しよう。

19.　（B）→ are violated

「作品が不法にコピーされて、作曲家とミュージシャンの権利が侵害されている」

どこまで読めば答えが分かる？：　violating by
このままでは、the rights「権利」が violate という動作を行っていることになってしまい意味不明。後ろに by があることからも推測できるように、ここでは受動態にしなければならない。
➲violate「違反する、侵害する」

20.　（C）→ published

「ほとんど知られていないアメリカの科学雑誌は、その教授の研究論文を1月に発表した」

どこまで読めば答えが分かる？：　the professor's 以下が名詞であるとわかった時点
受動態の文章で、さらに目的語が残っているので、もとの文型は S＋V＋O＋O であると考えられるが、publish は publish＋人＋物 という文型はとれないのでおかしい。また、意味

から考えると、journal が research paper を publish したと考えるほうが自然なので、能動態にする。publish には「出版する」の他に、「公表する、発表する」という意味がある。
◯research「研究、調査」

Point 2　受動態：動詞のあとにある名詞に注意

受動態は能動態の文の目的語を主語にして作る文であるから、S＋V＋O の文章を能動態にする場合、動詞のあとには目的語は残らない。

I wrote the book. → The book was written by me.　［目的語は残らない］

逆に言えば、受動態の文章で動詞のあとにまだ名詞が残っている場合、もとの能動態はS＋V＋O＋O であったと考えられる（まれに S＋V＋O＋C のこともある）。

I was given **the book**.　→　Someone gave **me the book**.

［受動態で目的語が残っているということは］　［能動態に戻すと、目的語が２つあるということ］

そこで、受動態が Testing Point である問題を解くとき、受動態であるにもかかわらず、名詞が動詞のあとに残っている場合は、能動態に直して考えてみよう。日本語と英語の受動態を比べると、日本語の受動態のほうが使い方が広いために、英語の受動態を日本語で考えると、英語では間違っている文章でも大丈夫なように見えることがあるからである。

× I was stolen my bag.　「私はカバンを盗まれた」

一見すると、問題がないように見えるが、まったくの誤りである。能動態に戻してみると分かる。

× Someone stole **me my bag**.　「誰かが私にカバンを盗んだ」
→ steal は S＋V＋O＋O の文型はとらない。

このように、受動態のままだと分かりにくかった間違いが、能動態に直すことによって理解できることも多いのである。

Chapter 1 文型と能動態／受動態

間違い探し（下線なし）

21. may interpret → may be interpreted

「容疑者の黙秘は、法廷にいる何人かの人に罪を認めたと解釈されるかもしれない」

どこまで読めば答えが分かる？： interpret（意味を知っていた場合）

interpret「解釈する、通訳する」の意味を知っていなくても正答できるはず。「容疑者の黙秘は法廷にいた何人かの人によって＿＿＿＿かもしれない」に入る動詞は「interpret する」なのか「interpet される」なのかと考えれば、話の流れと文の構造から考えて受動態であると分かるのではないだろうか？　知らない単語に引きずられずに文章の構造から判断しよう。
◯suspect「容疑者」　admission「認めること、自認」　court「裁判所、法廷」

22. changed → turned または changed to

「そのカメレオンは周りの岩の色に合わせるため、体の色をグレーに変えた」

どこまで読めば答えが分かる？： gray

change は S＋V＋C の文型をとらないので、×The chameleon changed gray. で「カメレオンはグレーになった」にはならない。そこで、S＋V＋C の文型をとり、change と同じ意味の turn を使用する。The chameleon turned gray. ならOK。この場合、the chameleon ＝ gray の関係が成り立つ。または changed to にしてもよい。
◯surrounding「周囲の、周辺の」

23. had been putting → were put または had been put

「それらのカギは、きわめて安全な場所にしまわれた。それは、いつものことながら私たちが再び見つけることができないということを意味した」

どこまで読めば答えが分かる？： putting away

had been putting は能動態であるため、put away という動作を The keys が行うことになる。したがって、受動態にしなければならない。時制は、過去形でも過去完了形でもよい。
◯put away「片付ける、しまう」　invariably「変わることなく」

24. anger → angry

「どうやって妻を怒らせてしまったのか私には分からないが、彼女はその夜夕食を作ることを拒否した」

どこまで読めば答えが分かる？： anger

S+V+O+C は O is C の関係が成り立つことになっているので、このままだと my wife is anger という関係が成り立つことになってしまう。これがだめなのは I am coffee. がだめなのと同じ理由。つまり、私は人間であって液体ではないから I am coffee. がだめなのと同じように、私の妻は人間のはずだから、「怒り」という抽象的な概念ではない。したがって、「怒っている状態である」の意味の angry が正答。

25.　heard → was heard または is heard

「その有名な曲は毎日、世界中で何百万人ものリスナーに聴かれていた（いる）」

どこまで読めば答えが分かる？：　文末まで

heard が過去分詞で、tune を説明しているととれないこともないが、そうするとこのセンテンスには動詞がないことになってしまう。この heard 以外に動詞らしきものは見あたらないので、S＋V は the famous tune＋heard となるはずである。あとは、tune が人ではないと気がついて、by millions of listeners「何百万人ものリスナーによって」の意味を考えれば、受動態にしなければならないと分かるはず。

26.　terribly → terrible

「その川は、未処理の下水が流れ込むためひどく臭う」

どこまで読めば答えが分かる？：　terribly のあとに because が見えた瞬間

terribly は副詞であり、形容詞を説明することもあるから、terribly までを見て間違いであるとは決めつけられない。terribly bad などとなっていれば問題ないからである。しかし、ここでは terribly のあとに形容詞がないことを確認できた時点でここが間違いだと分かる。terribly は副詞であるからここでは smell を説明してしまう。そうすると「その川は、においをかぐという動作を terribly に行う」という意味になっておかしい。この場合、the river ＝terrible の関係が成り立つはず。よって名詞を説明するのは形容詞であるから、terrible に直す。つまり S＋V＋C の文型である。

◯untreated「処理されていない、未処理の」　sewage「汚水、下水」

27.　taking → taken

「彼の忠誠心は長期間、当然のことと考えられてきたので、彼が辞めたときはみんな驚いた」

どこまで読めば答えが分かる？：　for granted

take A for granted「A を当然のことと思う」を知らなくても、take が受動態になるべきだと気がつくのはそれほど難しくない。このままだと、take には目的語がないことになるからである。「take を目的語なしで使うのはおかしいのでは？」ぐらいは気づきたいところ。もし、この解説を読んで「なんで気がつかなかったんだろう」と思った人は文の意味にとらわれて、文章の構造を考えていないおそれがあるので要注意。

Chapter 1　文型と能動態／受動態

➲loyalty「忠誠心」　quit「やめる、辞職する」

28.　didn't play → wasn't played

「長い間待たされたそのチーム間のサッカー試合は、悪天候のため行われなかった」

どこまで読めば答えが分かる？：　didn't play

S＋V をきちんと把握しているかどうかがポイント。このままだと、The match didn't play となり、試合が何かをプレーするというわけの分からない意味になる。したがって、受け身にする。

➲await「待つ」（直接目的語をとる）

29.　should prohibit → should be prohibited

「ある特定の殺虫剤の使用は、農業廃水による水質汚染を削減するために来年禁止されるべきである」

どこまで読めば答えが分かる？：　prohibit

主語が The use「……の使用」であることに気がつけば、たとえ prohibit の意味を知らなくても能動態である可能性は少ないと分かる。また、このままでは cut water pollution するのも the use になってしまい意味不明である。

➲pesticide「殺虫剤」　pollution「汚染」　runoff「流出する水」

30.　learned → taught

「彼は自分の父が、彼の知っていることすべてを自分に教えてくれたことを、認めざるをえなかった」

どこまで読めば答えが分かる？：　learned him

him と everything he knew は明らかに別のパーツだから his father 以下は、文型としては S＋V＋O＋O となっていることが分かる。しかし、learn は目的語を2つとることができないので、learn 自体を変えるしかない。また、S＋V＋O1＋O2 の文型である以上、どんな動詞がきても「O1 に O2 を V する」という意味になる。「彼に彼が知っていることのすべてを」の意味から考えて、learn ではなく teach が使われるべきなのではないかという予測は簡単にたつだろう。

Test 2

穴埋め

31. （D） 態の区別＋熟語の受動態

「その道の突き当たりにある家は、あまりにも頻繁に泥棒に入られるので、警報器が取り付けられた」

on は動詞にくっついているのではなく、on so many occasions でセットである。したがって、空欄までで文が完結している必要がある。（A）は which に into がくっついているために、which＝the house は was broken の主語にはならず、was broken into the house という関係になる。そうすると、was broken の主語がなくなってしまうので不可能。（B）は broke「お金がない」という形容詞なので不可。（C）は break in の意味がなんであれ、現在の習慣の話をしているわけではないから不可。よって（D）が正答である。into と on が連続しているのが気持ち悪いという学習者もいるかもしれないが、break into「侵入する」は熟語なので、この2語で1語と考えよう。

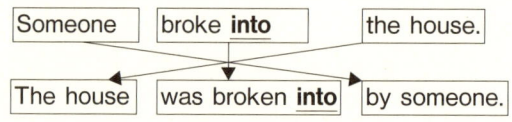

◯install「取り付ける、据え付ける」

32. （D） found は find の過去形？＋態の区別

「その老人は、競争が存在しなかった時代に、その組織を設立した」

find「見つける」と found「設立する」の混同をねらった問題。find は find - found - found という活用で、found は found - founded - founded である。（A）（B）は find の過去分詞としての found が使われているが、これだと、受動態のあとにさらに目的語が存在することになるので、能動態に戻すと The old man is found the organization. → S finds the old man the organization. と、2つの目的語が存在するということになり不適切である。（C）は found「設立する」の過去分詞が使われていて、これも先ほどの find と同じように、能動態に戻すとわけの分からない文になり不適切である。

Chapter 1　文型と能動態／受動態

33.　（D）　主語がきちんと理解できているか

「現党首の過去にまつわるうわさは、国中に広がっている」

どのように広がっているのか、つまり、are spreading という動詞を説明しているので、副詞が必要。（A）は形容詞なので不可。rapidly なら正答となる。（B）（C）は名詞だから、spreading の後ろに置くと目的語になる。そうすると、the rumors が何かを広げていることになり、不自然である。どんな文章でも、S＋V を把握することが大前提となる。目に入れただけで次の語に目を移すのではなく、処理してから次の語に行くようにしよう。
➲rumor「うわさ、ゴシップ」

34.　（C）　suspend は目的語なしで使える？＋態の区別

「その選手は即座に一時出場停止処分を受け、公式の調査の結果を待った」

（D）は現在完了形になっていて分かりにくいが、結局 The player is suspense の関係にはならないので不可。（A）（B）（C）の選択肢を見たときに気づくべき Testing Point は何かというと、時制と態である。このうち文章の骨組みに関わる態を先に考える。suspend は「つるす、中止する」のほかに「出場停止処分にする」という意味もあるのだが、それを知らなくても主語が the player であると分かれば、全体の構造から受動態であると想像がつくはず。pending は「〜の決定が下されるまで、〜を待つ間」という前置詞である。
➲pending「〜まで、〜を待つ間」　inquiry「調査」

35.　（A）　品詞と文型

「悪天候にもかかわらず、その建設プロジェクトは、計画されたとおりに進んでいる」

proceed がとる文型を知っているかどうかがポイント。proceed は目的語はとらない。したがって、（B）は不可。しかし、proceed が目的語をとらないと知らなくても、主語が projects で動詞が is proceeding であるから、（B）many other projects を入れると、project が projects を進めることになって選びにくいことは分かるはず。（C）は形容詞だから不可。「素早い進む」は日本語でもおかしいことが分かる。「素早く」にするためには quickly でなければならない。（A）（D）as planned/intending はどう考えるべきかというと、主語と as 以下の動詞の関係を考える。メインの主語は project だから as 以下の主語も同じ。あとは、project との間に受動態の関係があるのか能動態の関係があるのかを考える。
➲proceed「（物事が）進行する」

36.　（D）　能動態／受動態の区別と時制

「ある名の知れた俳優は、その団体が行う次回の年次晩餐会の場で、演説をするために招待されるだろう」

選択肢を見て Testing Point を考えただろうか？ ここで問われているのは時制と態である。(A)(B)(C) は時制は異なるがいずれも能動態で、(D) が受動態である。そこで、時制よりも先に文章の骨組みに関わる態から考える。actor is invited も invites も可能ではあるが、そのあとに本文では to speak がきていることに注意する。「～することを招待する」というのは意味が不明なのでここでは受動態がくることが分かる。したがって、(D) が正答。invite は invite＋人＋to do という構文をとり、「人に～するよう誘う」という意味になる。設問はこれの受動態の形。
◯annual「例年の、年一度の」

37. （B） leave の使い方と S＋V＋O＋C の文型

「会議室を散らかった状態でほうっておいたので、その秘書は私を叱った」

leave には「去る」だけではなく、S＋V＋O＋C の文型をとり、O＝C の状態でほうっておくという意味がある。(A) は文脈に合わないので (B) が正答。(D) だと副詞だから left を説明することになるのだが、leave untidily は leave という動作を散らかしてやるということになり意味不明。

38. （D） 能動態それとも受動態？

「封筒の裏に書きとめられていたその歌は、もう少しで捨てられるところだった」

4 つの選択肢を見比べれば、Testing Point が時制と態であるということが分かる。そして、態のほうが文章の骨格により深く関わる項目なので、時制を考えて悩む前に、受動態か能動態かを考える。ここでは、意味から考えて「書かれていた」と受け身になるはずなので (D) が正答。「封筒の裏に書いてあった」と考えると受動態でなくてもいいような気がするが、日本語に引きずられないように注意しよう。

39. （D） 文型と encounter の使い方

「兵士らはその都市に入るとき、抵抗にほとんど遭遇しなかった」

encounter が S＋V＋O の文型をとり、目的語なしでは使えないということを知らなくても、(A) を入れて「遭遇しすぎた」や (C) を入れて「熱心に遭遇した」というのは意味的に違和感があるのではないだろうか？ 目的語になりうるのは (B)(D) だが、(B) の場合、resist の主語は soldiers になってしまい意味不明である。
　ex. Tom likes walking. → walk の主語は Tom
◯encounter「（困難や危険に）出合う、遭遇する」

Chapter 1　文型と能動態／受動態

40.　（D）　能動態それとも受動態？

「私の理論は、次に挙げる簡単な例を使って説明することができる」

空欄の後ろに by があることと、illustrate の使い方を知らなくても、おそらく目的語が必要だろうという予想がつくことから、受動態であると考える。そうすると、（B）（C）ははずれる。（A）は my theory が単数形なのだから、has にする必要がある。

41.　（D）　文型と時制

「その生徒は試験にたやすく合格するであろうと教師は確信している」

選択肢を見て Testing Point が２つあることに気がついただろうか。選択肢に異なる動詞が使われており、それぞれ、とれる文型が違うことから、文型の問題が１つ。そして、（A）（C）（D）が未来形で（B）が現在形だから、時制も問われているのである。そう考えると（B）は現在形で習慣を表すことになるから最初にはずれる。あとは、動詞の使い方を考える。succeed は in が必要。pass は S+V+O+O の文型をとることができるのは「渡す」のときだけ。「合格する」には使えないのでここでは不可。
➡get through「（試験に）合格する」

42.　（C）　能動態／受動態の区別

「この新聞は、20年以上の間ずっと平日に発行されている」

publish は「発行する、出版する」なので、This newspaper が主語である以上、受動態であると考えるのが普通。もし仮に能動態であったとしても、publish に目的語が必要である。したがって、（C）が正答。for over 20 years に誘われて、最初に目に入った完了形である（A）をあわてて選んだり、has been という be動詞につられて（D）を選ばないように注意。（D）は受動態ではない。

43.　（D）　態の区別と受動態の時制

「その高校の野球チームは、ただ今元メジャーリーグ選手にコーチを受けている最中である」

選択肢を見ると、（A）（B）は能動態、（C）（D）は受動態。（A）（D）は現在進行形で（B）（C）は現在形である。よって、Testing Point は態と時制であると分かる。そこで、まず文の骨格に関わる態から考える。coach も train も目的語をとり、「～をコーチする」「～を訓練する」となる。よって「高校の野球部が引退したメジャーリーグの選手を訓練している」ととるよりは「高校の野球部が引退したメジャーリーグの選手に訓練されている」と考えるほうが自然である。したがって、（A）（B）はまずはずれる。あとは、時制を考える。本文の最後に right now「ちょうど今」とあるので、現在進行中の動作だと分かる。し

たがって、受動態の進行形である（D）が正答。

44. （C） 動詞にあった文型の選択

「ジェーンが嫌がっているにもかかわらず、彼女は旅行のスナップ写真を見せ始めた」

文型の問題。選択肢のすべてが動詞＋目的語となっていて、設問の空欄の次にも目的語があるから、S＋V＋O＋O の文型をとる動詞を探す。ただ、どの文型をとるのかは動詞によって決まっているのであり、意味で決まっているのではないから、覚えていないとしようがない。意味的には（A）（D）も大丈夫なのだが、目的語を 2 つとれないから不可。（B）は意味からも目的語を 2 つとれないことが推測できる（下記参照）。また、show her を選択すると show **her her** holiday snaps となり違和感があるが、最初の her と次の her は別人を指し、しかも別のパーツで使い方も異なるので問題はない。

基本的に S＋V＋O1＋O2 をとる動詞は「O2 が S から O1 に移動する」という意味を内包している。
 He will buy me a book. 買った瞬間は本は he のところにあり、それを me に渡す
 He brought me a book. 持ってきたのだから、a book はもともと he のところにあった
 He showed me the book. 本は移動しないが、本の情報が he→me に移動したと考える
 He taught me English. 英語は移動しないが、知識が he→me に移動した
❯protest「抗議、反対」 bore「退屈させる」

45. （D） 能動態／受動態の区別と主語の確認

「農務省の役人らは、大量の種子が不法に輸入されていることに気づいた」

選択肢を見て Testing Point を考えただろうか？　問われているのは能動態か受動態かということと、もう 1 つは主語が三人称単数かどうかである。まず、that 節の主語は人ではなく物だから、import「輸入する」という動詞の意味から考えても能動態ではない。したがって、この時点で（C）ははずれる。あとは、主語の核が quantities という複数形であると気がつけば、（D）が正答であると分かるはず。

間違い探し

46. （B）→ can be blamed

「その走者のレースでの成績不振は、その前の週の栄養補給不足が原因と言える」
どこまで読めば答えが分かる？： blame

Chapter 1　文型と能動態／受動態

S+V を考えて文章を読んでいるかどうか。動詞の can blame を見た瞬間に、主語が performance であると再確認した人は間違いに気がつく。たとえ、この問題に正答した人でも、何度も読み返してようやく答えが分かった場合は、S+V の確認が甘いので要注意。
◯nutrition「栄養」

47.　（D）→ arrested him

「警察の麻薬取締班は、男のアパートに押し入り、ただちに男を逮捕した」

どこまで読めば答えが分かる？：　文末まで

arrest だけでは誰を逮捕したのかが分からないので him が必要、というよりも arrest は必ず目的語を必要とする動詞なので、目的語なしでは使えない。日本語で考えていると納得できないが、これはもう覚えておくしかない。
◯narcotic「麻薬」　squad「特捜班」

48.　（C）→ were damaged

「警察は、その車のブレーキが故意に傷つけられたのではないかと疑っている」

どこまで読めば答えが分かる？：　文末まで

これも、S+V を考えて文章を読んでいるかどうかが問題。that 節の主語は brakes「ブレーキ」であるから、damaged を見た瞬間におかしいと気がつくべき。また、that 節の中には S+V が入っているはずだから、damaged は過去分詞ではなく過去形である。damaged を過去分詞ととり、「損傷を与えられたブレーキ」という意味でとってもかまわないが、この場合、damaged on purpose が brakes にかかる形容詞の働きをすることになるので、さらにそのあとにもう1つ動詞が必要であると気がつかなければならない。いずれにしても、文末まで読んだ瞬間におかしいことには気がつきたい。ちなみに（C）を was damaged に直した人は、主語の認識が甘い。

49.　（C）→ is

「たいへん若いが、その企業家はとても裕福な男性である」

どこまで読めば答えが分かる？：　文末まで

このままでも文法的には問題がないが、has を is にしないと意味不明である。「although は接続詞だから後ろには S+V がくる」と思って（A）を間違いにした人もいるかもしれないが、接続詞の中には主語＋be動詞は省略可能なものがあり、その1つがこれである。

★businessman「企業家」は日本語の「ビジネスマン」とは全く意味が異なるので注意。

50.　(D) → have been analyzed

「その発電所の下流の様々な場所からとった川の水のサンプルは、化学物質が含まれていないか分析された」

どこまで読めば答えが分かる？：　analyzed

文章の構造と主語を考えながら読んでいるかどうかがポイント。動詞が目に入った瞬間に考えなければならないのは意味ではなく主語の確認。have analyzed を見た瞬間に「主語は？」と確認できた人は analyzed を見たときに間違いに気がついただろう。主語は Samples だから、このままでは samples が analyze という動作を行ったことになる。よって、受動態にすべき。analyzed は現在完了の過去分詞であり、ここでは受け身の意味はないが、ed がついていることだけで受け身であると早とちりした人は注意。(B) downstream はこの場合、副詞なので問題はない。

◯downstream「下流に（の）」

間違い探し（下線なし）

51.　ignorance → ignorant

「各社員は、会社が直面している財政問題について知らないままである」

どこまで読めば答えが分かる？：　ignorance

このままでは、Each of the workers is ignorance. という関係が成り立つことになる。それがおかしいのは、I am coffee. や I am happiness. がおかしいのと同じこと。日本語で考えてみると、「あなた何頼んだの？」「私はコーヒーです」という会話はよくあるし、I am happiness. は直訳すると「私は幸せです」になり問題がなさそうにみえる。しかし、私は液体でもないし、抽象的な概念でもなく、人間だから I am coffee/happiness. は不可能である。それと同じように、workers. は人間だから、「無知」という抽象的なものではない。したがって、ignorance を ignorant という形容詞にする必要がある。

52.　will cross out → will be crossed out

「そのテキストにある文章の多くは、テキストをそのままでほうっておくと、検閲官に削除されるだろう」

どこまで読めば答えが分かる？：　cross out by

主語が passages という物であるということと、by the censors という表現を考えると、知らない単語があっても受動態であるという予想はつくのではないだろうか？　また、cross out「削除する」という意味を知らなくても cross＋out から「バツして外に出す」という漢

然とした意味がつかめるだろう。censor は検閲官。ちなみに「検閲」は censorship で、「センサー」は sensor。

53.　encourage → make、または happy → to be happy

「何年もの間、私は母を幸せにしようとできることはすべてしたが、とうとう背いてしまった」

どこまで読めば答えが分かる？：　happy

encourage は S+V+O+C の文型はとらないので、my mother のあとにダイレクトに happy を置くことはできない。よって make に直す。make に直す代わりに、to be を happy の前に入れてもよい。rebel「反発する、反抗する」は S+V の文型をとり、目的語はとらないので、設問のままでよい。

54.　have performed → have been performed

「十分な検査が行われて、この腫瘍がガンである可能性がないことがわかった」

どこまで読めば答えが分かる？：　performed

これも performed を見た瞬間に、間違いであると確信できなくても「おかしいな」ぐらいは感じてほしい。何も考えずに文末まで読んでしまった人は、S+V という文章にとって一番肝心なものをきちんと理解できていないということになる。have performed を見たら「perform の意味はなんだったっけ？」などと考える前に、時制が現在完了で、主語が test だから、test が perform という動作を行うと、認識していなければだめ。

◯sufficient「十分な、(〜するのに) 足りる」 rule out「除外する、〜をありえないとする」
　growth「腫瘍、成長」

55.　to を削除または to me と a letter を入れ替える

「何年間も会っていなかったいとこが、先週、私に手紙を書いてきた」

どこまで読めば答えが分かる？：　a letter

write は S+V+O+O の文型をとるが、基本的に S+V+O+O の文型をとるものは前置詞をつけて 2 つの O を入れ替えることができる。

　I gave him a pen. → I gave a pen to him.
　I bought him a pen. → I bought a pen for him.

しかし、× I gave to him a pen. のように前置詞＋名詞を動詞と直接目的語の間に入れることはできない。よって、to me の to を削除するか、to me と a letter を入れ替える。

56.　has released → has been released

「その殺人事件の容疑者は、警察がこれ以上拘束するための証拠を十分に所持していなかったため、釈放された」

どこまで読めば答えが分かる？：　has released
Q54と同じく、この問題も released を見た瞬間に S+V を確認し、「怪しい」と思ってほしい。もし仮に murder も suspect も単語の意味を知らなくて、released まで見ただけでは怪しいと思えなくても、because 以下を読めば警察に捕まえられている人であることぐらいは予想がつくはず。そうすれば、おのずと release が能動態ではまずいと気がつくだろう。
●murder「殺害、殺人」

57.　telling the story for them → telling them the story、または for → to

「その幼稚園の先生は、物語を話す前に、子供たちに座るよう指示した」

どこまで読めば答えが分かる？：　文末まで
tell は告げる相手を言う場合、たとえば動詞の直後に置いて tell him the news にするか、to＋人の形になる tell the news to him にする。問題のように for them などという形にはならない。よって正答は、telling them the story または telling the story to them となる。
●instruct「指図する、指示する」

58.　has completed → has been completed

「私に割り当てられた仕事は、予定どおりに終了した」

どこまで読めば答えが分かる？：　completed
complete が動詞として使われる場合、finish と似たような意味になるが、この２つが決定的に異なるのは complete は「物事が完了する」という意味では使えず、「〜を完了させる」という意味でしか使えないということである。よって、物が主語になっていて「〜は完了する」という意味にする場合は受動態になる。
●assign「割り当てる」

59.　enjoys → enjoys them

「彼は妻がとてもおいしい料理を作ってくれ、またそれを食べるのが好きなので、いつも必ず定時に帰宅するようにしている」

どこまで読めば答えが分かる？：　文末まで
enjoy も日本人が使い方を間違える代表的な単語のひとつである。enjoy は S+V の文型はとれないので、必ず目的語を必要とする。つまり、パーティなどに行って「楽しかった」と言う場合、I enjoyed at the party. などとは言えず、I enjoyed myself at the party. か I

Chapter 1　文型と能動態／受動態

enjoyed the party. にするか、または I had a good time. などとする必要がある。また、enjoys it に直した人は、数の認識が足りない。

60.　has operated → has been operated

「その患者のひざは、何回も手術されたので、縫い跡の傷が格子のように覆われている」

どこまで読めば答えが分かる？：　has operated

このままでは knee が operate という動作を何度もしたことになって意味不明。knee と operate の関係は受動態のはずだから、has been operated に直す。完了形の場合、過去分詞を見て受動態だと錯覚する学習者が多いので、気をつけよう。ここでも、has operated の operated にだけ目が行って、能動態であることに気がつかなかった人は多いかもしれない。

◐latticework「格子、格子状のもの」　scar「傷跡」

Chapter 2

Tenses
時制

Test 1

穴埋め

61. （C） 科学的事実を表す現在形

「音の速度は、媒体の密度によって異なるというのは、よく知られた事実である」

It's a well-known fact「よく知られた事実である」と言っているので、that節のS+Vはいつも変わらない法則を述べているはず。よって、科学的事実・習慣を表す現在形を使う。（A）だと「いま変わっている最中」になりおかしい。（B）は継続を表し（D）は完了を表すが、あくまで一般的な法則を紹介しているだけなので、「これまでずっと変わってきた」「すでに変わってしまった」というのは内容から考えてもおかしい。

➲density「密度」 medium「媒体（media の単数形）」

Point 3　現在形の使い方

> 現在形は現在の習慣的動作・科学的事実などを言う場合に使われる。したがって、I study English の、現在形であることを強調した訳は「私は今、英語を習慣的に勉強しています」となる。

62. （D） 現在行われている動作を表す進行形

「ほら、ちょっと天気を見てください。また雨が降っています」

look at the weather now と言っていることから、雨が現在降っている最中であることを指すはず。したがって、（D）が正答。（C）は現在形だから現在の習慣的動作を指す。（A）も今降っている最中であるかもしれないが、それよりも継続してある期間の間ずっと降っていたことを表すために完了形にするのだから、ここでは合わない。（B）はまだ雨が降っていないことになり look at the weather now と合わないので不可。

Chapter 2　時制

63.　（B）「〜してしまっている」

「私の上司はこの2ヵ月間で2度海外へ出かけた」

主語が三人称単数なので（A）は不可。また、「これまでに、かつて」という意味では普通の肯定文に ever は使わないので（C）も選べない。あとは意味から考える。（D）だと「過去2ヵ月の間に2回行ったことがない」という不自然な文になってしまうので、選びにくいだろう。また、完了形で時間を扱うときは必ず for や since と使わなければならない、と考えている学習者も多いがそんなことはない。必ず、意味から考えて時制を決めよう。has gone だけだと「行ってしまって今はいない」の意味になるが、ここでは twice があるので「『行く』という動作を2回やってしまっている」ということ。
●supervisor「管理者、監督者」

64.　（B）　未来の予定を表す現在進行形

「私たちは16日にハワイへ出発します。チケットが今日届きました」

今日チケットが到着したのだから、「16日」は過ぎた日ではなく未来の話。そこで（C）ははずれる。また（D）は Hawaii の前の前置詞が for なので go と合わず不可。問題は（A）（B）だが、チケットが到着したということは、旅行の手配が済んでいるということ。したがって、予定を表す進行形が必要であることが分かる（Point 4 参照）。

65.　（B）　状態動詞の現在形

「新しい教師が徹底的に説明したので、そのクラスはその教科をよりはっきりと理解している」

現在、理解しているのだから現在形の（B）が正解。understand も comprehend も状態動詞なので進行形にはならない。よって、（A）（C）（D）は不可。the class はクラスのそれぞれの人間を指す場合は複数名詞だが、クラス全体を指すときは単数名詞にもなるので（B）のように三単現の s をつけても問題はない。
●thoroughly「徹底的に」

66.　（C）　過去の継続を表すのはどれ？

「そのピッチャーは、メジャーリーグで投げる機会を得る前、マイナーリーグで長年にわたりプレイしていた」

before he got the chance があるから、主節の時制は過去の話であると分かる。よって、現在時制である（B）（D）は不可。また、got より前の時制だから過去完了形となる。for years がなければ（A）でも可能。after/before は2つの文を1つにする働きを持つが、どちらがより過去かは after/before の意味から簡単に推測できるので、いちいち古いほうを過

去完了にする必要はない。

○ I **ate** breakfast before I **did** my homework.
　　　└─▶ had eaten にしなくてもよい

○ I ate breakfast after I **did** my homework.
　　　　　　　　　　　　└─▶ had done にしなくてもよい

しかし、ここでは for years が継続を表す完了進行形以外の進行形とは合わないので（A）は選べない。

67.　（C）　時を表す副詞節には will は使わない

「私はこのレポートを終えたらすぐに、ジョギングするつもりです」

as soon as＋S＋V は時を表す副詞節なので未来形は使えない。したがって、（B）ではだめで（C）complete にする必要がある。また、（D）は日本語で考えると合いそうだが、英語の過去形は今より過去の話に使う。ここでは、レポートが終わるという動作は未来の話なので、過去形は使わない。時を表す接続詞の使い方については Point 8 を参照。

68.　（D）　予定を表す進行形

「ジェーンとグレンダは、自宅で来週の日曜日に、送別会を開く予定です」

next Sunday があるから未来の話だが、（A）（C）には未来の意味はないのでここでは使えない。（B）は主語が複数なので不可。現在進行形には未来の予定を表す使い方があることを覚えておこう（Point 4 参照）。

➲farewell「別れの、送別の」

Point 4　現在進行形には未来の予定を表す使い方がある

be＋ing の現在進行形は現在行われている最中の動作だけではなく、未来の予定も表す。

I'm playing tennis with Tom tomorrow.
私は明日、トムとテニスをする予定です。

「予定」であることから、約束・手配がすでに済んでいるというニュアンスを持つ。

69. （B） when を使った疑問文の時制

「いつ就職希望者の願書を、整理し終えましたか？」

日本語で考えると have you finished でも正しいような気がするが、when を使った疑問文では現在完了は使われない。よって、（A）は不可。また、（C）は受動態と考えた場合は、誰かが私を finish したことになりおかしいし、形容詞と考えた場合は with が必要。when を使った疑問文については、下記の Point 5 を参照。

Point 5　when を使った疑問文には現在完了は使わない

通常、when を使った疑問文には現在完了は使わない。when を使って「いつ～しましたか？」を聞くには過去形を使うのが普通である。

× When **have you finished** your homework?
→ When **did you finish** ...

これは when の疑問文に対する答えを考えれば分かる。たとえば、上記の例文に答える場合、なんと答えるだろう。"Last night." とか "Before dinner." などと答えるのではないだろうか。これらの答えはすべて過去を表す言葉である。つまり、フルセンテンスで答える場合、現在完了は過去を表す言葉とは一緒に使えないから返答は必ず過去形になる。ということは、when have you ... も結局は過去のことを聞きたいわけだから when did you ... にするべきなのである。

70. （D） lie/lay の区別と活用

「その老人は少し気分が悪かったので、ソファーに横たわった」

まず、lie（横たわる）と lay（横にする）の区別がつくかどうか、特に活用が lie - lay - lain/ lay - laid - laid とややこしいので注意。（B）の lied は「嘘をつく」の lie の過去形なので注意すること。（C）は空欄のあとの down が不要。lie down は立った状態から寝た状態に移行するという意味の「横たわる」である。つまり進行形にすると、その動作の最中、つまりかがんで横になろうとしているところになってしまう。

71. （D） 未来のある時点で行われている最中の動作

「何が起こっているのか私たちが完全に理解する前に、科学者らはクローン人間を作っているだろう」

（A）は文法上可能である。しかし、科学者がクローンを作っている最中であるという事実

はないので、選べない。（C）も同じ。（B）は未来完了進行形である。現在・過去・未来を問わず完了進行形は、そのときまでの継続を表す。よって、（B）を選ぶと未来のある時点までの継続を表すことになる。しかし、ここでは、未来のどの時点までの継続なのかも、どれぐらいの間続くことになるのかも表記がないので、使う理由がなく不自然である。

72. （C） 現在までの継続

「ほぼ5年間、失業者は増えつづけており、その増加が衰えるきざしはありません」

now があるので、現在の話だから、（B）（D）ははずれる。内容から考えて、「現在まで5年間の間ずっと」ということになるから（C）の現在完了進行形が正解。現在完了進行形は現在までの動作の継続「ずっと～してきた」を表す。

➲unemployment「失業、失業率」 abate「衰える、少なくなる」

73. （C） 過去のある時点でやっている最中だった動作

「私がペンギンの移住についてスピーチをしている間に、ライトが故障した」

文脈から考えて「スピーチしている最中に電気が消えた」という意味になるはずだから、ここでは過去進行形が必要である。「スピーチ**している**間に」という日本語につられて（A）を選ばないように注意。

➲migration「移住」 go out「（機械などが）作動しなくなる」

74. （B） 現在までの継続を表す現在完了

「彼は前の会社をクビになった日からずっと、仕事を見つけられないでいる」

「クビになった日」という過去のある時点から、現在に至るまで can find という動作がずっとできない状態が続いている、という意味なので can find を現在完了形にする必要がある。よって、（B）has been unable が正答。can は未来形や完了形の場合は、be able to を使い、will be able to/have been able to とする。

➲previous「前の、先の」

75. （A） 単純な未来を表す will

「今日は雨だったが、明日はいい天気だと思う」

tomorrow があるので現在形の（D）は不可。また、明日晴れるというのは約束・手配済みの予定を指すわけではないので、（C）の現在進行形も使えない。（B）は未来完了形であり、未来のある時点で、そのときまでずっと継続していることになる動作を表すのだが、ここでは晴れの日がずっと続いてきていることになるという意味ではないので選べない。（B）を使いたかったら、次のような例文になる。

Chapter 2 時制

If it is sunny tomorrow, it **will have been** sunny for 10 days in a row.
「もし明日晴れたら、10日間連続でずっと晴れていることになる」

間違い探し

76. （A）→ Have

「生徒らが、あなたに特に何かを教えるよう頼んだことは一度もないのですか？」
どこまで読めば答えが分かる？： asked
ask に ed がついているので Did ではだめなことが分かる。疑問文で ed をつけたままにしてもよいのは、完了か受動態しかない。しかし、ここでは asked のあとに you という目的語とto不定詞があるので、受動態では不可。したがって、Did を Have にする。Has に直した人は主語が複数形だと気がついていないので要注意。

77. （B）→ is broadcasting/broadcasts/will broadcast

「そのテレビ局は、今夜遅くに大統領の演説を放送する予定です」
どこまで読めば答えが分かる？： the President's
まず、動詞を探すことから始める。文中の語で動詞になりうるのは broadcast と address だが、このうち address の直前に the President's があるので、address は名詞である。よって、動詞は broadcast。あとは、later tonight から考えて、未来の話をしているのだから is broadcasting または broadcasts にする必要があると分かる。現在進行形には未来の予定を表す機能があり、現在形にはタイムテーブル上の予定を表す機能があることも覚えておこう。
➡ station「放送局」 broadcast「放送する」 address「演説、講演」

78. （C）→ belongs

「そこに赤いセダンが見えるでしょう。あれは今は私のものです」
どこまで読めば答えが分かる？： is belonging
now がついていて、さらに「私に所属している」という日本語を考えた人は間違いに気がつかなかったかもしれない。動詞には状態動詞と動作動詞があり、状態動詞は現在この瞬間の話をしているときでも現在進行形にはならないという性質がある。たとえば、know を使い I'm knowing him. などとは言えないのである。そして、belong も状態動詞のひとつである。よって、（C）を belongs に直す。状態動詞の詳しい説明は次の Point 6 を参照。

Point 6　状態動詞

動詞は動作動詞と状態動詞の2つに分けられるが、状態動詞は例外を除いて進行形にならないという特徴がある。状態動詞は意味的にある程度長い間行われる動作で、なおかつ1分ごとに自発的にやったりやめたりできない動作を指す場合が多い。know で考えてみると、「知っている」という動作は1分ごとに「知る」という動作をやったりやめたりすることはできないし、understand にしても「理解する」という動作を自発的にやめるのは不可能である。しかし、study や run などの動作動詞は、1分ごとに勉強するのをやったりやめたりすることは可能だし、自発的に走るという動作を終えるのも可能である。また、状態動詞の特徴として英語が単なる現在形でも日本語の訳が「〜している」という訳になるということがある。have「所有している」、know「知っている」、understand「理解している」、need「必要としている」、want「欲している」。これが、状態動詞を進行形にしてあっても間違いに気がつかなかったり、自分で文章を書くときに日本語→英語に翻訳して書く人が、状態動詞を進行形にしてしまう原因の一つであるので注意しよう。

主な状態動詞の一覧

have　所有している	need　必要とする	want　欲している
know　知っている	like　好きである	see　見える
belong　所属している	respect　尊敬している	hate　嫌いである
understand　理解する	hear　聞こえる	love　愛している
comprehend　理解する	own　所有する	believe　信じている

have は「食べる」などの意味のときは動作動詞なので、進行形になりうる。
　I **was having** dinner when he phoned me.
　「彼が電話をかけてきたとき、私は夕食中だった」

79.　（D）→ get

「私がニューヨークから戻るころ、あなたは太平洋を渡っている途中だろう」

どこまで読めば答えが分かる？：　am getting back

by the time S+V で「S が V するころまでには」という意味であり、ある時間の一点までにある動作が完了することを指す。よって、意味的に考えて by the time の節には進行形は適さない。また、by the time は時を表す接続詞なので、付属の S+V には will は使わない。

Chapter 2　時制

80.　（A）→ I will be

「私は来週の今ごろ、ビーチで日光浴をしている最中でしょう」

どこまで読めば答えが分かる？：　文末まで

現在進行形は未来の予定を表すが、その場合には進行形の意味はなくなる。this time next week は進行形を強く示唆する表現であり、「来週の今ごろ、ビーチで」という文脈から考えておそらく、「～している最中である」という意味になるはずだから、未来の進行中の動作を表す will be doing を使う必要がある。

●sun「日に当たる、日光浴をする」

間違い探し（下線なし）

81.　considered → haven't considered、または yet を削除

「私たちは、この決定が及ぼす長期的な結果についてまだ考慮していません」

どこまで読めば答えが分かる？：　文末まで

文末に yet があるので、この文章は否定文ではないかという予想がつく。また、内容から考えて「まだ～してしまっていない」となるはずだから現在完了の haven't considered に直す必要がある。または yet を削除してもよい。

●consequence「結果、成り行き」

82.　間違いなし

「私は10年前にここへ移ってくる前は、この村についてよく知らなかった」

used to の否定文を問う問題。used to の否定文の詳細は Point 7 を読んでいただくとして、ここでは　didn't　に注目する。didn't　が使われているということは、とりもなおさず次の used を一般動詞扱いしているということである。そして、used を一般動詞扱いしている限り、didn't をつければ後ろの動詞は原形になるのは当然である。よって、間違いなしとなる。

Point 7　　used to の否定文

used to do「かつて～したものだった」の品詞は実は２つ考え方があり、助動詞と見なす場合と、一般動詞と見なす場合とがある。助動詞と見なす場合は、can do の否定が cannot do であるように、used に直接 not をつける used not to do（省略形 usedn't ユ

45

ーセント)。一般動詞と見なす場合は、used を use の過去形と考え、didn't use to do となる。
ex. I **used not to** take a walk after dinner.
　　 I **didn't use to** take a walk after dinner.
ただし、実際は used to と use to の発音上の区別がつかないせいか、didn't used to do も使われることがある。

83.　got → were

「私が電話したとき、皆は荷造りを終えており、旅行に出かける期待に興奮していた」

どこまで読めば答えが分かる？：　got excited
このままでは、電話したときに get excited という動作が起こったことになる。「私が電話したときに興奮した」のではなく「私が電話したときは、興奮していた」となるはずなので were excited に直すべき。
○prospect「見通し、期待」

84.　Would → Could/Might/Can/May

「ジョーンズさんをお願いしたいのですが？」「残念ながら彼を捕まえ損ねましたね。彼は10分前に出かけました」

どこまで読めば答えが分かる？：　speak
文の内容から考えて、許可を求める表現のはずである。would I ～ には許可を求める意味はないので、ここでは使えない。よって、could/might/can/may に直す。
○step out「外出する」

85.　has put → is putting

「その建設業者はビルの仕上げをしており、来週には終了するはずだ」

どこまで読めば答えが分かる？：　文末まで
文法的には何ら問題ないので、意味から考える。has put が完了形なので、「最後の仕上げを終わってしまった」の意味になるのだから、「来週、終わるはずだ」とは合わない。したがって、is putting にして、「最後の仕上げに取りかかっている最中だ」という意味にする必要がある。ちなみに hasn't put にするのは接続詞が順接の and であるから、やや不自然であろう。なお、finished は形容詞で「終えた、終わった」の意味。
○finishing touch「最後の仕上げ」

Chapter 2　時制

86.　I'm → I'll be

「入浴中なので、明日の9時には電話しないでください」

どこまで読めば答えが分かる？：　文末まで

明日の9時は未来の話だから現在進行形ではなく、未来進行形にする必要がある。確かに、現在進行形も未来形として使えるが、そのときには「約束・手配の済んだ予定」を表し、進行形の意味はなくなる。お風呂にはいるのは約束・手配済みの予定とは思えないし、文の内容が進行形を示唆するものなので未来形としても現在進行形はそぐわない。

➲dare「あえて〜する」

87.　had taken → took

「幸運にも私はその問題を予期し、起こるであろう結果に対処するための回避行為をとった」

どこまで読めば答えが分かる？：　had taken

このままでは anticipated よりも taken のほうがより過去に行われたことになり、問題が起こるのを予測する前にすでに回避行為をとったことになるので不自然である。

➲anticipate「予期する」　evasive「回避的な」　consequence「結果として起こること」

88.　will allow → allows

「近ごろは最新技術によって、作家はより多くの時間を内容について考えることができる」

どこまで読めば答えが分かる？：　will allow

these days と言っていることと全体の内容から、現在の一般的な習慣・ルール・恒常的動作について述べているはずである。したがって、現在進行形ではなく現在形を使うのが普通。

➲content「内容」

89.　needs → has needed

「母は3年前の事故以来、松葉杖が必要である」

どこまで読めば答えが分かる？：　文末まで

過去のある時点から現在に至るまでのことを述べているのだから現在完了形にする必要がある。現在形はあくまで現在のことしか述べていない。ここで、現在形を使うと、3年前から昨日までの出来事については言及していないことになり、since 〜 と矛盾する。

➲crutch「松葉杖」

90.　study → am studying/will study

「明日受ける試験のため部屋で勉強しているので、じゃまをしないでください」
どこまで読めば答えが分かる？：　tomorrow
study は現在形になっているので、現在進行中の動作ではなく現在の習慣である。しかし、明日受ける試験のために勉強するのが習慣というのはおかしい。内容から考えて、ここは現在進行形にするべきである。これから勉強するという意味で、will study でもよい。
●disturb「じゃまする、妨害する」

Test 2
穴埋め

91.　（C）　現在までの継続を表す現在完了

「この職業について、どのくらいになりますか？」
so far「今までのところ」があるので、現在までの継続を聞いている。したがって、現在完了形の have you been が正しい。
●line「専門、商売、方面」

92.　（D）　過去のある時点までの継続

「私が家に着いたときには、息子は2時間以上寝ていた」
for more than 2 hours があるから過去のある時点（ここでは、私が帰宅したとき）までの継続を指す。したがって、過去完了が必要である。日本語では過去形と過去完了形の区別がはっきりしていないので、日本語で考えていると（A）（B）を選ぶ恐れがあるので注意。また、（C）は go to bed の意味を考えてもらいたい。確かに日本語訳は「寝る」だが、それは日本語であって、英語ではあくまで「ベッドに行く」である。そして、「ベッドに行く」というのはベッドに向かって移動するという1回の動作を指すのであり、決して「眠っている」という状態を指すのではない。ということは、（C）を選ぶと「2時間の間、ベッドに行くという動作をくり返し行った」となってしまい不自然である。これは、次の例を見ても分かる。

I have gone to that high school for 3 years now, and the graduation is tomorrow.

93. （C） 状態動詞の need

「その会計士は、いま収支計算書を調べる必要がある」

need は状態動詞なので、現在のことでも現在進行形にはできない。よって、（D）は不可。（A）（B）ともに現在完了形になっているが、現在完了形は過去のある時点から現在までの継続した動作を指すために使う。しかし、ここでは内容から考えて過去から現在までの継続を指しているとはとれない。したがって、（C）が正答。誤解しないでいただきたいのは、「now があったら現在完了形は使えない」ことにはならないということである。
　　ex. I've been studying English for 3 years **now**.
は全く問題がない。

➲accountant「会計士（係）」

94. （B） 時を表す接続詞 before

「私が新しい任務に赴く前に、来週の金曜日に新しい医者が到着します」

意味から考えると leave は未来に起こる動作だが、before＋S＋V は時を表す副詞節なので、未来のことでも現在形を使う。したがって、leave が正答。

➲assignment「任務、課せられた課題」

Point 8 　時と条件を表す接続詞に注意

> when や if など、時間・条件に関わる接続詞を使う場合、その付属の S＋V には単純な未来を表す will は使えないことになっている。
>
> ex. When you **meet** Tom tomorrow, tell him to call me.
> 　　 If you **pass** the test, I'll buy you a drink.
>
> **will** を使わない接続詞の一覧
> when, after, before, as soon as, until, by the time, once, while, if, unless, provided, on condition that

95. （C） 進行中の動作を表す現在進行形

「モードおばさんの具合はどうですか？」「彼女はまだ病院で入院しているけれど順調に回復しています」

会話の内容から、現在よくなっている最中であると言っているはず。（A）（D）だと現在の状態を述べていないから、She's still in the hospital, but と合わない。（B）は現在形なの

で、習慣的動作を指すので不適切。

96. （D） 未来の予定を表す現在進行形

「今週の土曜日はジョンと釣りに行くので、申し訳ないけれど手伝うことができません」

内容から考えて this Saturday は未来の話。よって、未来形を使わなければならないのだが、選択肢の中で未来形は（D）のみ。現在進行形は、現在行われている動作を表すだけでなく、未来の予定を表すのにも使える。（B）（C）は現在形で現在の習慣を表すので不可。（A）は現在完了進行形だから、現在までの動作の継続「ずっと〜してきた」という意味になる。

97. （D） used to の否定文

「その鳥は以前はここに巣を作らなかったが、今は作っている」

used to do で「かつて〜していたものだった」という意味だと知っている学習者でも、その否定文がどうなるのか知らない人が多い。しかし、used to の否定文を知らなくても、この問題は解ける。意味から考えれば、「昔は巣を作らなかった」という否定文になるはずだから、この時点で（B）（C）ははずれる。そして、（A）は don't が使われているから、過去形の表現である used to の否定文としてはおかしい。よって、（D）が正答と推測できる。used to の否定文については Point 7 を参照。
◯nest「巣を作る」

98. （C） 話しているときに決めた未来の動作

「何時に会いましょうか？」「そうですね、バーで7時に会いましょう」

「いつ会うべきか？」と聞いていることから、この時点ではまだ会う時間が決まっていないと考えられる。したがって、答えている人は今決めたはずだから、will meet の（C）が正答。話している最中に決めたことは will を使う。I know のあとに感嘆符「！」があることに注意。この場合の I know は「知っている」というよりも、How about 〜 とか Here's a good idea ぐらいの意味。

99. （C） 未来のある時点で進行中である動作に使う時制

「今晩8時にあなたを訪れたとき、あなたは何かしている最中だと思いますか？」

（A）〜（D）のうち、（B）は未来形として使えない。しかし、そのほかについては、（A）約束・手配済みの未来の予定、（C）未来のある時点で進行中の動作、（D）時刻表上の予定、であるから未来形として使える。ここで、気をつけたいのは（C）以外は進行形の意味を持たないということ。そして、ここでは「今晩8時に訪れたときに」という文が入ってい

Chapter 2 時制

ることと、do you think「〜だと思いますか？」と尋ねていることから、「何かをしている最中だと思いますか？」と考えるのが一番無難といえる。したがって、(C) が正答。(A) は予定を聞いているのだが、do you think と一緒に使うのは怪しい。日本語でも「あなたは何かする予定だと思いますか？」というように、「予定である」と「思う」と一緒に使うのは違和感がないだろうか？

100. (A) 過去のある時点で進行中である動作に使う時制

「抗議者らが到着したとき、局長の説明は終わりに近づいていた」

(C)(D) は時制が合わないので不可。そして、near が動詞として使えると知らなくても (C)(D) がはずれることが分かれば、(A)(B) は動詞として使われているのだから、動詞として使わざるをえないことになる。そして、(A)(B) で問われているのは能動態か受動態かということである。空欄のあとには completion という目的語が入っている。したがって、正答は受動態ではなく能動態であることが分かる。受動態とは能動態の目的語を主語にまわして作る文である。したがって、受動態のあとにさらに名詞が残っている場合、能動態にしたときには S+V+O+O か S+V+O+C でなければならない（Point 2 参照）。
●protestor「抗議（異議）の申し立てをする人」

101. (C) 現在までの動作動詞の継続を表す現在完了進行形

「長期間にわたりここで働いてきたので、今は転職はできません」

so long まで読んでも、文法的には (A)〜(D) の全てが入る可能性がある。そこで so long 以下の文章の意味を考える。今はほかの仕事に変わることができないということは、現在まで長い間働いてきたから、と考えられるので現在完了進行形の (C) が正答。(A) だとすでに辞めていることになるので、後半の文章と合わない。(B) は「未来のある時点で、長い間働いたことになるから、今辞められない」という、意味の分からない文になる。

102. (A) 条件を表す副詞節

「私の友だちは私に会いたがっているので、彼が明日来ないなら私が来週会いに行きます」

if 節には単なる未来を表す will は使えないうえに、意味的にも否定文になるはずなので (B)(C) は不可。(D) は明日の話なのに過去形を入れているので、仮定法を使っていることになるのだが、主節が will visit という形であることから、この文は仮定法ではないことが分かる。よって、didn't come は入れられない。ここでは直説法の未来を表す (A) が正答。

103. (A) 未来の予定を表す現在進行形

「私はきのう新社長から電話を受けました。彼は金曜日にその工場を視察する予定です」

on Friday が過去であろうと未来であろうと、現在完了形である（C）は不可であることが分かる。ちなみに on Friday は「毎週金曜日」という意味では使われない。普通は、every Friday か on Fridays である。また（B）(D) も He said he would be inspecting... のように that 節の中に入るのなら OK だが、主節として使うのは will を過去形にする理由がないので不可。(A) は進行形だが、未来の予定を表す。
◯inspect「視察（監査）する」

104. (D) 現在までの動作動詞の継続を表す現在完了進行形

「義父が亡くなってからずっと、私たちは義母と暮らしている」
日本語訳から考えていると間違える。
 ex. **I study** English every day. → 毎日英語を勉強しています。
 I'm studying English now. → 今、英語を勉強しています。
 I've been studying English for 10 years. → 10年間、英語を勉強しています。
 I will be studying English at 3 tomorrow. → 明日の3時は英語を勉強しています。
このように「〜している」ひとつをとっても、多数の時制で重複することになる。よって、日本語訳から意味を決めるのではなく、形からどのような時制なのかをイメージして意味をとらなければならない。

ここでは、過去のある時点から現在に至るまでの動作の継続を表しているので、(D) が正解。

105. (C) 起こりそうな出来事を表す be going to

「その火山は、明日かあさって噴火しそうである可能性がかなり高いようだ」
明日かあさっての話だから未来形を使わなければならない。したがって、(B)(D) は最初にはずれる。また現在進行形はすでに約束・手配が済んでいる未来の予定を指すので、内容的に（A）は選べない。be going to は「〜しそうだ」の意味も持ち、何か根拠となるものが現在ある場合に使う。
 ex. It's going to rain.「雨が降りそうだ」→ 黒雲があるなどして、雨が降るという根拠がある。
◯fairly「かなり、相当に」 erupt「噴火する」

Chapter 2　時制

間違い探し

106. （D）→ had surfaced

「2日前に表面化した公の場での口論について謝罪するために、その選手は先週の金曜日に監督のオフィスに行った」

どこまで読めば答えが分かる？：　文末まで
two days ago は今から2日前だが、two days earlier はある出来事よりさらに2日前を指す。したがって、went よりもさらに過去に行われているという意味になるはずなので、過去完了にしなければならない。
◯surface「表面化する」

107. （C）→ will win

「私たちは本当に一生懸命に訓練してきたのだから、あさっての試合に勝つと私は確信している」

どこまで読めば答えが分かる？：　are winning
確かに、現在進行形には未来の予定を表す働きがあるので、未来形として使うことは可能である。しかし、それは約束・手配が済んでいる予定であるというニュアンスを含む。

　　ex. I'**m having** a party tomorrow. → 私は明日パーティをする予定です。
　　　　　　　　　　　　　　　　（おそらくパーティの段取りはすべて完了している）
しかし、ここでは内容が試合に勝つという話であり、「勝つ」という動作が予定として決められるものではないうえに、I'm sure「きっと〜だと思う」という言葉と一緒に使うのは違和感がある。よって、ここは単純な未来を表す will win に直す。

108. （C）→ believe

「子供たちの表情から判断すると、彼らが私の言っていることすべてを信じているのは明らかである」

どこまで読めば答えが分かる？：　are believing
believe は状態動詞なので、たとえ日本語の訳が「〜している」であっても進行形にはならない。状態動詞と動作動詞については Point 6 を参照。

109. （D）→ has been teaching

「私はジョンのような経験を持っている人を転勤させたりするつもりはない。彼はもう10年も教えているのだ」

どこまで読めば答えが分かる？：　文末まで

He taught for 10 years だけなら文章として可能だが、now がついている以上、「現在で教えて10年間になる」という継続の意味にとらざるをえない。したがって、has been teaching にする必要がある。

110. （D）→ join

「あなたがチームに加わらない限り、私たちはクライアントが設定した締め切りまでにこの報告書を終えることはできないだろう」

どこまで読めば答えが分かる？：　joined

内容から考えて、「あなたがチームに参加する」という動作は未来に行われるはずである。したがって、過去形では不適切。しかも、unless は条件を表す接続詞なので、付属の S+V には未来形は使えず、代わりに現在形を使う。よって、joined を join に直す。

●deadline「最終期限、締め切り」　specify「具体的に述べる、指定する」

間違い探し（下線なし）

111. will arrive → arrive

「私たちが着くころには、会社のみんなはバーで飲んでいるだろう」

どこまで読めば答えが分かる？：　文末まで

by the time は時を表す接続詞なので、付属の S+V には未来形は使えない。したがって、will arrive を arrive に直す必要がある。will be drinking は未来のある時点で行われている最中である動作を表すのだから、ここでは適切である。

112. just announce → have just announced または just announced

「ニュース見ましたか。選挙結果がちょうど今発表されましたよ」

どこまで読めば答えが分かる？：　announce

このままでは、announce が現在形だから習慣的動作を意味してしまうことになる。「ニュースを見ましたか？」と言っているのだから、すでに発表されているはず。また、just という言葉があるので、ちょうど今発表されたばかりと考えられる。よって、現在完了が正解。

また、米語では単なる過去形も使用可。
◯announce「公表する」

113.　read → have been reading

「3週間ずっとこの本を読んでいるのですが、まだほんの1章目です」

どこまで読めば答えが分かる？：　for three weeks

後半の「まだ1章目だ」という記述から、この人はまだ読み続ける意志があり、これまでのところ3週間読んでいるという意味のはずである。その場合は、3週間前から現在までの継続を表すので現在完了進行形が必要。ただし、for three weeks があるからといって必ずしも現在完了とは限らない。もう今は読んでいないなら、過去の話だから I read this book for 3 weeks. となる。

114.　is hating → will hate

「目新しさがなくなった明日のこの時間には、彼がその仕事を嫌になっていることを私は確信している」

どこまで読めば答えが分かる？：　is hating

hate は Point 6 で述べているように状態動詞であるので、進行形にはならない。よって、will hate に直す必要がある。
◯novelty「目新しさ」　wear off「消耗してなくなる」

115.　has finished → finished

「その研究会が終わったあと、私は講演者らに同行し、近くのレストランへ夕食を食べに行った」

どこまで読めば答えが分かる？：　accompanied

accompanied が過去形なので、after の節の S＋V も過去の話をしているはず。したがって、現在完了にはならない。現在完了はあくまで現在形の仲間であるという意識を忘れずに。ちなみに、has finished はこの場合、after の節の中で will が使えないから、未来完了形の will がとれた形とも考えられる。よって、この文全体を未来の話と考え、accompanied を am going to accompany に直しても正しい文章になる。

この文を過去の話として考える場合、厳密には after のあとの finish のほうが、accompanied よりもさらに過去のはずだから、had finished にしなければならないのだろうかと考えると思うが、after/before は接続詞の節の動詞よりも主節の動詞のほうが先かあとかが、意味的に理解できるので、わざわざ過去完了を使う必要はない（使ってもよい）。
◯nearby「すぐ近くの」

116.　try → will try

「それはとてもすばらしい質問だが予期していなかったものなので、少し考える時間をおいたあとお答えします」

どこまで読めば答えが分かる？：　try to answer

ある特定の質問に対して、あとで答えると言っているので未来形が必要。動作動詞が現在形で使われている場合は、現在の習慣を表す。よって、このままでは「その質問に答えることが習慣である」と言っていることになり不自然。

I try to answer questions from my students.「私は生徒からの質問に答えようとするのが習慣である」という文章なら try to answer でよい。
◯unexpected「予期しない、思いもよらない」

117.　are knowing → know

「彼らは知らないふりをしているが、私は彼らがその事件について知っていると確信している」

どこまで読めば答えが分かる？：　are knowing

know は状態動詞なので、進行形にはならない。状態動詞のリストは Point 6 を参照。
◯ignorant「無知な、知らない」

118.　has been performing → is performing

「上田先生は今、手術をしている最中ですので、電話に出ることができません」

どこまで読めば答えが分かる？：　at the moment

現在完了進行形 have been doing は現在までの動作の継続を表し、「ずっと～してきた」という意味になる。上田先生が電話に出られない理由は、現在に至るまでずっと手術をしてきたからではなく、手術中だからである。has been performing だと「上田先生はずっと手術をしてきたので、電話に出られません」という意味になるのだが、違和感があるだろう。at the moment は now と同じ意味。

119.　had → has

「ジョーンズさんは、明日の会議以前に議長を務めたことはあったのかしら」

どこまで読めば答えが分かる？：　文末まで

「wonder が現在形だから、had を has にしなければならない」と考えた人は、残念ながらこの問題を正答したのはまったくの偶然ということになる。なぜなら、wonder に限らず think や know の that 節でも過去完了が使われることがあるからである。

Chapter 2 時制

ex. I wonder if he **had finished** the report by the time the boss got back.
「上司が戻ってくるまでに、彼はレポートを終えてしまっていたのだろうか」
過去の過去の話だから当然過去完了。wonder が現在形であるということは had finished の時制に関係ない。

ここで has にしなければならないのは、文末にある、before presiding over the one we are having tomorrow「明日の会議の議長を務める前に」があるためである。この一節があるから現在までの経験を問われていることが分かるので、had を has にしなければならないことが分かる。逆に言えば、"before presiding over that one yesterday"「昨日のあの会議の前に」であったら、昨日の会議よりさらに前の経験を問われているのだから、当然 "I wonder if Mr. Jones had ever chaired ..." のままで正解である。

時制の一致というのは主節の動詞（この場合は wonder）が過去形のときに悩むものであり、現在形のときは気にする必要はなく、本来どおりの時制を使う。
◯chair、preside「議長を務める」

120. had escaped → was escaping

「私がそのビルに入ったとき、泥棒は後ろの窓から逃げようとしているところでした。そして、彼の足がまだ中にあったのを見ました」

どこまで読めば答えが分かる？：　文末まで
このままでは、entered という動作が行われる前に、had escaped という動作が行われたことになる。そうすると、and 以下の I just saw his legs still inside「まだ彼の足が中にあるのを見た」と合わない。体が外に出て足だけ部屋の中に残っているということは、部屋の中に入ったとき、すでに逃げてしまっていたのではなく、ちょうど逃げている最中だったと考えられる。よって、was escaping に直す。

Test 3
穴埋め

121. （C）　時制を表す言葉がないときの時制の決め方

「悪天候により、その試合は中止になった」

「ひどい天気は試合をキャンセルするのが習慣である」という意味なら現在形 causes も可能だが、ここではそういう意味にはならない。というのも、match が単数形で the がついて

おり、特定の「その試合」を指しているからである。したがって、(C) が正答。(B) は weather が単数形なので has caused ならOK。(D) はキャンセルにさせている最中というのは意味的に無理がある。

122. (C) 過去からの継続

「私は、その会社に入ってから長年にわたって、仕事のあと同僚とよくトランプをしている」

during my many years with the company が期間を指すことに注意。(A) は「習慣的にトランプをする」という意味だから、during my many years がつくと「ある会社で何年も働く＋トランプをする」という行動を反復して行うことになる。次の例で考えよう。

　○ He studies English for 2 hours.
　× He studies English for 10 years.

2 hours を 10 years に変えただけで文章が正しくなくなるというのは、理不尽な気がするが、実は for 2 hours と for 10 years の文では意味していることが違うはずである。

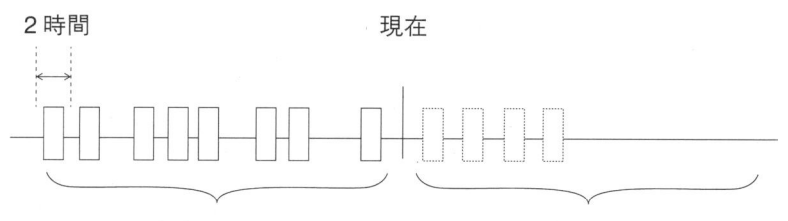

2時間　　　　　　　　現在

習慣的に勉強するというからにはここまで反復してやってきたはず　　「習慣」なのだから、おそらく、これからもやり続けるという見通しがあるはず

for 2 hours では何が言いたかったかというと、「2時間勉強するのが習慣である」ということである。つまり、2時間勉強するという動作を反復してやってきて、これからもやると述べている。これをそのまま for 10 years に当てはめて考えればおかしいことが分かるだろう。要するに、2時間の枠を10年間に延ばしただけの話であるから、10年間勉強するという行動を反復するということになるのである。

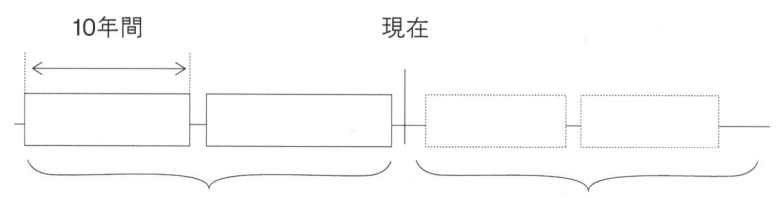

10年間　　　　　　　　現在

「2時間」の場合と同様に、「10年間勉強する」という動作が反復されてきたはず　　「習慣」なのだから、おそらく、これからもやり続けるという見通しがあるはず

「10年間勉強する」ということを習慣的に行うというからには、10年勉強してはやめて、勉強してはやめるという動作を、意図的に10年ずつ区切りながら、ここまで反復してやってきたはず。しかし、人生80年としてもせいぜい7～8回ぐらいしか反復できないわけだから、それを「習慣」と呼ぶのは無理がある。よって、（A）を入れるのは難しい。

ここでは、内容的に継続を表すはずなので、（C）が正解。
◯colleague「同僚」

123. （D） 過去のある時点までの継続

「その新薬は月曜日に発売になり、20年間にわたって市場に出ていた薬に取って替わった」

古い薬が新しい薬に取って替わられたのだが、そのときまで20年間にわたり市場に出ていたので、過去のある時点までの継続を表す過去完了が必要。
◯market「市場」

124. （B） 時制＋文型＋状態動詞の使い方

「小さいスキャンダルがあったとき、私がそのクラブに所属していたことを認めます」

at the time of the minor scandal が過去を表すので、（A）は不可。なぜ過去を表すかというと、minor scandal に the がついているから。また、（C）は work が前置詞なしで club を目的語にとれないので不可。また、belong は状態動詞なので進行形にはならない。よって、（D）も不可。

125. （A） beat の使い方

「先週の土曜日、リーグ最下位のチームが1位のチームを打ち負かしたゲームを見た」

文章の構造をよく考えよう。空欄のあとに the one in first place という名詞の固まりがあるから、もし、受動態にしてしまったら、beat は S＋V＋O＋O の文型をとることになりおかしい。受動態というのは S＋V＋O の O を前に出して主語にした文である。よって、受動態にしたときにさらに名詞の固まりが動詞のあとに残っているということは、もともとの文型が S＋V＋O＋O/S＋V＋O＋C でなければならない。beat はそのような文型はとらないからここでは不可。（C）は過去完了だが、過去完了形というのは、過去に起こったある出来事のさらにその前に別の出来事が起こってしまっていたことを表すために使う。したがって、意味的に「～まで（に）」という意味が入るので、どの時点の出来事と比べているのか、その比較対象が必要である。ここでは、比較対象がないので選べない。last Saturday は「先週の土曜その日に」という意味だが、「その日に」と「それまでにしてしまっていた」を合わせるのは違和感がないだろうか？（B）は現在完了形であり、過去を表す言葉とは一緒に使えない。ここでは、先週の土曜日の試合において beat という動作が行われたのだから、

現在完了形ではなく過去形が必要である。

126. （B） 未来形

「向こうに立ち込めてきている黒い雲から判断すると、あとで嵐になりそうだ」

黒い雲が大きくなっているのだから、（A）は意味的に合わない。また、未来の話だから現在形である（D）は不可。現在進行形は未来を表すこともできるので、（C）を選んだ人もいるかもしれないが、現在進行形は約束・手配の済んでいる予定の話をするために使う。ここではそのような話ではないから（C）も選べない。be going to は、未来に起こりそうな出来事の原因が、現在見えているという場合に使われる。ここでは、嵐が起きるという未来の出来事を引き起こす原因となる黒い雲が見えているので be going to が使われている。

127. （C） 過去進行形

「首相は、先週の株式市場暴落のとき、外国の国々を回っていた」

先週起こった暴落のときの話をしているのだから、時制は過去形でなければならない。よって、（C）が正答。現在完了形／現在完了進行形はあくまで「現在」形の仲間であるので、過去を表す言葉をダイレクトに使うことはできない。
◯tour「（視察などのために）一巡する、小旅行する」 crash「（株式市場などの）暴落」

128. （A） 時を表す副詞節の時制

「映画を観て戻ってきたあと、家事を終わらせます」

意味から考えると return は未来に起こる動作だが、after＋S＋V は時を表す副詞節なので、未来のことでも現在形を使う。したがって、return が正答。日本語で考えると、「戻ってきたあと」となり過去形でもいいような気がするが、英語の過去形は現在よりも前の過去の出来事を表すために使う。ここは、return も未来の話なので過去形にはしない。

129. （D） 過去の動作を表す過去形

「政府はおととい、先週締結された２ヵ国間条約の批准に取り組む姿勢を表明した」

「yesterday の前の日だから過去完了だ」と考えるのは早計。過去完了形はあくまで、過去に行われた動作とさらにその前に行われた動作を比べるために使う。ここでは、昨日とおとといを比べているわけではない。納得できなければ、the day before yesterday が two days ago と同じ意味であると考えてみればよい。I studied English two days ago. は問題ないのに、I studied English the day before yesterday. が間違いで had studied にしなければならないというのは違和感がないだろうか？
◯commitment「公約、誓約」 ratify「批准する」 bilateral「両党の」 treaty「条約、協定」

130. （C） 現在までの継続を表す現在完了

「その病気について、10年以上にわたり研究してきたので、今やめる意志はありません」

「今やめる意志がない」と言っている以上、現在までやり続けてきた動作であると考えられる。よって、現在完了進行形の（C）が正解。（A）だと過去にやったことがあったが、今はやっていないことになるので不可。

131. （C） 一時的な動作を表す進行形

「今週グレンダは、自分のアパートが改装されている間、おばあさんと住んでいる」

live「住む」は普通、習慣的動作を指すのでたいていは I live in Shiga. のように現在形で使う。しかし、それは live が現在形でしか使えないということではない。一時的に住んでいる最中であるという意味なら進行形にもなる。
➡redecorate「改装する」

132. （C） 現在完了と態

「今年、今までに何度スピード違反で停止させられましたか？」

Testing Point は時制だけではなく、受動態か能動態かも問われている。意味から考えて受動態のはずだから（A）（D）は選べない。残った（B）（C）で考えなければならないのは時制。過去完了はあくまで過去の過去を表すので、起点となる過去形がないと使えない。this year の代わりに when your license was finally suspended last week などがついていれば、「免停になった」時点より前の話だから（B）が正答となる。

133. （D） 未来形の区別

「飛行機が到着するころ、私の秘書が空港でお待ちしております」

「飛行機が着いたときに待つ」のか「飛行機が着いたときには待っている最中である」のかを考える。内容から考えて、飛行機が到着してから待つという動作を行うのではなく、到着する前から待つという動作を始めて、到着したときには待っている最中である、という意味になるはず。よって、wait は進行形で使わなければならない。気をつけなければならないのは（C）である。現在進行形は未来の予定を表すこともあるので、ここでも正答になりそうなのだが、見た目は進行形だが、未来の予定として使う場合は進行形の意味はなくなる。よって、ここでは使えないのである。

134. （D） 現在までの継続を表す完了形

「月曜の朝からずっと、私は上司と話す機会が持てないでいる」

（A）（C）は動詞の本体がないので不可。（B）はこの場合の have は状態動詞なので、ing がつかない。よって、（D）が正答。have には多数の意味があり、どの意味で使うかによって状態動詞として扱うのか動作動詞として扱うのかが異なるので注意。

I have a pen. →「所有する」の場合は状態動詞なので I'm having a pen. とは言えない。
I have dinner. →この場合は eat と同じ意味なので、I'm having dinner. は可能。

状態動詞と動作動詞の区別は Point 6 を参照。

135. （C） 過去の出来事を表す過去形

「今朝お店が開店する前に、その強盗は宝石を盗んで逃げた」

主節の動詞が made で過去形だから、全体として過去の話である。したがって、現在完了形は使えない。また、「開店する」という動作を表すので進行形は不可。あとは過去形なのか過去完了形なのかが問題だが、A before B はどちらが先に行われたのか考えよう。A が先に行われたはずだから、過去の過去を表す過去完了を B に使うことはここでは不適切であると分かる。

●burglar「泥棒、強盗」 make off「逃れる、慌てて立ち去る」

間違い探し

136. （B）→ known

「警察は、容疑者の所在を知ってから一週間近くになる」

どこまで読めば答えが分かる？：　knowing

know は状態動詞なので進行形にはならない。よって、have been knowing を have known にする。the police は複数扱いなので has にしないこと。また、whereabouts は名詞で、「所在、居所」の意味。

●whereabouts「所在、居所」

Chapter 2 時制

137. （C）→ may have または might have

「確かではないが、取締役2人はその契約書に署名するため、来週末にジュネーブで会う予定かもしれない」

どこまで読めば答えが分かる？： are having
It's not sure は「まだ決まっていない」の意味だから、約束・手配が済んでいるというニュアンスを持つ現在進行形は使えない。ここでは、may や might「〜かもしれない」という意味の語をつけよう。

⮕contract「契約書」

138. （B）→ wasn't used

「その若い女性は、床で寝ることに慣れていなかったので、落ち着けずぐっすり眠れなかった」

どこまで読めば答えが分かる？： sleeping
used to/be used to の混同をねらった問題。used to「〜したものだった」は後ろに原形をとるが、be used to「〜に慣れている」は名詞をとる。設問では to のあとが ing形なので、to＋名詞になっていることが分かる。したがって、be used to が必要である。

⮕restless「安眠できない、落ち着かない」

139. （A）→ has been

「フレッドはダイビングを始めて現在で20年になり、それは彼の生活の一部となっている」

どこまで読めば答えが分かる？： twenty years
このままだと、「ダイビングに行ってしまって今はここにはいない」という意味になってしまい、and 以下と合わない。ここでは、「20年間ずっとダイビングしている」と考えたほうが自然。よって、gone を been に直す。つまり、ここでは go diving を現在完了形にするのか、dive を現在完了進行形にするのかを問われている。

⮕integral「不可欠な、肝要な」

140. （A）→ is

「私の姉が次の週末に泊まりにくるので、客室を掃除してくれませんか？」

どこまで読めば答えが分かる？： next weekend
next weekend があるから未来の話である。現在完了進行形は現在までし続けている動作を表し、未来の出来事を表すことはできない。したがって、次の週末に行われる動作には使えない。よって、ここでは has been coming を is coming に直す。現在進行形 be doing は未来の予定を表す。

▶a spare room「(客用の) 予備の部屋、客室」

間違い探し(下線なし)

141.　is arriving → arrives

「あなたが出ていく前に彼が到着するまで必ず待っていてください。彼はカギを持っていないでしょうから」

どこまで読めば答えが分かる？：　arriving

until は時を表す接続詞なので、その付属の S＋V は未来形ではなく現在形を使う。時と条件を表す接続詞については Point 8 を参照。なお、will は現在の推量を表すこともできるので、won't を修正する必要はなく、このままで「カギを持っていない<u>だろう</u>」となる。

142.　is winning → will win

「ほとんどの人は、共和党が次期選挙に勝つと思っている」

どこまで読めば答えが分かる？：　winning

現在進行形は未来形としても使用可能だが、あくまで、すでに約束・手配が済んでいる予定を表すのに使う。ここでは、内容的に単なる未来の予測にしか過ぎないので will を使う。日本人学習者の多くは未来形はどれも一緒と考えているが、実はそうではなくネイティブたちは使い分けている。使い間違えると誤解を生じることさえありうるので、できれば実際に使うときも考えたいもの。

143.　isn't remembering → doesn't remember

「その教師は、生徒に言おうと思っていた言葉を覚えていない」

どこまで読めば答えが分かる？：　remembering

remember は「覚えている」という状態を表す状態動詞なので、現在この瞬間のことでも進行形は使わない。よって、doesn't remember に直す。状態動詞と動作動詞については Point 6 を参照。

144.　has → had

「警察が到着するころまでに、その強盗はとっくに去っていた」

どこまで読めば答えが分かる？：　has

by the time S＋V「S が V するまでに」の V が過去形だから、意味から考えて主節の動詞は

Chapter 2　時制

さらにその前に行われていたことを指すはず。よって、過去のさらに過去に行われたのだから、過去完了形を使う。現在完了形はあくまで現在形の仲間であることをお忘れなく。
◯intruder「侵入者、強盗」　long since「かなり前に」

145.　climbs → is going to climb または is climbing

「彼は初めて富士山を見て以来、ずっと登りたいと思っていたので、来週登りに行く」

どこまで読めば答えが分かる？：　climbs

want は状態動詞なので、I'm wanting とは言えないが、例外的に完了進行形には使える。よって、I've been wanting は I've wanted と同じ意味で、「ずっと〜したかった」。この表現はけっこうよく使われていて、耳にすることもしばしばあるはず。

ここでは、最後の climbs に注目する。登るのは来週だから未来の出来事である。よって、is going to climb/is climbing にする必要がある。

146.　間違いなし

「その会社の株価は、損失を発表したときにはすでに下がっている最中だった」

already があるからといって、必ず完了形が使われるというわけではない。already と状態動詞をセットで使う場合は、「すでにその状態になっている」という意味で使える。
　　ex. I **already** know he is a doctor.
　　　 I'm **already** tired.
ここでも、損失を発表したときにはすでに下落している最中であるという意味なので was falling を had fallen にする必要はない。
◯share「株、株券」　loss「損失、損害」

147.　will go → go

「来年私がイギリスに行くとき、あなたも行きたいですか？」

どこまで読めば答えが分かる？：　will go

この when は接続詞で、時を表すから付属の S+V には未来形は使わず、未来の話でも現在形を使う。したがって、will go ではなく go に直す。would you be interested は仮定法というよりも、婉曲のために would になっていて、would you like と同じような意味。よって、直説法の文章で使ってもさしつかえはない。

148.　will work → work または am working

「私がこの報告書に取りかかっている間、最新の売上高を調べていただけませんか？」

どこまで読めば答えが分かる？：　will work

これもQ147と同じことを問うている。while＋S＋V は時を表す副詞節だから未来形は使えないので、will work が間違い。could は can の過去形だが、could you ～？は丁寧な依頼表現で過去形ではない。

◯latest「最近の、最新の」

149.　was waiting → had been waiting

「妻がようやく到着したとき、私はゆうに１時間以上待っていた」

どこまで読めば答えが分かる？：　was waiting

妻が到着したときに１時間待つという動作をやっている途中だったのではなく、到着したときにはすでに１時間待ち続けていたという意味にならなければならないのだから、had been waiting にする。日本語で考えているとこのままでも「待っていた」となり間違いに気がつかない。日本語には英語ほど厳格な時制の区別がないので、日本語で考えているとなかなか上達しない。

◯well「相当に、かなり」

150.　is prescribing → prescribes

「ときどきその医者は、通常の薬の代わりに漢方薬を処方する」

どこまで読めば答えが分かる？：　prescribing

sometimes という単語と全体の意味から、ときどき漢方薬を処方するという行動を習慣的に行っていると考えられる。よって、現在の習慣を表す現在形 prescribes に直す。

◯prescribe「処方する」

Chapter 3

Modals
助動詞

Test 1

穴埋め

151. （C） 許可を求める表現

「窓を開けてもよろしいですか？」「もちろん、どうぞ」

（A）（B）に要注意。何のために聞き手の返答まで書いてあるのか考えよう。"Sure, go ahead." というのは「もちろんです。どうぞやってください」という意味なので、相手に依頼していることになる（A）（B）は不可。Shall I ～?「～してあげましょうか？」はどちらかというと相手のためにしてあげるという意味合いが強いので、please をつけることはないし、返答も thank you に相当する語がくるはずである。

152. （A） 過去の習慣的能力を表す could

「皆がとても驚いたことに、グレンダは5歳のときに5ヵ国語を流暢に話すことができた」

文の意味から考えると「～できる」という言葉が入るのは分かるのだが、どの時制かきちんと読んでいるかどうかが問題。この文章は過去の話をしているのだから（C）と（D）ははずれる。（B）に注意。might は may「～かもしれない」の過去形「～したかもしれない」の意味では使えない。may と might はともに現在・未来の推測「～かもしれない」の意味である。may と might の過去「～したかもしれない」は may have done または might have done である。よって、ここでは過去の習慣的能力を表す could が正答となる。

could は使い方が思った以上にややこしいので、次の Point 9 を参照のこと。

Point 9　could/was able to/could have done の違い

can の過去形「～できた」には実は3つあり、使い分ける必要がある。
- **could**　　　　　　習慣的能力があった
- **was able to**　　することができて実際にやった
- **could have done**　やろうと思えばできたがしなかった・～した可能性がある

ex.
He **could** run very fast when he was young.
「若かったころ、彼はとても速く走ることができた」
→ある特定の機会にできたことではなく、過去のある時期にそういう能力があったということを示す。

I **was able to** pass the exam although it was difficult.
「その試験は難しかったが、私は合格することができた」
→ある特定の機会に、実際にやったということ。

When I went on a business trip to Tokyo, I **could have stayed** with one of my friends there, but I put up at a hotel.
「東京に出張したとき、私は友達のところに泊まることもできたが、ホテルに泊まった」
→やろうと思えばできたが、実際にはしなかったということ。

よって、
× I could pass the exam although it was difficult.
とは言えないので注意すること。

153. （C）「～すべきではない」の意味の shouldn't

「政府は、どのようにして支払うつもりなのかを説明できるのでなければ、経済に資金投入を続けるべきではない」

助動詞の区別は文章の意味が分かっていなければ正しいものを選択することはできない。ここでは、unless が if ～ not と同じ意味であると分かっているかどうか。意味が分かれば（C）が正答であると分かる。（D）は to が抜けているので不可。

154. （C）「～したはずがない」の couldn't have done

「その男が強盗を働いたはずがない、なぜなら彼はそのとき刑務所にいたからである」

文章の意味をよく考えよう。（A）（B）は「～したに違いない」「～したかもしれない」という意味だが、because 以下が理由とはなりえない。（D）は would rather not do の過去で「～しなかったほうがよかった」の意味。これも意味的にそぐわない。
●burglary「押し入って盗むこと」 jail「刑務所、拘置所」

Chapter 3　助動詞

155.　(B)　「〜かもしれない」の意味の might

「彼は本当に何をしでかすのか分からない人物だ。何だってするかもしれない」

前半部分が後半部分の理由になっていることに注意。
◯unpredictable「予測できない」

156.　(B)　mustn't と don't have to の区別

「その新しいフレックスタイム制では、職員は朝10時半までオフィスに来なくてもよい」

staff は複数扱いだから（D）は不可。あとは意味から考える。
（A）オフィスにいることはできない／いてはいけない。
（B）オフィスにいなくてもよい。
（C）オフィスにいてはいけない。
文の意味から考えて、（B）が正解である。mustn't「〜してはいけない」と don't have to「〜する必要がない」との違いに注意しよう。

157.　(D)　許可を求める表現

「とても早いことは承知しておりますが、来年度の投資プランについてご相談してもよろしいでしょうか？」

文末に with you「あなたと」があるので、主語が you である（A）（B）はおかしい。また、「私は〜するだろうか」の意味になる（C）も不可。ここでは許可を求める婉曲表現の might I を選択する。
◯investment「投資、出資」

158.　(A)　「〜したはずがない」の can't have done

「その政党が選挙に勝ったはずがない。あまりにも人気がなかったのだから」

because 以下が過去形なので、すでに終了した選挙を指すと考えられる。よって、（D）は不可。（B）の could do は「〜することができた」という意味で使う場合、「〜できる習慣的能力があった」という意味に使う。つまり、「ある機会に一度だけ〜できた」という意味では使わないのである。ここでは、選挙に勝つという習慣的能力があったのではなく、ある選挙に勝った、という話なのでこの意味では could は使えない。さらに、could には might と同じように可能性を表す意味があるが、この場合は形は過去でも意味は現在・未来である。よって、いずれにしても（B）は不可。また must have done は「〜したに違いない」の意味であり、ここでは because 以下の文脈とは合わないので（C）も不可。
◯election「選挙」

159. （B）「〜かもしれない」の might

「まだ決めてはいませんが、その会社に私の貯蓄を投資するかもしれません」

I haven't decided yet がヒント。まだ決めていないから、invest するかもしれないし、しないかもしれないといっているのである。よって、（B）が正答。もともと might は may の過去形だが、「〜かもしれない」という意味では現在・未来の出来事を指す。（A）は投資するべきかどうか悩んでいる段階だから、can't と言い切れるはずがない。（C）am able to は能力しか表せないので、これを入れると、「投資する能力がある」という意味になり不自然。（D）は前半の文と意味的に合わない。

助動詞の問題は、どの助動詞も後ろに原形をとると決まっているので、時制の違いなど特殊な場合をのぞき、どの選択肢も文法的には当てはまることになる。ということは、こじつけて考えれば、どの選択肢も正答になりうる可能性を秘めている。そこで、絶対理解しておきたいのは、「どれが正解か？」という視点ではなく、「ある選択肢を選んでしまったら、他の選択肢を誤答扱いしていることになる。それでもかまわないのか？」という視点で問題を解かなければならないということである。

◯invest「投資する、つぎ込む」 savings「貯蓄」

160. （A） 能力を表す表現

「これらの大型海洋哺乳類が、かなりの長時間水中にもぐることができるのはすばらしい」

文末の for a very long time に惑わされないように。この句は "remain submerged" を説明している。for＋時間を見たからといって完了形にしてはいけない。要するに、「長い間、もぐっていられる」のか「（時間を問わず）もぐっていられる能力を長い間持っている」のかを考える。短い間でいいならもぐっていられるのは、どんな動物でもできるのだから、後者とは考えにくい。なぜ、"incredible" と驚いているのかというと、長時間もぐっていられるからと考えたほうが自然だろう。たとえ、submerged「もぐった」を知らなくても、「長時間にわたりずっと〜できる状態が続いてきた」からすごいのか、「いま、長い間〜できる」からすごいのかと考えれば、察しがつくのではないだろうか。

◯mammal「哺乳動物」 submerge「潜水する」

161. （C）「〜すべき」の ought to

「もしレースに勝つという見込みがあることを望むなら、とっくに毎日トレーニングしているべきだ」

空欄の次は to だから（A）（B）は不可。（C）（D）の選択は意味から考える。be able to はあくまで能力を表すので、提案や命令の意味はないから、be able to を入れると「トレーニングしている能力がある」ことになって不自然。よって、（C）が正答。

◯have a chance「見込みがある、可能性がある」

70

Point 10　can と be able to との違い

can と be able to は「〜できる」という意味を持つが、be able to が「能力・資格」を表すのに対して、can はそれ以外の使い方がある。

能力
He **can** swim.　彼は泳ぐことができる→泳ぐ能力がある。
　→ is able to

可能性
It **can** be very hot in this area in December.　この地域は12月に暑くなることがある。
　→ is able to とは言わない

許可・依頼
Can I use your pen?　あなたのペンを使ってもいいですか？ ｝ is able to は
Can you open the door?　ドアを開けてもらえますか？　　 使わない

162.　(B)　mustn't/don't have to の区別

「この区域はとても危険なので、子供が遊ぶのを許してはいけません」

文の内容から考えて禁止・不許可を表すはず。よって mustn't「〜してはいけない」が正答。(A) be able to は能力を表すので否定文にすると、「〜する能力がない」という意味になる。「子供が遊ぶのを許す能力がない」というのはここでは不自然なので不可。(C) don't have to「〜する必要がない」も同様。(D) はshould have のあとは過去分詞なのに空欄のあとが allow という原形になっているので選べない。

★ must と have to はそれぞれに「〜しなければならない」という同じ意味を持つが、否定文になると、mustn't「〜してはいけない」、don't have to「〜する必要がない」と全く異なる意味を持つので注意。

163.　(D)　過去の否定的意志を表す wouldn't

「その政策は明らかにうまくいっていなかったが、政府はどうしてもそれを変更しようとしなかった」

空欄のあとが動詞の原形だから (A) は不可。あとは、even though 以下の文意と、時制が過去であるということを考えて、空欄も過去を表す語が入ることが推測できる。(B) (C) (D) の中で過去形は (D) のみ。(C) の might も形は may の過去形ではあるが、ほとん

どの場合「〜かもしれない」という may と同じ意味で使われる。might が may の過去形として使われるのは、that節で時制の一致を受けるときぐらいなもので、主節の動詞に使って「〜したかもしれない」「〜してもよかった」という意味では使えない。つまり、He may go home early today. は可能でも、He might go home early yesterday. とは言わず、He was allowed to go home ... などとする。
◯policy「政策」

Point 11　否定的意志を表す won't と wouldn't

won't や wouldn't は単なる未来の否定を指すのではなく、否定的な意志を表すことがある。

He **won't** go to the dentist.　彼はどうしても歯医者に行こうとしない。
He **wouldn't** go to the dentist.　彼はどうしても歯医者に行こうとしなかった。

164.　(D)　助動詞の使い分けと文の意味

「彼は、今回の運転免許試験に合格したはずがない。彼は全く練習しなかったのだ」

なんのために "he never practiced" という文章があるのか考える。「彼は全く練習しなかった」に続くような内容になるものは、(D) の can't have done「〜したはずがない」だけである。(A) must have passed「合格したに違いない」、(C) could have passed「合格することができただろうに（合格しなかった）」は意味が分かっていれば正答候補からはずせるだろう。(B) can't pass の can't は「〜であるはずがない」という意味を持つが、あくまでこれは現在の推量であり、I'm sure 〜 not と同じである。

　　ex.　He can't be coming to the party.
　　　　　‖
　　　　I'm sure he **isn't** coming to the party.
　　　　? He can't pass his driving test.
　　　　　‖
　　　　? I'm sure he **doesn't** pass his driving test.

このように(B)を入れると現在の習慣を表すことになり、おかしい。さらに「〜であるはずがない」の意味で使う場合、can't のあとは be であるのが普通である。また、can't を「〜できない」ととったとしても、「合格することができない」と断定するのは、まるで規則上合格できないなどと、すでに決定していることを言っているようで、ここでは内容的に不自然である。won't be able to なら正答である。

Chapter 3　助動詞

165. (A)　助動詞の使い分けと文型

「すみませんが、お名前とお電話番号をお願いできますか？」
(B) は能力を尋ねることになるので「電話番号を聞く能力がありますか？」となり不適切。(A) と (D) の区別は、inquire が ask と同じ「尋ねる」だと知ってはいるが使い方まで知らない人にとっては難しい。実は inquire は S+V+O+O の文型をとれない。よって、(D) は不可。ただ、これを知らないからといって本番中にあきらめてはいけない。どちらか選択に迷ったときは、「どれが正しいか」を考えるのではなく、「どれを間違い扱いしてもよいのか」という視点で考える。ここでは、(D) を選んだ場合、(A) を誤答扱いすることになるし、(A) を選んだ場合は (D) を誤答扱いすることになる。そこから、どちらが誤答になりそうなのか考えよう。

間違い探し

166. (C)→ may または can

「私の友人は自分の免許を取得して、法律によれば、今では他の人にダイビングを教えてもよい」

どこまで読めば答えが分かる？：　might
according to the law「法律によれば」が分かっていないと may/might との区別をつけられないかもしれない。ここでは、意味から考えて「〜かもしれない」ではなく「〜してもよい」という許可を表す助動詞が必要である。might は「〜かもしれない」という意味では may と似たような意味で、交換可能だが、「〜してもよい」の意味は may しかない。might には「〜してもよい」の意味はないので注意。また、許可を表す can でも可。

Point 12　may と might

> may の過去形が might であると覚えている学習者が多いが、実際には might が may の過去形、つまり「〜してもよい・するかもしれない」に対する「〜してもよかった・したかもしれない」として使われることは少ない。might が may の過去として使われるのは that 節で時制の一致を受けるときぐらいなものである。
>
> He says that I **may** go home.
> 　　　　　　↓
> He said that I **might** go home.
> 　　　　→ 主節の動詞が過去なので時制の一致を受ける

よって、might が主節に使われていたり、時制の一致を受けないところで使われている場合は、かなりの確率で may と同じ意味の「〜かもしれない」と考えられる。

167. （B）→ could/may/can/might

「すみませんが、今日の午後に自転車をお借りしてもよろしいですか？」

どこまで読めば答えが分かる？：　shall I borrow

sorry to bother you「おじゃましてすみません」と please が文末にあることから、「借りてあげましょうか？」ではなく「借りてもよろしいですか？」になることが分かる。shall I 〜は「〜してあげましょうか？」という意味であり、あくまで相手のためにしてやるということである。

◯bother「面倒（迷惑）をかける」

168. （C）→ ought not to/shouldn't

「あなたは動物をこよなく好きかもしれないが、もし怖がりなら獣医になることを考えるのはやめるべきだ」

どこまで読めば答えが分かる？：　consider

squeamish/vet という難しい単語が並んでいるが、意味を知らなくても問題を解くのに何ら支障はない。ought は後ろに to do をとるので ought not consider ではなく ought not to consider にしなければならない。ちなみに、oughtn't という短縮形も存在する。または、（C）を shouldn't に直してもよい。主節の may は「〜かもしれない」。

◯squeamish「怖がりな」　vet「獣医（veterinarianの短縮形）」

169. （B）→ should/must

「支配人として成功したいと本当に思うのなら、従業員と親しくしすぎてはいけません」

どこまで読めば答えが分かる？：　文末まで

may と might が同じ意味になるのは「〜するかもしれない」のときだけ。may のもう1つの意味である「〜してもよい」の意味は might にはない。might はもともと may の過去なのだが、それは may「〜してもよい」の過去形のときである。しかも、may の過去形の割には、「〜してもよかった」という意味では使われず、通常は時制の一致を受けて may が might になるときぐらいなものである。

　　ex. She said, "You may go home." → She said that I might go home.

Chapter 3 助動詞

では、「〜してもよかった」はなんと言うかというと、I was allowed to 〜 などを使う。

170. （C）→ couldn't have known/can't have known

「財務アドバイザーは、その会社の株が買いどきだと私に話していたので、彼がそのとき倒産について知っていたはずがない」

どこまで読めば答えが分かる？：　could know
私に話してくれたときの話をしているはずなので、「〜したはずがない」という意味の couldn't have known/can't have known にすべきである。could は確かに can の過去形だが、might が「〜かもしれない」という現在・未来の意味を持つように、could も「〜かもしれない」という現在・未来を指す意味を持つ。
◯a good buy「得な買い物」　bankruptcy「破産（状態）、倒産」

間違い探し（下線なし）

171.　doesn't have to → mustn't

「フレッドの免許は1年間の停止処分を受けているため、現在運転してはいけません」

どこまで読めば答えが分かる？：　文全体の意味から
must と have to は肯定文では同じ意味だが、否定文では mustn't「〜してはいけない」、don't have to「〜する必要がない」となり、全く意味が異なるので注意。because 以下の文章が理解できていれば doesn't have to では意味がおかしいことはすぐ分かる。suspend が「（免許などを）一時停止処分にする」と知らなくても、「彼の免許が1年間×××されているので」のように周りの文脈がきちんと分かれば想像できるはず。「知らない単語があったから文章の意味が分からない」ではなく、「知らない単語があっても構造や文脈からひねり出す」ぐらいでなければだめ。
◯suspend「一時停止処分にする、免許停止処分にする」

172.　Should I → Could/Would/Can/Will you

「私たちに有利なように、経営側の決定に影響を与えていただけませんか？」「いいですよ。そんなに言うならやってみましょう」

どこまで読めば答えが分かる？：　文末まで
聞き手の返答をよく見よう。「そんなに言うなら、やってみてもよい」と言っているのだから、最初の文は依頼であり、influence の主語は you でなければおかしい。
◯in one's favor「人に有利に、好都合に」

173. inform → informing

「社長は、来週の月曜日に社員に話をしにくる予定です。彼らに伝えてもらえませんか？」

どこまで読めば答えが分かる？： inform

mindは動名詞を目的語にとるので inform を informing にする必要がある。たとえ、mind が動名詞をとると知らなくても、少なくとも原形ではいけないことぐらいは気づくはず。また現在進行形は未来の予定も表せるので、is coming はこのままでよい。

★ Would you mind の使い方に注意
　Would you mind **opening** the window?　「窓を開けていただけますか？」
　　　　　　　　→ open の主語は you
　Would you mind **me opening** the window?　「窓を開けてもよろしいでしょうか？」
　　　　　　　　→ open の主語は me

174. must → should

「ただの私の考えにすぎませんが、チャンスがあったのだからあなたは国立の農業大学に行くべきだったと思う」

どこまで読めば答えが分かる？： attended

I know it's only my opinion but ... I think まで読めば、そのあとにくるのが自分の意見であることは明白。must have done は「〜したに違いない」という意味であり、「〜しなければならなかった」の意味はない。そして、意見を述べているのだから推測を表す must have done ではなく、「〜すべきだった」の should have done に直す。

◯state「国の」

175. could have read → could read

「母のおかげで私は、学校入学のずっと前から読むことができた」

どこまで読めば答えが分かる？： 文末まで

could have done は「起こる可能性があった」「〜することもできた（が、しなかった）」の意味である。ここでは実際に読む能力があったのだから could にする必要がある。could/was able to/could have done の違いについては Point 9 を参照。

176. would like → would rather または wish

「その少女の両親は、彼女がボーイフレンドとそんなに多くの時間を過ごさなければよいのにと願っている」

どこまで読めば答えが分かる？： she didn't

would like は that節をとらないのでこのままでは文法的におかしくなる。また、文末に now がついているにもかかわらず that節の動詞が過去形であるので、仮定法をとる表現が必要であると分かる。そこで、would like を would rather か wish に直す。would rather は原形だけではなく、that節もとることができ、その中は仮定法が使われることが多い。

177. should be → should have been

「その会社は工場内の配置をかえたとき、生産高を伸ばすことができたはずだ。なぜそうしなかったのだろう？」

どこまで読めば答えが分かる？： 文末まで
should be able to は現在・未来の話に使う。when の節で過去形を使っているので、過去の話であると分かる。よって、時制は現在・未来ではなく過去であるので、should be を should have been に直す。should は「～するはずだ」の意味があり、should have done には「～したはずだ」の意味がある。
◯layout「配置」

178. Am I able to → Can/May/Might/Could I

「これらの統計データを入力するのに15分かそこらの間、コンピュータを貸していただけませんか？」

どこまで読めば答えが分かる？： borrow your computer
can と be able to は同じ意味であると習ったかもしれないが、be able to には許可を表す意味はない。したがって、このままだと「私にはコンピュータを借りる能力がありますか？」になってしまう。よって、許可を求める表現が必要。また、or so to のところで違和感を感じたかもしれないが、fifteen minutes or so ＋ to input なので問題はない。
◯statistics「統計」

179. must be → must have been

「ジョンは机を空にしています。彼は自分が起こした失敗でクビになったに違いない」

どこまで読めば答えが分かる？： must be fired
ジョンが机を空にしているのはすでにクビが決定したから。つまり、fire「解雇する」という動作が行われたのは過去で、その状態が今も続いているわけなのだから、時制は現在完了になる。でないと、2つの文の意味が合わない。「今クビになっている状態なのだから現在形ではだめなのか？」と考える方は、能動態にしてみよう。

? John's clearing out his desk; they **must fire** him.

これだと、これからクビになるような感じではないだろうか？ そして、must fire を must have fired にしなければならないのなら、受動態も must be fired ではなく must have been fired でなければならないのが分かるだろう。

★ must には「〜しなければならない」と「〜に違いない」の2つの意味があり、その活用には別々のものを使用する。「〜しなければならない」の過去形は had to do であり、「〜に違いない」の過去形／完了形は must have done である。混同しないように気をつけよう。

180.　mustn't → don't have to/need not/don't need to

「土曜までにその報告書を仕上げる必要はないですよ。来週までそれは必要ないですから」

どこまで読めば答えが分かる？：　文末まで
must と have to はともに「〜しなければならない」であるが、否定文になると、mustn't「〜してはいけない」、don't have to「〜する必要がない」となり、全く異なる意味を持つので注意。ここでは、内容から「〜する必要がない」という意味になるはず。同じ意味の need not や don't need to でもよい。

Test 2
穴埋め

181.　（C）　禁止を表す can't

「立ち入り禁止区域なので、申し訳ないのですが、ご友人にここで待っていただくことはできません。移動するように言ってもらえますか？」

最後の "it's a restricted area"「立ち入り禁止区域だ」から、「できない」が入ることが分かる。問題は be able to と can の違いを理解しているかどうか。can は能力だけではなく許可を表すこともできるが、be able to は能力を表すことしかできない。したがって、ここでは（C）が正答。（B）の isn't able to だと「待つ能力がない」となり不自然。また、"Can you 〜" の文から（D）も不可。
◯restricted「制限された、限られた」

182.　（A）　should と同じ意味の ought to

「その問題に対して、そんなにも強い気持ちがあるなら、何か言うべきだ」

内容から考えれば「何か言うべきだ」となると分かるはず。また、something が anything になっていないので、否定文だとは考えにくいこともヒントになる。（D）は be able to は

Chapter 3　助動詞

能力を表すだけにしか使えないので、許可や可能性を表す can の代わりに使うことはできない。
◯issue「問題」

183.　(C)　mustn't と don't have to の区別

「ジョンに本を持ってくるのを忘れないようにと伝えていただけませんか？　でないとまた面倒なことになりますよ」

(A) は現在形だが、これだと習慣的に忘れないという意味になるので、不自然。(B) は能力を表すので文意に合わない。「できない」につられて選ばないように注意。be able to はあくまで能力や資格がある、という意味である。(D) doesn't have to は「～しなくてもよい」の意味であり、mustn't「～してはいけない」とは異なるので注意。

184.　(A)　to不定詞をとる表現

「ジョーンズさんとのアポを取っていただけませんか？　私の昇進についてご相談したいのです」

(B)(C) ともに、後ろには原形動詞をとり to不定詞をとることはできないので不可。(D) は主語が I だから have なら正答になりうる。
◯promotion「昇進、昇格」

185.　(B)　不可能を表す助動詞

「私は権限を十分に持ってはいないので、あなたを早く帰らせることはできません」

「早く帰らせることを許す権限は持っていない」と言っていることから、空欄には不可能を表す語が入る。よって (B) が正答。may と might は「～かもしれない」という意味では同じように使えるが、might には「～してもよい」という意味はないので (C) は不可。
◯authority「権威、権力」

186.　(A)　may/might の区別

「この訓練コースを終了したあとのみ、当団体のメンバー申し込みを許可する」

only がきちんと理解できているかどうかがポイント。「訓練コースを終了したあとのみ」と言っているので、文全体の意味から考えてルール上の許可の話をしていると分かる。(B) might には「～してもよい」という意味がないので不可。(C) could は提案として「～することもできるよ」という意味に使えるが、ここでは合わない。(D) can't は意味上不適切。
◯institution「団体、協会」

187.　（C）　「〜すべきではない」の shouldn't

「早くけがを治したかったら、あまり早くトレーニングを始めるべきではない」

意味から考えて「〜すべきではない」が入るはずなので、（A）（B）は不可。（D）は to が不要。（B）は ought not to なら正答。ought not to には oughtn't という短縮形もあるのに注意。

188.　（D）　助動詞の時制

「今朝は背中がとても痛む。昨夜きっと変な姿勢で寝たに違いない」

last night があるので過去の出来事だと分かる。（A）は現在のことだから不可。（B）can't/couldn't have done は「〜したはずがない」だから、ここでは意味が合わない。（C）は英語にはないので不可。（D）must have done は「〜したに違いない」。

189.　（B）　would like ＝ want

「入ってお座りください。紅茶はいかがですか？」

would like は want の丁寧版である。（A）（D）ともに直後には動詞が必要なのでここには入らない。（C）は単に好きかどうか尋ねているだけであり、「1杯の紅茶が好きか」というのは内容的に適さない。

Point 13　would like の過去

> would like は want と同じだが、過去形は would have liked である。
>
> I **would have liked to see** you when you came to Japan last week.
> 「先週、君が日本に来たときに、会いたかったよ」

190.　（C）　助動詞の時制

「出てきた生徒らの心配そうな顔つきから判断すると、それは彼らにとって難しい試験だったに違いない」

they came out の時制が過去だから、すでに試験は終わったものと考えられる。したがって、空欄の時制は過去でなければならない。（A）（B）は現在・未来の出来事を指すので不可。（D）は仮定法の主節であり、「本当は難しくないが、難しい試験になっていただろう」の意味だからここには適さない。

Chapter 3　助動詞

191.　（D）　依頼表現

「物置のカギをいただけませんか？　必要なものがあるのです」

"I need something" から、最初の文は依頼を表す文であると推測できる。したがって、（D）の Can が正答。
◯storage shed「物置」

192.　（B）　may/might/be able to の区別

「宿題を終えたのなら、友だちに会いに行ってもよろしい」

might が現在・未来の行動を指す場合、might の意味は「〜かもしれない」になる。注意しなければならないのは、許可を求める丁寧な言い方で "Might I 〜?" のように might を使うが、それはあくまで許可を求める疑問文だけの話で、肯定文に普通に使えるわけではないということである。（C）（D）は両方とも許可ではなく能力を指すから意味上不適切。

193.　（D）　「〜しなければならない」の must

「すべての志願者は上記の日付までに願書を提出しなければならない。そうでない場合は、採用を考慮されない」

文脈から考えて「〜しなければならない」が入るはず。consider には「採用などの目的で考慮する」の意味がある。助動詞は、どれも文法的には「助動詞＋動詞の原形」という使い方をするので、意味が分かっていないと入れようがない。
◯submit「提出する、投稿する」　application「願書、申込書」

194.　（D）　助動詞の時制と意味

「あなたが着ているドレスはとてもきれいですね。とても高かったのでしょうね」

（A）の can が可能性を表す場合、習慣的な可能性を表す。よって、ここでは使えない（Point 14 参照）。（B）（C）はともに同じ意味で「〜であったはずがない」だから文脈とは合わない。（D）の must have done には「〜したに違いない」の意味がある。

195.　（A）　can の活用

「この数年間、その会社は利益を伸ばすことができないでいる」

（D）は意味的には不可能ではないが、have のあとは過去分詞でなければならないので文法的に不可能。残った（A）〜（C）のいずれも can の意味を持つが、時制が異なることに気がつけば、Testing Point が時制であると分かる。よって、この中で時制が合うものを探す。ここでは、in the past few years がカギ。「ここ数年間」というのは数年前から現在まで

を指すので現在完了。現在完了は何も、for/since とだけしか使えないわけではない。
◯profit「利益、収益」

間違い探し

196. （A）→ should または ought to

「我々の仕事をさらによく理解できるよう、しばらくの間、工場の作業員として働くべきです」

どこまで読めば答えが分かる？：　spend
ought は助動詞なのに to不定詞をとる。否定語は ought not to。省略形 oughtn't to もある。文中の so that S＋V は「S が V するように」という意味の接続詞。
◯factory floor「工場の作業員全体」

197. （B）→ should have

「私はもっと早くその仕事を始めるべきだったと分かっているが、あまりにも忙しかったのだ」

どこまで読めば答えが分かる？：　文末まで
must have started「スタートしたに違いない」自体はなにも間違いではないが、これだと but I was so busy と意味的に合わなくなる。全体の意味から考えると、「始めるべきだった」となるはずだから、should have started に直す。should have done は「〜すべきだった、〜したはずだ」の意味。

198. （A）→ Can I

「歯医者に行かなければならないのですが、明日の午前中の授業を休んでもいいですか？」

どこまで読めば答えが分かる？：　excused
be able to と can が同じ意味なのは「〜する能力がある」のときだけ。can はそのほかに許可や可能性を表すことができるが、be able to にその意味はない。able は ability の形容詞だと分かれば理解しやすいだろう。したがって、問題文のままだと「休む能力が私にありますか？」になってしまう。

Chapter 3　助動詞

199. （A）→ don't have to

「負傷者がいないのなら、事故のあとで警察を呼ぶ必要はありません」

どこまで読めば答えが分かる？：　文末まで

内容的に考えると「呼んではいけない」ではなく「呼ぶ必要はない」にするべき。日本語では、「いちいち警察を呼ぶな」というニュアンスで「呼んではいけない」という文を使えるが、mustn't は厳しい禁止命令であり、「～することを禁止する」という日本語にも置き換えられる。この問題では mustn't が厳しすぎるのがお分かりいただけるだろう。

200. （A）→ can't have または couldn't have

「その秘書は会議について知っていたはずがない。なぜなら、彼女は会議の日程を決めたときに休暇中だったからである」

どこまで読めば答えが分かる？：　文末まで

must have known は「知っていたに違いない」の意味で、それ自体には何の問題もないが、because 以下の文章から考えると意味的におかしい。「知っていたはずがない」に直すべきである。また、must have done「～したに違いない」の反対は mustn't have done ではなく、can't/couldn't have done「～したはずがない」であるので注意。

●fix「時間・場所などを決める」

間違い探し（下線なし）

201. can → might/may/could

「残念だが、今週末は雨が降るかもしれないので、私は傘を持っていくつもりです」

どこまで読めば答えが分かる？：　this weekend

can は可能性を表すことができるが、その場合は習慣的、もしくは一般的な可能性、つまり、そういうことも起こりうる性質を持つという話のときに使い、ある１つの出来事がこれから起こるかどうかを話すときには使えない。つまり、

　○ It can rain a lot in December in the region.
「その地域では12月にたくさんの雨が降ることもある」
が言えても、
　× It can rain a lot tomorrow.
とは言えないのである。したがって、この問題では、may/might または might と同じような意味の could に直す。

202. might not be able to → might not have been able to

「帰ってからずっと芝生刈りができないでいるかもしれないが、しかしそれは天気のせいだ」

どこまで読めば答えが分かる？：　since I got back but

since I got back「私が帰ってきて以来」があるので、過去のある時点から現在に至るまでの継続的状態を指すはず。したがって、完了形が必要。ちなみに may/might have done「〜したかもしれない」は、may/might「〜かもしれない」の過去形の働きだけではなく、現在完了形や過去完了形の働きもあることに要注意。

203. 間違いなし

「そのときは海外にいるので、私はその会議に出席できないかもしれない」

Q202と同じだと思ったら大間違い。since には「〜以来」のほかに、「〜なので」という because と同じ意味がある。そのときは必ずしも完了形にしないといけないわけではなく、意味を考える必要がある。ここでは過去のある時点から現在までずっとできないでいる、という話ではなく、単に「できないかもしれない」という意味なので might not be able to を完了形にする必要はない。よって、間違いなし。ちなみに、since 以下はタイムテーブル上の話をしていると考えられるので、未来形にしなくてもよい。

204. may → must

「その会社は、汚染防止設備の作業を完了させなければなりません。そうしないと重い罰金と向かい合うことになるでしょう」

どこまで読めば答えが分かる？：　文末まで

命令文＋or 〜のときは or の意味は「さもないと」となると学校で習ったと思うが、実際は命令文だけではなく命令文に準じる文章ならこの使い方ができる。また、意味から考えても may「〜かもしれない」はおかしい。よって、ここでは may を must に書き換える。
●face「〜に直面する、向かい合う」　fine「罰金、制裁金」

205. must → can't

「トムが帰ってきたそうですね」「彼はまだ戻っているはずはありません。彼は私に 2 週間以上留守にするつもりと言いました」

どこまで読めば答えが分かる？：　文末まで

「なぜなら 2 週間以上も留守にすると言った」があることから、「もう戻っているに違いない」というのはかみ合わない。「戻っているはずがない」のほうが自然。already は通常は肯定文で使うが、驚きや意外を表す場合に疑問文・否定文で使われることもある。

Chapter 3　助動詞

206.　can → may/might

「彼は上手に泳げるかもしれませんが、私は彼が泳ぐのを見たことがないので分かりません」
どこまで読めば答えが分かる？：　文末まで
He can swim は「泳げる」と断定していることになる。そして、断定できるぐらいなら I don't know ... とは言わないはずである。「人から聞いて、泳げると知っているのかも」という人がいるかもしれないが、それなら I hear he can swim very well などになっているはず。「彼はうまく泳げるらしいのだが、本当にそうなのか分からない」なら問題ないが、「彼は泳げるのだが、本当にそうなのか分からない」というのは違和感がないだろうか？

207.　mustn't → doesn't have to/needn't/doesn't need to

「顧客がその犯罪を警察に知らせるのを怠ったのだから、その保険会社は請求してきたお金を支払う必要はありません」
どこまで読めば答えが分かる？：　文全体の意味から
mustn't は禁止を表すので文脈から考えてきつすぎる。よって、「必要がない」を表す表現に代えなければならない。
◯insurance「保険、保険業」

208.　might → may/can

「警察が身分証明書の提示を求めることは通常ないが、法律によると、そのようにしてもよいことになっている」
どこまで読めば答えが分かる？：　文全体の意味から
the police は複数扱いの名詞なので don't を doesn't にしてはいけない。ここでは according to the law「法律によると」があるので might「〜するかもしれない」ではなく may「〜してもよい」とするべき。might と may の違いについては Point 12 を参照。

209.　had to work → must have worked

「その会社の技術部長は、とてもハードに働いたに違いない。なぜなら、そのようにとんでもない時間でその仕事を終わらせたからだ」
どこまで読めば答えが分かる？：　文全体の意味から
because 以下の文章と意味的に合わせるためには、had to work「働かなければならなかった」ではなく、must have worked「働いたに違いない」にしなければならない。must と have to は完全に同じわけではなく、must have done と had to は全く異なるので注意。
◯incredible「とてつもない、信じられないほどすごい」

210. will not → would not

「そのとき、ひどい痛みがあったにもかかわらず、どうしても彼女は医者に行こうとしなかった」

どこまで読めば答えが分かる？： will
fact の that節が過去形だから、内容から考えて would not にする必要がある。would not はこの場合、「どうしても〜しようとしなかった」の意味で、物を主語にとることもできる。
　　ex. The door wouldn't open. 「そのドアはどうしても開かなかった」

Test 3

穴埋め

211. （B） can の活用

「応募者はすべて、パソコンを扱うことができなければならない」

（A）はおかしいとすぐに分かるが、（B）〜（D）の判断は文脈を見る必要がある。

選ばれたかったら、応募者はパソコンを使うことが
- （B）できなければならない
- （C）できるかもしれない
- （D）ずっとできている

上記のように意味上続くと考えられるのは（B）のみ。
➔applicant「志願者、申込者」

212. （B） would like ＝ want

「もし私に十分な時間があれば、そのお城を訪れてみたい」

（A）は一見すると正しそうだが、if節に直説法を使っている以上、主節を仮定法にする理由がない。また（B）（C）では、（B）would like はセットで want と同じ意味として使えるが、will like は want と同じ意味ではなく、あくまで will＋like ととるしかない。したがって、「好きになるだろう」という意味になるのでここでは不適切。（D）は to が抜けているので不可。

213. （C）「〜したはずがない」の can't have done

「スミスさんは、今日もまた仕事を休んでいる。だからインフルエンザからまだ回復したはずがない」

文章の意味が分かれば、選択肢を選ぶのは難しくない。気をつけなければならないのは、文

Chapter 3　助動詞

末に yet があることと、空欄に入るのが recover という動詞であるということ、そして文章の意味から、完了形でなければならないということ。よって、まず（A）（B）がはずれる。あとは、（C）「回復したはずがない」、（D）「回復したに違いない」から選ぶ。yet が使われているということから、否定文であると見当がついた人は簡単だっただろう。
◯flu「インフルエンザ、流感」— influenza の短縮形

214.　（B）　助動詞の時制

「その労働環境に耐えることができなかったので、私は前の仕事を辞めなければならないと思った」

前の仕事について "felt"「感じた」という過去に起こった出来事の理由を述べているから時制は現在ではない。したがって、最初に（A）（D）ははずれる。あとは文脈から couldn't が正答であると分かる。might は may の過去だが、「〜かもしれない」という意味では現在・未来の出来事を指す。また、「〜してもよい」の過去としては時制の一致で may→might になる場合ぐらいにしか使わない。普通、「〜してもよかった」は、× I might do it. ではなく、I was allowed/permitted to do it. などを使う。
◯tolerate「〜に我慢する、耐える」

215.　（D）　助動詞の使い分け

「その会社は、私のコンピュータを修理しに来なければいけない。でなければ、契約違反で訴えます」

「さもなければ訴える」という強い意味であるから、ここでは来るかどうかの可能性の話をしているのではなく、「来なければならない」という義務・命令の話をしているのだと推測できる。よって、（D）が正答。
◯sue「訴える」　contract「契約」

216.　（D）　「〜したに違いない」の must have done

「ジョージは、友だちと外で遊んでいます。宿題は終わっているに違いない」

（A）の can have done は英語では使われない表現なので不可。（B）は must have done 「〜したに違いない」の否定文という連想なのだろうが、must have done の否定文は mustn't have done ではなく cannot/could not have done である。（C）は仮定法になってしまい意味不明。

217.　（A）　可能性を表す can/may の区別

「現在の経済回復を遅らす可能性があるので、政府は税の引き上げに慎重である」

can が能力を意味する場合は習慣的能力を指すので、特定の機会に「できる」という場合には使われない。ここでも、現在の経済回復に限った話をしているので can は不適切。ただし、これが an economic recovery などで「一般的に増税は経済回復を遅らせうる」という意味なら can も可能。
➔wary「用心深い、慎重な」

Point 14　可能性を表す can

can は「〜できる」だけではなく、cannot で「〜のはずがない」という否定的な可能性を表す使い方があるのはよく知られているが、実は肯定文も可能性を表すことができる。

It **can** be very hot in December in this area.
この地域は、12月にとても暑くなる<u>ことがある</u>。

これは、<u>恒常的な可能性を指すために使う</u>のであって、明日起こる可能性があるなどという、特定の一回の出来事を指す意味では使えない。

218.　(B)　助動詞の使い分け

「仕事の遅さから判断して、彼らは従業員を十分に雇うことができなかったのかもしれない」

仕事が遅いのだから、従業員を雇っていないということが推測できる。したがって、肯定の意味になる (A)「雇うことができたのかもしれない」、(C)「雇うことができたに違いない」は不可。(D) は肯定文であるうえに、現在・未来の意味を持つのでここでは不適切。
➔recruit「採用する」

219.　(C)　基本的な助動詞の意味

「私は高品質の紙をプリンター用に、もういくらか買わなければならない。でないと、そのレポートを時間内に終わらせることができないだろう」

otherwise 以下の意味を考えれば、「買わなければならない」になるのが分かるはず。some more high quality paper を「もっと高品質の用紙」と考えた人は文のつながりがよく分からなかったかもしれない。この more は high を比較級にしているのではない。high の比較級は higher だからである。ということは、more は many/much の比較級「もっと多く」であることが分かる。要するに higher quality paper ではなく、high quality paper が、some more 必要であるということ。

Chapter 3 助動詞

220. （D） 助動詞の時制と態

「その盗難防止警報器は、強盗の犯行時にスイッチを切られたのではないかと警察は疑っている」

（A）は時制こそ合っているものの、能動態になってしまうので、alarm が何かを turn off することになってしまいおかしい。alarm と turn off の関係は受動態でなければならない。（B）（C）は現在・未来を表すが、本文は内容から考えて過去の話だから、選べない。
◯robbery「強盗」

221. （C） 助動詞の時制

「その少年の父親は、息子の悪さを許すことができなかったので、1週間、彼と口をきかなかった」

何を問われているのかをきちんと考えただろうか？　ここでは、can と may の違いを問うているというよりも、時制が主要な Testing Point である。そして、and so 以下が過去の話であるから、文章の接続から考えて、最初の文も当然過去の話をしていると分かる。したがって、（C）が正答。might の時制については Point 12 を参照。

222. （C） 基本的な助動詞の意味

「その政党は、連立に入るべきではなかった。それは政策が他の政党と全く異なるからだ」

coalition「連立」を知らなくても、because 以下が「政策が他の党とは全く異なる」という意味だから、「～すべきではなかった」という意味になることは推測できるはず。
◯coalition「連立」　party「政党」

223. （A） 助動詞を使った表現

「営業部長から電話だよ」「今は彼と話したくないので、かけ直すって言って」

意味から考えると「話したくない」が入るはず。また、（B）と（C）は似たような意味なので、どちらかに限定するような語（than があれば would rather など）がないこの場合は、どちらかを選ぶのは難しい。よって、「どちらも入らないのでは？」と推測するぐらいのことはしてみよう。（D）I wouldn't は「どうしても～しようとしなかった」の意味を表すので不可。

224. （A） 助動詞＋have＋過去分詞の意味

「炎の広がるスピードが速かったため、従業員は火災報知器を鳴らす時間が十分になかったのかもしれない」

文章の意味から考えて、過去の出来事だと考えられるので、現在・未来を表す（B）（C）は不可。あとは、because of 以下の意味を考えれば、（D）「時間があったに違いない」ではなく、（A）「時間がなかったのかもしれない」と分かる。

225. （D） 基本的な助動詞の意味

「すべての運転手は、警察から免許証の提示を求められた場合、そのようにしなければならない、と法律に記されている」

（B）は to が抜けているので、文法的に不可。（C）は may be able to が「～できるかもしれない」という意味にしかとれず、文意に合わない。（A）（D）については文脈から考える。ちなみに produce には「生産する」だけではなく、「見せる、示す、出す」という意味もある。しかし、これを知らなくても、（A）を入れると「produce できてはいけない」という意味になってしまう。「～することができることを禁止する」というのは意味的に違和感があるのではないだろうか？

間違い探し

226. （B）→ may/can

「ジョージに、もし望むなら私たちがいない間、アパートを借りてもいいと伝えてください」
どこまで読めば答えが分かる？：　apartment
may/might は「～かもしれない」という意味では同じように使えるが、might には「～してもよい」の意味はない。ここでは「借りるかもしれない」ではなく「借りてもよい」という意味になるはずなので、might を may または can にする必要がある。

227. （A）→ would prefer/would like

「我々がより利益のある仕事に取りかかれるように、上司は早くその請負作業を終わらせたいと思っている」
どこまで読めば答えが分かる？：　would rather to
would rather は、そのあとに原形をとるのでここには使えない。よって、would prefer か would like に直す。

Chapter 3　助動詞

○contract「請負（仕事）」　lucrative「もうかる、有利な」

228.　（A）→ must/have to

「契約書に明記されている日付までにこの仕事を終了しなければなりません。さもないと、私たちは賠償金を支払わなくてはいけなくなります」

どこまで読めば答えが分かる？：　文全体の意味から

otherwise 以下の文意から、can を must に代えなければおかしいことに気がつくはず。
○specify「明記する、指定する」　compensation「補償、賠償金」

229.　（C）→ must

「ウエルズさんはいつも、たいへん多額のボーナスを受け取っている。彼は本当に有能な社員に違いない」

どこまで読めば答えが分かる？：　文全体の意味から

このままでは、「有能な社員であることもある」という意味になり、普段はそれほど有能ではないというニュアンスを含んでしまう。**いつも**多額のボーナスを受け取るぐらいなのだから can ではなく must が必要。また bonus は可算名詞なので（B）はこのままでよい。
○generous「豊富な、たっぷりの」　valuable「有益な、役に立つ」

230.　（D）→ may/can

「法律上、会社は著しく無能な社員を解雇してもよいとなっているので、残念ながらその会社を訴えることはできません」

どこまで読めば答えが分かる？：　文全体の意味から

このままでは「会社は無能な社員を解雇するかもしれない」となり、前半の「訴えることはできない」と合わなくなる。よって、「～してもよい」を表す may に直す。may/might は「～するかもしれない」の意味では同じだが、「～してもよい」の意味は may しか持たない（Point 12 参照）。または can でもよい。
○dismiss「解雇する」　gross「全くの、著しい」　incompetence「無能、不適格」

間違い探し（下線なし）

231. could have bought → couldn't buy

「私は適切な身分証明書を持っていなかったので、携帯電話を購入できなかった」

どこまで読めば答えが分かる？：　文全体の意味から

couldn't は「〜できなかった」だが、could have done は「〜できた（のにしなかった）」となり、because 以下と合わなくなる。could/was able to/could have done の違いについては Point 9 を参照。couldn't have bought「買ったはずがない」でも可。
◯appropriate「適切な、妥当な」

232. haven't been able → wasn't able

「職場の同僚が病気で、その代わりをしなければならなかったので、残念ですが今年の学会に出席することはできませんでした」

どこまで読めば答えが分かる？：　congress

haven't been able to は can の完了形だから「ずっとできないでいる」という継続の意味になる。しかし、congress が単数形であり、「今年の」会議と言っている以上、今年開かれた会議はこれ一回キリのはず。よって「ずっと出席できないでいる」というのは意味が通らない。また、because 以下から会議は過去の出来事だと分かるので、単なる過去形にする。ちなみに、定期的に行われるある会議にずっと出席できないでいる、というのは可能だが、それだと会議を複数形にする必要がある。
◯congress「学会、会議」　colleague「同僚」

233. would → will/may

「もしフレッドが昼食のあとに再び戻ったら、会議の前に上司に会えるだろう」

どこまで読めば答えが分かる？：　would

if節が現在形なので直説法であると考えられるから、仮定法に使う would はここでは使えない。したがって、will または may に直す。could/might は仮定法でなくても使えるが、would の場合は時制の一致をのぞいては、仮定法（婉曲表現を含む）でしか使わない。

234. must → should

「部長はただ辞職する代わりに、自分が起こした問題を解決しようとすべきだった。今や私たちが後始末をしなければならない」

Chapter 3　助動詞

どこまで読めば答えが分かる？：　文全体の意味から
前後の文脈からまず意味をとる必要がある。「辞職する代わりに、自分の引き起こした問題を解決しようとする＿＿＿」の空欄に助動詞を使って適切なものを入れるなら、「～すべきだった」が入るのではないだろうか？　これは第2文を見ても分かる。must have done は「～したに違いない」である。
助動詞を問う問題は、ある意味ではボキャブラリーの問題と同じで、文意が分かっていないと入れることができない。そして、文意は文のつながりや構造からつかむのである。
➡fix「（ごたごたを）解決する、始末する」　resigning「辞職、辞任」

235.　can → must/may/could

「フレッドは、今日バスで出勤しました。今、彼の車は修理中に違いない」

どこまで読めば答えが分かる？：　repaired
can には「～できる」の他に「～する可能性がある」という意味もある。しかし、その場合は、一般的な習慣的可能性を指すだけであり、ある特定の出来事の可能性を予測するものではない（Point 14 参照）。よって、can では不適切。ここでは、意味から考えて、「修理中かもしれない」「修理中に違いない」という意味になるはずなので、can を may/must または could に直す。

★ must に「～に違いない」という意味があることを覚えておこう。ちなみに、be ＋ being ＋ done は受け身の進行形である。

236.　must → can't

「あれがキャサリンの車であるはずがない。彼女は、あのような車を買うのに十分なお金を持っていないから」

どこまで読めば答えが分かる？：　文全体の意味から
第1文と第2文の関係を考えれば、must では意味的に合わないことが分かる。must「～に違いない」の反対は can't「～であるはずがない」で、99%違うという意味である。

★ must が「～に違いない」の意味を持つとき、その否定には mustn't ではなく can't「～であるはずがない」であるので注意すること。

237.　must pass → must have passed

「ジェーンは、大学の入学試験に合格したに違いない。なぜなら明日に大きなパーティを開く予定だからだ」

どこまで読めば答えが分かる？：　文全体の意味から

絶対に受かる自信があって、受験する前から合格祝いのパーティを計画してしまっているため、絶対に合格しなければならない、という意味ならこのままでも不可能ではない。ただ、実際問題としてこんな人はあまりいないし、何よりも must pass を使っている以上、まだ受験していないことになる。まだ受験していない試験の合格パーティを<u>明日</u>行うということは、これから受験する試験の合格発表は明日までに行われることになってしまう。よって、must を must have にして「合格したに違いない」とするほうが自然である。
◯throw a party「パーティを催す」

238. mustn't → can't

「ジェーンはまだ、お父さんに大学まで送ってもらっている。彼女はまだ、運転免許試験に合格していないに違いない」

どこまで読めば答えが分かる？： mustn't have passed
must「〜しなければいけない」の否定形は must not だが、must「〜に違いない」の否定形は must not ではなく cannot「〜であるはずがない」である。よって、過去形の「〜したはずがない」は can't have done となる。ちなみに、mustn't have done 自体が使われない表現である。

239. would like you → would like you to

「ジョーンズさん、メモ帳を持ってきてくれませんか？ グリーン氏が部署会議の議事録を、あなたに取ってほしいそうです」

どこまで読めば答えが分かる？： take
would like は want と同じ意味なので、ここでは Mr. Green wants you take と書いてあるのと同じである。want は that節をとれないから、to take にしなければならない。
◯notepad「メモ帳」 minute「議事録」

240. have had to → had to

「昨夜、その会議を延期しなければならなかった。なぜなら、しかるべき人の何人かが出席できないからだ」

どこまで読めば答えが分かる？： 文末まで
since があるからと言って必ずしも完了形とは限らない。since には because と同じ意味があるからである。ここでは、Last night が過去を指す言葉であり、現在完了と一緒には使えないから、have had to を had to に直さなければならない。
◯appropriate「適切な、ふさわしい」

Chapter 4

Infinitives, Gerunds & Participles
不定詞・動名詞・分詞

Test 1

穴埋め

241. （D） It is ～ to不定詞の構文

「裁判であなた自身が自分の弁護をすることは、非常に難しい」

It is ～ to do構文を問う問題。（B）（C）ともに「～するために」なので合わない。
▶defense「弁護」 trial「法廷、裁判」

242. （A） to不定詞の時制

「昨日、私は道でブランドさんを見たが、今朝、彼と話したとき見なかったふりをした」

まず pretend と see の時制を考える。pretend は過去に行われたはずだから、pretended にしなければならない。そして、see は pretend よりも過去に行われているはず。つまり pretend よりも古い時制だから to have seen にしなければならない。

Point 15　to不定詞の活用

to不定詞も普通の動詞と同じように活用がある。

	能動態	受動態
原形	to do	to be done
進行形	to be doing	
完了形	to have done	to have been done
完了進行形	to have been doing	

ただし、受動態の進行形と完了進行形はあまり使われない。

243. (B) 知覚動詞と finish の使い方

「フレッドは窓辺に座り、農夫が穀物を収穫しているのをじっと見ていた」

watch は知覚動詞なので to不定詞をとらない。そのため（D）は不可。あとは finish が動詞を目的語にとるとき to不定詞ではなく動名詞（ing形）しかとらないということを覚えていれば（A）（C）が不可であることが分かる。

◯harvest「収穫する」 crop「穀物などの収穫物」

Point 16 不定詞のみを目的語にとる動詞

agree to do	～することに同意する	pretend to do	～するふりをする
fail to do	～するのに失敗する	want to do	～したい
hope to do	～することを望む	refuse to do	～することを拒否する
happen to do	たまたま～する	hesitate to do	～することをためらう
learn to do	～することを学ぶ	promise to do	～することを約束する
tend to do	～する傾向がある	manage to do	なんとか～する
decide to do	～することを決める	afford to do	～する余裕がある
wish to do	～することを望む		

Point 17 動名詞のみを目的語にとる動詞

admit doing	～したことを認める	keep doing	～し続ける
enjoy doing	～することを楽しむ	deny doing	～したことを否定する
avoid doing	～することをさける	suggest doing	～することを提案する
finish doing	～することを終える	consider doing	～することを思案する

Chapter 4 不定詞・動名詞・分詞

Point 18 不定詞／動名詞で意味が変わる動詞

forget to eat	食べることを忘れる
forget eating	食べたことを忘れる
remember to eat	食べることを覚えている
remember eating	食べたことを覚えている
try to eat	食べようとする、食べることに挑戦する
try eating	ためしに食べてみる（実験としてやってみる）
need to check	調べる必要がある
need checking	調べられる必要がある（＝need to be checked：受動態の意味）
stop to eat	食べるために立ち止まる
stop eating	食べるのをやめる

244.（C） 名詞になる ing 形

「私は、高速道路を長距離運転すると、たいていとても疲れを感じる」

過去形・過去分詞を主語にすることはできないので（A）（D）は不可。（B）だと in order から freeway までが、「運転するために」という副詞の固まりになってしまい、文章に主語がないことになる。よって、不可。

◯freeway「高速道路」

245.（D） 形容詞として使える ing 形

「洗濯物を干している若い女性は、私の妻のメアリーです」

メインの動詞は is のはずだから（B）は不可。ここで（B）を選んだ人は S＋V という文の基本構造を考慮に入れていない可能性がある。文章を読むときは単語から意味を推測するのではなく構造からとるのが基本なので注意。（A）（C）（D）の違いは現在分詞か過去分詞かということ。つまり、woman と動詞の関係を考える。文章の意味は「洗濯物を干している女性」となるはずなので、能動態の hanging が正答と分かる。たとえ、hang の意味を知らなくても「～している」のか「～されている」のかが分かれば正答できる。また（C）は「絞首刑にする」という意味のときに使われる形である。

◯hang out「（洗濯物などを）外につるす、干す」

Point 19　形容詞として使う ed/ing 形

過去分詞（ed形）・現在分詞（ing形）は形容詞としても使える。その場合、単体で1つの形容詞になっている場合は名詞の前、2語以上で1つの形容詞の固まりを作っている場合はまとめて名詞の後ろに置かれる。

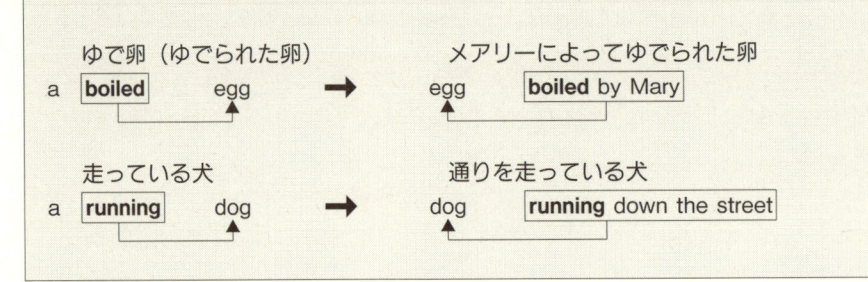

　　　ゆで卵（ゆでられた卵）　　　　　　メアリーによってゆでられた卵
　a boiled egg 　➡　　egg boiled by Mary

　　　走っている犬　　　　　　　　　通りを走っている犬
　a running dog 　➡　　dog running down the street

246.（D）分詞構文

「ジョンは、夏休み中工場で働いていたので、海外に行くひまがなかった」

選択肢のどれが入るにしても主語はメインの主語である　John　であるので、その動詞と John の関係を考える。John と work は能動態の関係になるはずなので、(A) はまずはずれる。また、内容から考えて目的を表すのではないので、(B) の To work は不可。あとは時制を考える。(C)(D) を普通の節に書き換えると、(C) Because he had worked、(D) Because he worked となる。働いていたのと時間がなかったのは同時に起こっているはずだから、(D) の Working が正答。

Point 20　接続詞として使う ed/ing 形

過去分詞・現在分詞には接続詞の機能を持たせることができる。この使い方を分詞構文と呼ぶ。過去分詞（ed形）と現在分詞（ing形）のどちらを使うかは、主節の S と分詞の関係で決める。能動態の関係なら ing 形、受動態の関係なら ed 形である。

Knowing that he has been to the city, I'm going to ask him about it.
→Because I **know** …　I と know の関係は能動態

Seen from a distance, my house looks like a rabbit hutch.
→When my house **is seen** …　my house と see の関係は受動態

Chapter 4 不定詞・動名詞・分詞

> 分詞の主語と時制は主節の主語と時制に準じる。

247. （D） 目的を表す to 不定詞

「ジェームズは、皆がくる前に重要な仕事を終わらせようと 2 時間早く着いたが、十分に早いというわけではなかった」

（A）は to＋動名詞だから、この to は to 不定詞の to ではなく前置詞ということになるが、こんなところに「〜に向かって」を表す前置詞を置く理由がない。（B）は過去形として考えた場合、arrived がすでに主節の動詞として存在するので、and などの接続詞がない限り、こんなところには入れられない。また、過去分詞として考えた場合も、分詞構文で受け身を表すのだから James was completed という関係になってしまい意味不明である。（C）は文法的にはOK。分詞構文で、and の代わりに使われているから、and he completed と書き換えることができる。しかし、それだと文の最後にある、but it wasn't early enough と合わなくなってしまう。よって、答えは（D）である。（D）の to complete は目的を表す不定詞の使い方である。

◯task「仕事」

Point 21　分詞構文は and で考えよう

分詞構文は分詞を接続詞のように使う構文で、その接続詞としての意味にはいくつかあるが、別に厳密にどれか分かっている必要はない。多くの場合は、and の意味であると考えておけばよい。

Surrounded by mountains, the city has a severe climate.
→ The city is surrounded by mountains **and** it has a severe climate.
　「その都市は、山に囲まれている。そして、厳しい気候である」

The student entered the room **accompanied** by the teacher.
→ The student entered the room **and** she was accompanied by the teacher.
　「その生徒は、その部屋に入った。そして、彼は先生に付き添われていた」

Knowing he was competent, I asked him to do it.
→ I knew he was competent **and** I asked him to do it.
　「私は、彼が有能だと知っていた。そして、私は彼にそれをするように頼んだ」

248. (A) so ～ that構文

「グリン氏は自分の昇進のことを聞いて、あまりにも嬉しかったのでみんなを飲みに連れて行った」

「あまりに A なので B する」というように「B する」のところが肯定文の場合、so A that S+V (B) の構文を使う。(B) (D) は too ～ to の構文だが、空欄のあとが S+V になっているので不可。また (C) だと「～なので」にあたる接続詞が足りないことになる。

249. (A) 原形不定詞を使うイディオム

「私は、自分がどれほど勝利に近かったのかを見たとき、不正をされたと感じずにはいられなかった」

時制を考えていれば簡単に解ける問題。(B)「むしろ～したい」、(C)「～すべきだ」、(D)「～すべきではない」は意味的にもおかしいうえに、いずれも見かけは過去形だが、指す時制は現在・未来である。cannot but do「～せずにはいられない」は要暗記。
●cheat「ごまかしをする、不正をする」

250. (B) worth＋ing形

「教授は私に、職を求める前に会社を訪れるのは、価値があると言った」

it's worth doing「～する価値がある」という表現が出題されているのだが、これは構文というよりも形容詞 worth の使い方。worth は他の形容詞とは違う使い方をする。通常、形容詞が目的語をとる場合は前置詞が必要である。

　　　good **at** playing tennis, interested **in** English, surprised **at** the news

しかし、worth は形容詞の中では珍しく、前置詞なしで目的語をとることができる。ただし、動詞を目的語にとる場合は、to不定詞ではなく ing形（動名詞）にする必要がある。

It was worth the effort.「努力した価値があった」→ the worth effort となっていないので
　　　　　　　　　　　　　　　　　　　　　　　　　worth と the effort は別パート
The book was worth reading.「その本は読む価値があった」→ to read は不可

it was worth a visit だけなら正しい文章だが、ここでは空欄のあとに companies という別の目的語があるので、名詞である (C) a visit を入れることはできない。よって、(B) が正答。
●professor「教授」　apply for「出願する、志願する」

Chapter 4　不定詞・動名詞・分詞

251. （C）　使役動詞 have の使い方

「私は、テレビの受像品質向上のために、来週アンテナを取り替えてもらいます」

アンテナさんに何かを取り替えてもらうのではなく、アンテナを取り替えてもらうという意味のはずだから、アンテナと replace の関係は受け身と分かる。したがって、過去分詞が必要。次の Point 22 を参照。

●antenna「アンテナ」　reception「受信」

Point 22　have＋目的語＋do/done

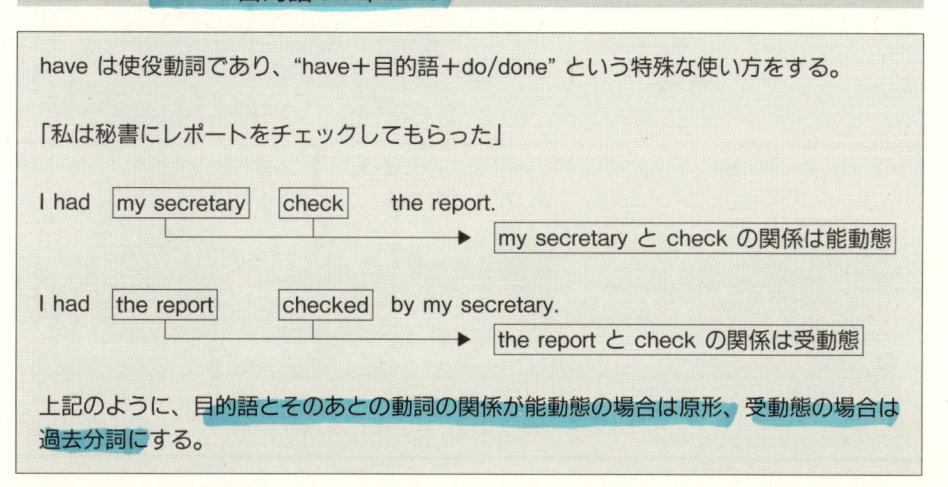

have は使役動詞であり、"have＋目的語＋do/done" という特殊な使い方をする。

「私は秘書にレポートをチェックしてもらった」

I had　my secretary　check　the report.
　　　　　　　　　　　　　　　　➡　my secretary と check の関係は能動態

I had　the report　checked　by my secretary.
　　　　　　　　　　　　　　　　➡　the report と check の関係は受動態

上記のように、目的語とそのあとの動詞の関係が能動態の場合は原形、受動態の場合は過去分詞にする。

252. （B）　ing形を使うイディオム

「残念ですが、このような状況で働くのは私にとっては大きな苦労なのです」

have trouble doing「～するのに苦労する」を問う問題。類似の have difficulty doing も覚えておこう。

253. （B）　to do/doing のどちらかを目的語にとる動詞

「できる限り早くローンを返済する計画だったが、私の金銭状況ではこれは無理だった」

plan は目的語に to不定詞しかとらないので、（A）（C）は不可。また、（D）は時制が合わない。plan to do「～する計画である」は意味から考えて to do のほうが plan よりも未来に起こらなければならない。よって、（B）が正答。

254.（C） V+O+to do の構文をとる動詞

「フレッドは少女が角で泣きながら立っているのを見つけ、彼女に警察官を探す間、待つように言った」

文章の構造をきちんと考えているかどうかが問題。whom 以下が長いので読んでいる最中に忘れてしまうかもしれないが、told the little girl ＿＿＿ に入るものを探すだけ。この問題を間違えた人は、読んでいるところしか頭にない可能性がある。このように動詞の形を問われている場合、その理由となるもの（ここでは to wait が正答である理由、すなわち told）がはるか前に出てきている場合もある。よって、視野を広く持ち、たとえ文末を読んでいても S+V の構造などは頭に入れておくようにしよう。

Point 23　V+O+to do になる動詞

want him to study	「彼に勉強してほしい」
allow him to study	「彼に勉強することを許す」
expect him to study	「彼が勉強することを期待する」
ask him to study	「彼に勉強するように頼む」
invite him to study	「彼が勉強するように誘う」
enable him to study	「彼が勉強することを可能にする」
advise him to study	「彼に勉強するように忠告する」
permit him to study	「彼に勉強することを許可する」
encourage him to study	「彼が勉強するように励ます」
persuade him to study	「彼が勉強するように説得する」
force him to study	「彼に勉強するように強いる」
tell him to study	「彼に勉強するように言う」

255.（C）　使役動詞としての help

「両親が私に勉強を教えるために雇った家庭教師は、私が大学入試に合格するよう手助けしてくれた」

help は一般の動詞としても使役動詞としても使えるので、help＋人＋to do/do のどちらでもよいという変わり種の動詞。ただし、現在分詞（ing形）は入らないので（D）は不可。あとは（A）～（C）を考える。（A）は I was passed の関係にないので、受動態はおかしい。（B）だと help する前に合格してしまったことになるので不自然。

◯tutor「家庭教師」

Chapter 4 不定詞・動名詞・分詞

間違い探し

256. (B)→ to appreciate

「よい忠告がなければ、自分自身の欠点をきちんと理解することは不可能だ」

どこまで読めば答えが分かる？： appreciating
It is 〜 to do構文なので(B)を to appreciate にする。(D) advice はこの場合不可算名詞だから a をつける必要はない。
◯appreciate「高く評価する、理解する」 failing「短所、欠点」

257. (B)→ seem

「ジョン、手伝ってくれませんか？ カギをなくしたようで、どこにも見当たらないのです」

どこまで読めば答えが分かる？： 文全体の意味から
カギをなくしたのは過去だが、なくしたように見えるのは今のはずである。したがって、seem は現在形でなければならない。

★ to不定詞の完了形 to have done は主節の動詞よりもさらに過去を表す場合と、完了形の意味（完了・経験・継続）を表すために使う。
◯misplace「置き忘れる」

258. (C)→ enter

「私は車の中に座っていたが、私は覆面をした男が銀行に入っていき、それからまた数分して飛び出していくのを見た」

どこまで読めば答えが分かる？： to enter
see は知覚動詞なので to不定詞は使えない。本来なら、entering でも enter でもかまわないが、この場合は rush が原形なので、enter のほうがいいだろう。

Point 24 知覚動詞＋O＋do/doing/done

「見る・聞く・感じる」に関わる知覚動詞は以下のような構文をとるので注意しよう。

知覚動詞 ＋ 目的語 ＋
- 原形 ── 動作の完了までを表す
  I saw the man **cross** the road. 「渡るのを」
- ing形 ── 動作をしている最中を表す
  I saw the man **crossing** the road. 「渡っているのを」
- ed形 ── 目的語と受動態の関係のとき
  I heard my name **called**. 「呼ばれるのを」

ただし、これはこの構文しかとれないということではない。

I see that you've been promoted. 「昇進したようですね」
I hear that you passed the exam. 「試験に合格したそうですね」

---

259. （A）→ Buying

「丈夫で品質のよい靴を買うのは、いつもたいへん時間のいることである」

どこまで読めば答えが分かる？： Having bought が主語だと分かった時点で怪しいと思い、文末で確定

having bought は buying に have をつけて作った形で、主節の時制よりも前に行われたことを指す。しかし、時間がかかるのは買うこと自体の話であって、買ってしまったことが時間がかかるわけではない。よって、having bought は buying にする必要がある。
◯consume「消費する、費やす」

---

260. （A）→ prepared

「私があなたに示した方法で調理されたステーキは、客を満足させるはずだ」

どこまで読めば答えが分かる？： preparing

preparing 〜 you までが steaks を説明しているのだが、このままでは steaks と prepare が能動態の関係になってしまい、ステーキが何かを調理することになる。もちろん、ステーキは調理されるほうなのだから preparing ではなく受け身を表す過去分詞の prepared を使わなければならない。

Chapter 4 不定詞・動名詞・分詞

間違い探し（下線なし）

261. Having lived → Living

「都市の中心に住んでいるので、子供たちはたくさんの野生動物を見る機会がない」

どこまで読めば答えが分かる？：　文末まで

分詞構文で、having done の形になっている場合、主節の動詞よりも過去を表すか完了形を表す。したがって、ここではメインの動詞が現在形だから次のような関係になってしまう。

　Because the children **lived** ... they don't have the chance ...
　Because the children **have lived** ... they don't have the chance ...

主節は「子供たちは野生動物を見る機会がない」と言っているのだが、それは以前に街に住んでいたからでもなく、これまでずっと住んできたからでもない。現在、街に住んでいるから、現在、見る機会がないのである。つまり、主節と同じ現在形にする必要がある。よって、Living が正答。

262. collect → collecting

「政府が、公約を果たすための税収を十分に集めることに困難をきたすのは明らかである」

どこまで読めば答えが分かる？：　collect

collect は動詞なので、このような場所に原形を置くと、have＋目的語＋原形となってしまい、trouble に税金を集めてもらう、という意味不明な文になる。have trouble doing で、「～するのに苦労する」という構文があるので、collect を collecting にする。類似表現に have difficulty doing というのもある。
◯revenue「歳入」

263. performed → perform

「ひどくケガをしたので、私はよき友人に自分のバレエでの役を演じてもらった」

どこまで読めば答えが分かる？：　performed

友人に頼むという動作よりも、ケガをするという動作のほうがさらに過去なので、having injured にするのは正しい。have は使役動詞で、have＋目的語＋do/done という構文をとるが、いつ原形でいつ過去分詞を使うかというと、目的語とそのあとに置く動詞の関係による。能動態の関係であれば原形を入れ、受動態の関係であれば過去分詞を入れる。Point 24「知覚動詞＋O＋do/doing/done」を参照。

have は that 節をとれないので、過去形のつもりで performed を入れても、過去形とはとっ

てもらえず、必ず過去分詞ととられてしまう。そして、過去分詞なら受動態の関係になってしまうのである。

264. to complain → complaining

「もしあなたが投票せずに市民の義務を果たさないのなら、政府のことで不満を言ってもまったくの無駄である」

どこまで読めば答えが分かる？： to complain

It is no use doing 「～しても仕方がない、無駄である」を問う問題。不定詞・動名詞・分詞を使った表現はきちんと覚えておこう（Point 25 参照）。

◯civic「市民の、公民の」 duty「義務」

Point 25 動名詞・分詞を使った表現

it goes without saying that S+V	S が V するのは言うまでもない
busy doing	～するのに忙しい
spend time/money doing	～するのに時間／お金を使う
have trouble/difficulty doing	～するのに苦労する
feel like doing	～したい気がする
it is no use doing	～しても無駄である
worth doing	～する価値がある

265. You'd rather → You'd better

「彼女があなたのためにしたことすべてを考えれば、そんなひどいことを言うべきではありませんでした。彼女に埋め合わせしたほうがいいですよ」

どこまで読めば答えが分かる？： You'd rather

would rather は「～すべきである」ではなく「むしろ～したい」で、would prefer to と同じ意味である。よってこのままでは「あなたはむしろ埋め合わせしたい」となり、ここでは不適切。ここでは、「～したほうがよい」の意味の had better に直す。

本文中の after は「～のあと」というより、「～を考えれば、～したのだから」の意味。ought not to have done は should not have done と同じで、「～するべきではなかった」を表す。

◯make it up「埋め合わせをする」

Chapter 4 不定詞・動名詞・分詞

266. too → so

「ジョンとフリーダには残念なことに、映画館にはあまりにもたくさんの人がいたので、その映画を観ることができなかった」

どこまで読めば答えが分かる？： 文末まで
so ～ that S+V「あまりに～なのでSがVする」の構文。頭の中では so も too も very も同じ意味でとってしまっていることが多いので、わりとこの手の問題に引っかかる人が多い。英文を読んでいるときは意味だけではなく、必ず構造も考えなければならない。その一歩として大切なのは、「次に何がくるのか常に考える」ことである。たとえば、ある文がAlthough で始まっているのを読んだら、次の単語に目を移す前に「～だけれども」という意味だ、と考えるだけではなく、「接続詞が文頭にあるのだから、S+V、S+V がくる」と考えなければならないのである。そうすることによって、文章の構造がつかみやすくなる。さて、too many people の too を見た瞬間に何を考えなければならないのかというと、「あとには to 不定詞がくるかもしれない」ということである。このように考えられた人は、いつまでも too のことが頭に残っているため、that 節が見えた瞬間に「怪しい」と思えるのである。

267. trying → to try

「そのリサイクル運動組織によると、地方自治体は彼らに、ごみの量を削減するように努めることを奨励している」

どこまで読めば答えが分かる？： trying
encourage はあとに目的語＋to do の構文をとり、「人に～するのをすすめる」という使い方をする。よって、trying を to try にする。また、問題文中の movement は「動き」ではなく、ある運動に関わる人々やその組織全体を指す。
◯local government「地方自治体」

268. considered to go → considered going

「休暇にスコットランドへ行くことを考えていたが、友人が私を説得し、一緒にメキシコへ行くことになった」

どこまで読めば答えが分かる？： considered to go
consider は to不定詞を目的語にとれないことになっており、doing を使わなければならない。これは暗記していなければどうしようもないので、覚えていなければあきらめよう。

269. not → in order not または so as not

「政府は、経済の回復で得た強みを失わないために、早期選挙を実施した」

どこまで読めば答えが分かる？： not to lose

to do にはいくつか意味があるが、「〜すること」の意味においては、その否定語は not to do になる。

　ex. I decided **not to play** tennis. → テニスを<u>しないこと</u>を決めた。

ところが、「〜するために」の意味では否定語は not to do ではなく in order not to do/so as not to do を使うのが普通である。

　ex. I told him a lie **in order not to hurt** him. → 彼を<u>傷つけないために</u>うそをついた。

ここでは、「失わないように」という目的を表す in order not to do/so as not to do を使う。

◯call an election「選挙を行う」　advantage「有利な点、強み」

Point 26 to do の否定形

to do にはいくつか意味があるが、否定形の作り方が異なるので注意。「〜すること」の否定形「〜しないこと」は not to do である。また「〜するために」の否定形「〜しないために」は、not to do ではなく in order not to do/so as not to do を使うのが普通。

I decided	**to study** hard.	がんばって勉強することを
	not to study hard.	がんばって勉強しないことを
I studied	**to pass** the exam.	試験に合格するために
	in order not to fail the exam.	試験に落ちないように
	so as not to fail the exam.	試験に落ちないように
	× **not to fail** the exam.	

「〜しないために」の意味では普通、not to do は使わない。

270.　come → coming

「ほら、見て！　40インチの蛇が、そこの茂みの真下から出てきているよ」

どこまで読めば答えが分かる？：　come out

see を知覚動詞として使う場合、see＋目的語＋do/doing/done という形をとる。このうち、done は受け身だからすぐに使い分けられるだろうが、問題は do/doing の使い分けである。具体的には、do は動作の完了までを指し、doing は動作の途中、やっている最中を指す、と覚えておこう。ここでは、Look now! と I can see「今、見えている」という表現から、蛇が出てくるという動作を完了するところまで見たわけではなく、出てきている最中であるということが分かる。よって、come を coming にする必要があるのである。

◯underneath「下に」

Chapter 4 不定詞・動名詞・分詞

Test 2

穴埋め

271. (A) to do/doing のどちらかを目的語にとる動詞

「その工場の警備員は、ドアのカギをすべてかけ終えたあと、自分の部屋に戻った」

finish は at＋名詞という構文をとらないので (C) は不可。また (D) は名詞だから、そのあとに all of the doors という名詞が連続して入るのはおかしい。残る (A)(B) で悩むのだが、finish は動詞を目的語にとる場合（つまり、「～することを」という意味で使う場合）、to不定詞ではなく動名詞をとる。よって、(A) が正答。

272. (A) 知覚動詞の使い方

「私は、自分の母校が資金不足に苦しんでいるのを見たくなかったので、他の卒業生たちに援助してくれるよう連絡を取った」

see が知覚動詞なので、(C) は不可。(D) は see が目的語を2つとらないので不可。(A)(B) で悩むことになるのだが、空欄のあとが of であることに注意。つまり、(A) か (B) かは、

　My old school **is starved** of funds.
　My old school **is starving** of funds.

のどちらが正しいかによる。be starved of ～で「S は～が不足している」という意味になるので、(A) が正答。
○fund「資金」

273. (C) 分詞構文の態と時制

「流れの速い川をカヌーで下っていったので、カヌーが岩にぶつかってひっくり返るまで、その岩が見えなかった」

スペルから想像するのは難しいかもしれないが、canoe は「カヌーをこぐ」という意味で自動詞。文全体の意味から考えて、カヌーで下っている最中だったと考えられる。よって、canoeing が正答。(A)(D) は受動態の意味になるが、分詞構文では分詞の主語が主節の主語と同じになるので、× I was canoed という文章が成り立つことになってしまう。(B) は時制が hit という過去形よりもさらに古い過去完了形であるが、hit する前に下っていたのではなく、カヌーで下っている最中にぶつかったはずなので不可。
○turn over「ひっくり返る、転覆する」

274. （B） be good at＋ing形

「うちの部長は、自分の時間をやりくりするのが非常に上手である」

be good at「～が得意である」を問う問題。（C）to organize は文法上合っているが「自分の時間をやりくりするとはとてもいい人だ」となり、意味的におかしくなる。
　　ex. It is kind of him to help me.＝He is kind to help me.
だから He is good to organize his time.＝It is good of him to organize his time.

275. （A） 知覚動詞の使い方

「その青年は、女性が遠くで歌っているのを聴き、その声のほうへ向かって歩いていった」

hear を知覚動詞として使う場合、hear＋目的語＋do/doing/done という構文をとる。したがって、（B）（C）ははずれる。（D）は過去分詞だが、知覚動詞＋目的語＋done の構文は、目的語と done の関係が受け身のときに使われる。しかし、ここでは the woman was sung の関係にはならないので誤答。ここでは（A）が正答。（C）は hear が that 節をとっていると考えれば文法的に不可能ではないが、sang はこの場合、過去の習慣を表すので and walked 以下と合わない。

276. （C） 知覚動詞の使い方

「ちょっと、今あなたの背中を虫が這い上がっているのが分かる？」

feel を知覚動詞として使う場合、＋目的語＋do/doing/done の形をとるので、to不定詞は不可。また、the bug と crawl の関係が受け身ではないので過去分詞は使えない。あとは、（A）（C）との区別ということになるが、文末の"now"に注意する。文の意味は虫が今背中を這っているのを感じるかどうかを聞いているのだから、crawl という動作は進行中のはずである。よって、（C）が正答。（A）だと虫が這い始めてから這い終わるまでを感じるのか、となってしまい now と意味が合わなくなる。また、feel は普通の動詞として that 節をとることができるので、（B）を過去形と考えれば文法的に不可能ではない。しかし、そうすると、「あのとき虫が背中を這い上がったのを、今感じるかい？」という意味になってしまう。
　❍bug「昆虫、虫」　crawl「這う、腹這っていく」

277. （B） 分詞構文「～しながら」

「その教師はオーバーヘッドプロジェクターを抱えながら、廊下を歩いてきて、教室に入った」

carry の主語をまず考える。「誰がプロジェクターを持つのか？」と自問すると、the teacher だと分かるだろう。そして、carry のあとに目的語があることと文意から、the teacher と carry の関係は受け身ではなく能動態の関係である。よって、過去分詞形の（C）は不可。（A）は時制が合わない。having を動詞に足すのは主節の動詞よりも先に行われたことを示すためである。（D）は一見正答のように感じるが、carrying だけで「〜しながら」の意味を含んでいるのでわざわざ with をつける必要はないし、with＋doing という形自体が英語ではほとんど使われない。with＋目的語＋doing なら可能。

◯corridor「廊下」

278.（B） to不定詞の否定

「ほとんど36時間起きていたその兵士は、眠りに落ちないよう努めた」

文意から考えて、「眠らないように努めた」という意味になるはずである。そして、「〜しないようにする」というのは、try not to do を使う。try（not）to do の to do/not to do は目的（〜するために／しないために）を表す副詞的用法ではなく、名詞的用法で目的語扱いである。したがって、so as not と in order not は空欄には入らない。

　〇 I studied hard in order to pass the exam.
　〇 In order to pass the exam, I studied hard.

　× I tried in order not to fall asleep.
　× In order not to fall asleep, I tried.

このように in order to のパーツを前に出すとよく分かるだろう。2つ目の例文では私が何を try したのかが分からないので不自然である。

279.（B） It is 〜 for/of＋人＋to do の使い分け

「退職に際して、そのようなすばらしい贈り物を受け取ることは、私にとってとてもうれしいことだった」

nice は行動が有益であるという意味にも性格がよいという意味にも使えるので、あとに of/for のどちらでも入る形容詞である。したがって、文脈から判断する。ここでは、私がいい人だったという意味ではなく、贈り物を受け取ることが私にとってうれしいことだったという意味になるので for me が正答。

Point 27　it is 〜 for/of＋人＋to do

it is 〜 to do A「A することは〜だ」の構文で to不定詞の意味上の主語を示す場合は for＋人を使うが、性格を表す形容詞の場合は of＋人を使う。どちらを使うかは、to不定詞＝形容詞の関係になっているのか、人＝形容詞になっているのかを考えて決める。

It is easy **for me** to play tennis. → to play tennis is easy
It is kind **of you** to help me. → you are kind

上記の例では to play tennis is easy の関係が成り立つので for が使われ、you are kind という関係が成り立つので of が使われている。

280. （B） 分詞構文の時制

「前に失業を経験していたので、その男は手当の請求の仕方をきっちり分かっていた」

（A）「経験するために」は文脈と合わない。意味から考えると、経験の意味が含まれるので完了形を使う必要があると分かる。よって（C）ではなく（B）が正答。（D）だと、the man と experience が受け身の関係になってしまう。

◯unemployment「失業」

Point 28　分詞構文の時制

分詞構文の時制は主節の動詞の時制に準じる。

Living a long way from work, I **had** to leave home at 5:00.
→ Because I **lived** …　主節の had to が過去形なのでこちらも過去形

分詞構文の時制を主節動詞の時制より過去にする場合、または完了の意味を持たせる場合は having をつける。

Having lost all the money, I **have** to cancel the trip.
→ Because I **lost/have lost** … 主節が現在形なので、過去形か現在完了形

281. （C）　知覚動詞の使い方

「群衆は、元チャンピオンが無名選手に打ち負かされるのを見た」

watch は知覚動詞だから（C）（D）が文法的に当てはまる。あとは、the former champion と beat の関係を考える。空欄のあとに by があることから推測できるように、受動態の関係だから過去分詞が必要となる。

◯crowd「群衆、大勢」

Chapter 4 不定詞・動名詞・分詞

282. （D） forget to do/doing の区別

「私が宿題を間に合うよう終わらせることを忘れたので、先生は怒っている」

forget は to do/doing のどちらをとるかで意味が変わる。forget to do は「～することを忘れる」、forget doing は「～したことを忘れる」。ここでは、宿題をし忘れたのだから to do が必要。

➡assignment「宿題、研究課題」

283. （B） 使役動詞 make の受動態

「同僚の1人が私の間違いを証明したあと、私は自分の過ちを認めさせられた」

使役動詞 make は後ろに目的語と原形動詞をとるのだが、受動態にした場合は原形動詞が to不定詞に変わる。
　ex. Tom made me do it. → I was made to do it by Tom.
また、eat my words を知らなくても文脈から考えれば「自分の言ったことを取り消す」という意味になるのは推測できるはず。したがって、彼がその動作を行うことになる（D）はおかしいことに気づく。

➡eat one's words「やむをえず前言を取り消す、自分の過ちを認める」

Point 29　使役動詞 make の受動態

> 使役動詞 make は主に make＋目的語＋原形動詞の形で使い、to不定詞は使わないが、make が受動態になり「～させられる」という意味になるときは、原形動詞を to不定詞にする必要がある。
>
> My boss made Tom　work　overtime.
>
> Tom was made　to work　overtime by my boss.

284. （A） V＋O＋to do の受動態

「その部屋の後ろの窓を開けるよう頼まれたが、寒かったので断った」

文法的には（A）～（C）のどれでも入るので、あとは意味的に考える。but I refused ... を読めば（A）が正答であることが分かる。（D）は能動態にしてみれば、Someone asked me him to open. となりおかしいことが分かる。

285. (D) It is ～ for/of＋人＋to do の使い分け

「電車にブリーフケースを忘れるなんて、とてもいらだたしいことでしたね」

of you か for you で悩むことになるが、何が annoying であるのかを考える。of you を入れると you were annoying が成り立つことになるが、それだと「あなたは、うっとうしい人だ」と言っていることになる。よって、(D) for you が正答。これだと、電車に忘れてきたことが annoying であると言っていることになる (Point 27 参照)。

間違い探し

286. (C)→ having

「その会社の会計士が私の経費を調べ始めたとき、私は個人的な経費をいくらか含めたことを認めた」

どこまで読めば答えが分かる？： to have
admit は目的語に to不定詞ではなく動名詞をとるので having に直す。start は to不定詞・動名詞の両方を目的語にとるので (B) はこのままでよい。
◯expense「経費、～費」

287. (B)→ progressing

「私は、登山者らがその急斜面を進んでいくのを見ながら、彼らの無事を心配せずにはいられなかった」

どこまで読めば答えが分かる？： progressed
watch は that節をとらないので、progressed は過去形ではなく過去分詞である。そうすると、the climbers と progressed の関係は受動態で、the climbers were progressed の関係が成り立つことになってしまう。the climbers と progress の関係は the climbers were progressing となっているはずなので、ing形の progressing に直す。この文は、watch が知覚動詞で、watch＋目的語＋doing の形になっている。
cannot help but do「～せずにはいられない」は cannot help doing と cannot but do の合成されたもので、現在ではよく使われる。
◯progress「前進する、進行する」 slope「坂」

114

Chapter 4　不定詞・動名詞・分詞

288. （A）→ to go

「会社の社員の中には、会長の友人である地元の政治家を支援する集まりに行かされた者もいた」

どこまで読めば答えが分かる？：　go
使役動詞 make は make＋目的語＋原形の形をとるが、受け身になると to 不定詞を必要とする。
　　They made me **work** overtime. → I was made **to work** overtime.
したがって、go を to go にする必要がある。
◯rally「集まり、集会」 chairman「会長、議長」

289. （A）→ to speak

「自由に発言する権利は、はっきりと憲法で保障されている権利である」

どこまで読めば答えが分かる？：　speaking
speaking freely が The right を説明しているのだが、このままだと the right is speaking freely の関係になってしまう。

　　the baby sleeping in bed →ベッドで寝ている赤ちゃん→寝ているのは赤ちゃん
　　the right speaking freely →自由に話している権利→話しているのは権利??

そこで、speaking を to speak にする。これだと、

　　the right (for us) to speak freely

となり、speak の主語は the right ではなくなる。また、意味から考えても「～している」が必要なのではなく「～するための」が必要であるはず。この意味は to 不定詞しか持たない。
◯constitution「憲法」

290. （B）→ studying/to study

「その少女は、自分の部屋の隅にある机に座り、翌日の試験勉強をした」

どこまで読めば答えが分かる？：　studied
このままでは、sat と studied という２つの動詞が存在することになってしまうので構造的におかしい。ここでは、sat に下線が引かれていないので、studied を直す。何に直すかは、意味をとる必要がある。ここでは、「机に座って、勉強した」となるはずだから and studied と同じ意味の、分詞構文 studying にする。もしくは、「勉強するために」と考えて、to study と直してもよい。

間違い探し（下線なし）

291.　give → to give

「私は去年、友人の１人である医者に、あらゆる健康診断をしてもらった」

どこまで読めば答えが分かる？：　give
get は使役動詞の仲間だが、他の使役動詞が V＋目的語＋原形という形をとるのに対して、get だけは get＋目的語＋to do という形になる。したがって、give を to give に置き換える。たとえ、get が使役動詞だと知らなくても、構造上 give が原形ではまずいということは理解しなければまずい。中には「関係代名詞が省略されているのかと思った」という人もいるが、関係代名詞の省略は、例外を除いて、先行詞が関係詞節の中で目的語の働きをしているときだけである。

　　ex. the boy（who/whom/that/省略）I met at the party
　　　　→ the boy は met の目的語なので関係詞は省略可。
　　　　the boy who/that lives in Shiga
　　　　　　→ the boy は lives の主語なので省略不可。

また、doctor friend「医者である友人」に違和感があるかもしれないが、正しい英語である。
◯checkup「検査、健康診断」

292.　to stand → standing

「昨夜はあまりにもたくさん飲んだので、私はテーブルの上に立って歌を歌ったことを思い出せない」

どこまで読めば答えが分かる？：　to stand
remember は to do/doing のどちらをとるかで意味が変わる動詞。remember to do は「これから～しないといけないことを覚えておく」、remember doing は「過去に～したことを覚えている」である（Point 18 参照）。ここでは、「これからテーブルの上に立たないといけないということを覚えていない」のではなく、「昨夜テーブルの上に立ったことを覚えていない」という内容なので、standing にする必要がある。to sing は「歌うために」という目的を表す不定詞なので変更する必要はない。また、I had so much to drink は非常に英語らしい表現で「飲み過ぎた」の意味。much は代名詞と考える。
ちなみにこの問題には so ～ that 構文が使われているが、that は省略可能であり、ここでも省略されている。

Chapter 4　不定詞・動名詞・分詞

293.　being putting → put または being put

「私は、年老いたオス猫が近所の人らによって外に出されたのを見て、騒がしい夜になりそうだと思った」

どこまで読めば答えが分かる？：　being putting
see を知覚動詞として使う場合、知覚動詞＋目的語＋do/doing/done という構文で使う。put と tomcat の関係は the tomcat was put outside となっているはずだから、過去分詞形の put に直す。たとえ、tomcat の意味を知らなくても、by the neighbors を見れば、受動態の関係であると推測がつくはず。知らない単語が出てきたからといってパニックにならず、他の場所にヒントがないか冷静に考えよう。また、外に出されるその最中を見たのだったら、being put でもかまわない。
◯tomcat「オス猫」　be in for「困難なことに直面しそうである」

294.　Employed → Having employed

「その自営業の男は、会計士を雇っていたので所得税申告書を提出することで心配する必要がなかった」

どこまで読めば答えが分かる？：　accountant
過去形から文章を始めることはできないので、Employed は過去分詞ということになる。過去分詞は受け身を表し、この場合の主語は主節の主語である the self-employed man と同じである。ということは、the self-employed man was employed an accountant という関係が成り立つことになってしまい文法的に不可である（Point 2 参照）。ここでは男が会計士を雇ったという能動態の意味になる必要があり、さらに employ のほうが didn't have to worry よりも過去に行われているので Having employed とする。
◯self-employed「自営業の」　file「提出する」　tax return「（納税のための）所得申告書」

295.　interested → interested in

「私の友人2人は、ともにジョージという名前だが、彼らは今年の夏に登山旅行にいくことに特に興味がない」

どこまで読めば答えが分かる？：　going
interested は形容詞なので、目的語をとる場合は前置詞が必要。interested は in をとる。both ～ George は挿入句で、called は過去形ではなく過去分詞。よって、このままでよい。

296.　took → taking

「友人の1人は強盗が行われているのを見て警察に電話し、警察は強盗が去る前に到着した」
どこまで読めば答えが分かる？：　文末まで

117

ここでは、see は知覚動詞として使われているので、took を直さなければならないことはすぐに分かる。あとは、the robbery と take place の関係を考える。the robbery takes place という能動態の関係なので、see + 目的語 + do/doing のどちらかとなる。ここで、who 以下を読んでみると、警察は強盗犯が逃げる前に到着したと書いてある。ということは、強盗を見た人はその一部始終、強盗が完了するまでを見たのではなく、その途中を見たと推測される。したがって、take ではなく taking にすべきだろう。see + 目的語 + do/doing の違いについては Point 24 を参照。また、saw が that節をとっていると考えて、was taking place としてもよい。

◯take place「行われる、起こる」

297. he goes → to go または he should go

「若者が通りで私を呼び止め、市街地図を買うにはどこに行けばよいのか尋ねた」

どこまで読めば答えが分かる？： he goes

過去の話だから、goes は不適切。文章全体の意味から考えて、「どこに行くべきか」になるはずなので where to go にする。これは、where he should go でもかまわない。疑問詞 + to do は疑問詞の意味 + すべきかとなり、should の意味が含まれる（Point 30 参照）。

◯plan「地図、見取り図」

Point 30　疑問詞＋to do

「疑問詞＋to不定詞」で疑問詞の意味＋すべきかという意味になる。

what to do	何をすべきか
when to leave home	いつ家を出るべきか
how many books to read	何冊の本を読むべきか
how to play tennis	どのようにテニスをするべきか、テニスの仕方
where to go	どこに行くべきか

これらは、1つの長い名詞扱いである。よって、主語・目的語・補語になりうる。

298. stand → standing

「ロビーに入ったとき、私は大きな振り子時計が隣の部屋の隅に立っているのに気づいた」

どこまで読めば答えが分かる？：　stand

notice は知覚動詞であり、時計と stand の関係は能動態の関係だから普通で考えると stand か standing が入る。しかし、notice「気づく」という動作と文全体の意味から考えて、こ

Chapter 4 不定詞・動名詞・分詞

こでは「立つのに気づいた」のではなく、「立っているのに気づいた」となるべき。よって、stand を standing に直す必要がある。stand のままだと、時計が立ち上がるかのように受けとれる。
⇒adjacent「隣接した」

299. be put off → have been put off

「こんにちは。ちょうどここに着いたところですか。コンサートは2、3時間遅れることになったようです」

どこまで読めば答えが分かる？： be put off
第3文を it appears that で書き換えると、
 It appears that the concert is put off for a couple of hours.
となるが、延期されるという動作が行われたのが過去で、さらに現在もその状態が続いているのだから has been put off にしなければならない。そして、これを to不定詞にすると、to have been put off となる。
⇒put off「延期する、遅らせる」

300. inviting → to invite

「友人らは、その新入生をパーティに招待するのをためらった。それはみんな彼がどういう人物なのか本当に分からなかったからである」

どこまで読めば答えが分かる？： inviting
hesitate は目的語に to不定詞をとり ing形をとらないので、to invite に直す。to不定詞をとる動詞、ing形をとる動詞のリストについては Point 16 と 17 を参照。文末の like は「好きである」という動詞ではなく、「～という感じの」を表す前置詞なのでこのままでよい。

Test 3

穴埋め

301. （C） 名詞を説明する to do

「残念ながら、その党首には職を辞任する時期だと気づく先見の明はなかった」

（A）は前置詞のあとに原形動詞を使うことができないので不可。また、（B）は to が不定詞の to なら後ろは原形にならなければならないし、前置詞と考えても go to school の to と同じものがここに入るとは考えられない。（D）は2つ考え方がある。1つは、realizing 以下が foresight を説明しているという考え方である。しかし、

119

the baby sleeping in bed → 寝ているのは baby
the foresight realizing it was time → 気がついているのは foresight??

を見れば分かるように、realize という動作を foresight が行っていることになるため、意味上、不適切。よって、realizing 以下が foresight を説明しているという考え方ははずれる。

(D) のもう1つの考え方は分詞構文である (Point 21 参照)。
He came into the room **carrying** the dishes.
→**and he was carrying** the dishes.
He didn't have the foresight **realizing** it was time ...
→**and he realized** it was time ...

これを見れば分かるように、「彼は先見の明を持たなかった。そして、辞任する時期だと分かった」となってしまう。辞任する時期が自分で分かるぐらいなら先見の明を持っていたと言えるのだから、意味的に矛盾している。さらに、分詞構文なら foresight まででいったん文が終わることになるが、それだと、なぜ foresight に the がついているのか分からない。また、unfortunately にも注目したい。これは、問題文の文頭から文末まで全てを説明する副詞である。the leader ～ step down までが「残念なことだ」と言っているのだから、やはり分詞構文では意味的に不適切であると考えられる。そこで、the foresight to realize ～「～のことに気がつくための先見の明」とするのが正答である。
◯step down「辞任する」

302. (B)「～するために」を表す表現

「その若い記者は、従軍記者として働くことができるよう、軍事教練コースに行った」
so as のあとには to不定詞が必要なので (A) は不可。(D)「～するために」の否定である「～しないために」は not to do ではなく in order not to do を使うので (D) は不可。あとは (B)(C) で悩むのだが、「～するために」か「～しないために」かは意味をとるしかない。そこで、空欄以下の be able to work as a war correspondent を考える。war correspondent「従軍記者」の意味が分かっていなくても、be able to に気をつけていればよい。「war correspondent として**働かなくてもすむように**～する」なら理解できるが、「war correspondent として**働くことができないように**～する」というのは意味的に不自然である。したがって、(B) を選ぶ。

何度も書くが、英文を読むときに大切なのは、単語ではなく文の構造や周りの文脈である。ここでは、war correspondent よりも be able to のほうが問題を解くためには重要であり、war correspondent の意味を知らなくても問題が解けるが、be able to の意味を考慮に入れないと (B)(C) のどちらも選ぶことができない。つまり、難しい単語にとらわれてパニックにならず、文章の成り立ちや構造をきちんととることが大切なのである。

Chapter 4 不定詞・動名詞・分詞

○correspondent「通信員、担当記者」

303. (D)　had better の否定と時制

「私が戻るまでにスミスさんが出てしまった、ということがないほうがよい。さもないと私は激怒するだろう」

or が「さもないと」という意味で使われているのだから、最初の S+V は命令文かそれに準じる意味でなければならない。選択肢のうち（B）「むしろ行ってしまいたくなかった」、（C）「行ってしまわずにはいられなかった」は命令ではないので不可。（A）は had better の否定を間違っている。had better の否定は had not better ではなく had better not である。よって、（D）が正答。（D）は had better not do の "do" を完了形にした形。

304. (C)　ing 形を使ったイディオム

「言うまでもなく、テレビの見すぎは子供の目に悪い」

it goes without saying that S+V「S が V するのは言うまでもない」という慣用句を問う問題。動名詞・分詞の慣用表現については Point 25 を参照。
○detrimental「有害な」

305. (B)　使役動詞 have の使い方

「地方自治体は、民間の請負業者にゴミの収集をしてもらおうと思案している」

have が使役動詞だと気がついた人には簡単な問題。だが、使役動詞が ing 形になっているのをあまり見たことがないと、気がつきにくいかもしれない。しかし、もし気がつかなくても、by a private contractor「民間の請負業者によって」を見れば、受け身を表すと読みとってほしい。
have＋目的語＋do/done の区別は、目的語と後ろの動詞の関係による。この場合、garbage と collect の関係が受け身なので、（B）が正答である。
○contractor「請負業者」

306. (B)　too ～ to の使い方

「私の親友は、勉強が忙しすぎて週末にテニスができない」

be busy doing「～するのに忙しい」を知らなくても何とかなる。My best friend が勉強する対象になるわけではないから受け身の（A）は不可。また、（C）の having studied はすでに勉強してしまっているということだから意味が合わない。（D）は引っかけ。too busy to study 自体は全くさしつかえないが、問題はそのあとにある to play tennis につながらないということ。選択肢だけ見て（D）に飛びついた人は実際に選択肢を空欄に入れて答えを検

証するというステップを踏んでほしい。

307. （C） 知覚動詞の使い方

「ジョージは車のボンネットを持ち上げ、エンジンがアイドリングしているのを強い満足感を持って聞いた」

listen は知覚動詞だから listen to＋目的語＋do/doing/done という構文をとる。したがって、ここでは（C）が正答。idle が「アイドリングする」という動詞だと分からなくても構造から推測できなければならない。
➜hood「ボンネット」

308. （A） 前置詞＋ing形

「肉体的に強くしなやかであることは、バドミントンのプレーヤーとして成功するのにきわめて重要である」

動名詞 doing と不定詞 to do は「～すること」という共通した意味を持つが、前置詞 in のあとだから不定詞ではなく動名詞が入る。したがって、同じ意味でも（C）は入らない。また、（D）は in order to のあとは原形がくるので、became ではだめ。また、前置詞のあとは名詞扱いのものが入るので、動詞である（B）も不可。
➜supple「しなやかな、柔軟な」

309. （A） 知覚動詞の使い方

「私はドアの前を通り過ぎたとき、同僚がファイルキャビネットの中の何かを探しているのに気がついた」

notice が知覚動詞として使われる場合、notice＋目的語＋do/doing/done をとる。よって、（C）（D）ははずれる。あとは、（A）（B）で悩むのだが、これは意味から考えるしかない。as I passed the door「ドアの前を通り過ぎたとき」に注目する。ドアの前を通り過ぎるというのは一瞬の動作であり、その瞬間に気がついた動作というのは、進行中のはずである。よって、（A）が正答となる。

310. （D） to do の否定

「地方自治体は、予算不足のため、福祉にかかる支出を増やさないことを決定した」

to 以下のことをすると決定したのか、to 以下のことを行うために decide という行動を行ったのかを考える。そうすれば、to 以下が decide の目的語であり、目的を表す副詞的用法ではないということが分かるはず。ちなみに、「～すること」の to do の否定語は not to do「～しないこと」だが、「～するために」の to do の否定語は not to do ではなく in order not

to do または so as not to do となる。よって、(D)が正答。(A)(B)(C)のいずれも decide の目的語がないことになり、「何を」決定したのかが分からないから不自然である。
●local authority「地方自治体」 budget「予算」 shortfall「不足、不足分（額）」

311. （C） to不定詞の時制と to do/doing の区別

「その少女がちょうど学校を通り過ぎようとしていたとき、彼女は誰かが窓をよじ登って入っていくのを偶然見た」

happen は動名詞を目的語にとれないので、(B)は不可。また、(A) happened to seeing とすると、toを前置詞扱いすることになるのだが、それだと、it happened to meと同じ用法ということになる。happen to me が「私に起こる」なら happen to seeing は「見ることに対して起こる」となり意味不明。(C)(D)は何を問われているかというと時制。(C)「たまたま見た」のか(D)「何かが起こったとき、そのときまでにたまたま見てしまっていた」のかという意味から考える。(D)は when の節ではなく主節に使われるべき内容なので(D)は不適切である。

　She happened to have seen the movie when I asked her out to see it.
　「私がその映画を観ようと誘ったとき、彼女はたまたまそれを観てしまっていた」

312. （D） 分詞構文

「機械を取り替えるのに十分な資金がないと言われたので、技師はそれを修理しようとした」

tell が that節をとる場合、必ずその前に「誰に」にあたる単語が必要である。
　ex. Tell him that I can't come.
よって、(A)(B)(C)は不可。特に(C)に注意。Having told の told が過去分詞なので、受け身であると錯覚する学習者もいるが、Having told は能動態だから、「言われた」ではなく「言った」である。

313. （D） 知覚動詞の使い方

「私は今まで、その歌があんなふうに歌われるのを聴いたことがなかった。それはすばらしかった」

hear が知覚動詞として使われており、知覚動詞は V＋目的語＋do/doing/done の構文になると思い出せたかどうか。いずれにしても to不定詞はとらないので(A)は不可。あとは、that song と sing の関係を考える。that song is singing/sang だと「歌が自分の口で歌を歌う」となって意味不明。that song is sung「歌は歌われる」という受動態の関係のはずだから、過去分詞の sung を使う。

314. （B） to do/doing のどちらかしか目的語にとらない動詞

「その逮捕された政治家は、わいろを受け取ったことを否認した」

deny は動詞を目的語にとる場合、to不定詞ではなく動名詞をとる。よって、（A）は不可。たとえ to不定詞をとると間違って覚えていても、deny より take のほうがより過去なのだから、to have taken になっていないといけない。（C）は having taken なら可能。（D）は the politician was taken という受動態の関係になるので意味がおかしくなるし、それに take は受動態の場合は any bribes という目的語をとれない。受動態で目的語が残っている場合、その動詞は S+V+O+O か S+V+O+C の文型をとらなければならないからである。Point 2 を参照。

○bribe「わいろ」

315. （A） 使役動詞の使い分け

「子供たちに望むものすべてを持たせることは、彼らを強欲で甘やかされた人にしてしまう」

let/have/make の使役動詞はいずれも「〜させる」という日本語訳がつくのだが意味が全く異なる。let「許す」、have「頼んでしてもらう」、make「無理にさせる」である。したがって、ここでは let が正答。（D）は **to** have everything にすれば正答。

○greedy「食いしん坊の、貪欲な」

間違い探し

316. （B）→ to ski

「その老婦人は、この冬スイスのアルプス山脈にあるスキーリゾートでスキーを習った」

どこまで読めば答えが分かる？： skiing

learn は to do を目的語にとり、動名詞を目的語にとることができない。よって、skiing を to ski にする。elderly は語尾が ly だが形容詞なので、elderly lady で正しい英語。

317. （B）→ to be preparing

「今朝、上司に会いに行ったとき、彼は会議の準備をしているようだったので、じゃまをしないでおいた」

どこまで読めば答えが分かる？： to prepare

意味から考えると準備をしている最中であるはずなので to be preparing でなければならない。to prepare だと過去の習慣的動作を表す。

Chapter 4　不定詞・動名詞・分詞

He seems to study. → It **seems** that he **studies**.
He seems to be studying. → It **seems** that he **is studying**.
He seemed to study. → It **seemed** that he **studied**.
He seemed to have studied. → It **seemed** that he **had studied**.

上記のように to do の時制はメインの V に準じ、メインの V よりも古い場合、または完了形の意味を持たせる場合に have をつける。そして、進行形にする場合は to be doing にするのである。

318.　（C）→ **moving**

「その若い猟師は、じっと草原に横たわった。そして、鋭い目で木々の下から出てくる鹿を追った」

どこまで読めば答えが分かる？：　move

follow は知覚動詞ではないので、move は follow とセットになっているわけではない。よって、このままでは、何の意味もなく原形動詞が文の真ん中に存在することになってしまう。follow とセットになっているのでなければ何のためにあるのかというと、deer を説明するためにあると考える。あとは、deer と move の関係が能動態か受動態かを考える。「鹿が出てくる」という関係になっているはずだから、moving を使う。

◯still「じっとして、静止して」　keen「鋭い」

319.　（D）→ **building up**

「あるいい友だちのお姉さんのがんばりは、新しい会社を設立するのに不可欠であった」

どこまで読めば答えが分かる？：　to build up

in は前置詞だからそのあとに名詞がくる。通常は to do と doing の両方が名詞として使えるのだが、前置詞の目的語として使う場合は動名詞 doing しか使えない。よって、to build を building に直す必要がある。

320.　（A）→ **sliding** または **was sliding**

「残念なことに私は、何をするにも遅すぎるということになるまで、その泥が傾斜面を滑り落ちていっているのに気づかなかった」

どこまで読めば答えが分かる？：　slid

slid が slide の過去形・過去分詞形だと分かっていないとどうしようもない。もし知らなかった場合は、もう一度、不規則変化する動詞の一覧表を覚えなおそう。
notice は知覚動詞で notice ＋ 目的語 ＋ do/doing/done の形をとるが、that 節もとることができる。the mud と slide が受け身の関係になっていないので、slid を過去分詞ととることは不可能だが、slid を過去形ととり the mud 以下が that 節であると考えれば、文法的にはおか

しくない。しかし、ここで、気をつけなければならないのは until 以下の文章である。「どうしようもなくなるまで泥が滑り落ちてきているのに気がつかなかった」という意味になるのだから、slide は進行中の動作でなければならない。よって、was sliding でも可能。
◯incline「傾斜面」

間違い探し（下線なし）

321. supporting → supported

「その老人はきゃしゃな妻に片側、そしてもう片側を看護婦に支えられて部屋にゆっくりと入ってきた」

どこまで読めば答えが分かる？： by his frail wife

supporting の主語は the old man であるが、意味から考えて the old man が誰かを支えたのではなく、誰かに支えられたと考えられるから、受け身を表す過去分詞が必要である。これは、by his frail wife を見ても推測できるはず。
◯frail「きゃしゃな」

322. to do → doing

「日本の市場に入りこむことに手こずったあと、社長はある日本企業と取り引きするよう提案した」

どこまで読めば答えが分かる？： to do

suggest は目的語に to 不定詞をとらず ing 形をとる。suggest は使い方がややこしいので暗記しておこう。

 suggest doing
 suggest（to 人）that ｛S＋should＋V
         S＋原形動詞

 suggest A for B
◯deal「（商売上の）取引」

323. negotiate → to negotiate

「海外にいたので、私は兄に家のローンのことを私に代わって交渉してもらった」

どこまで読めば答えが分かる？： negotiate

文頭の Being は分詞構文であり問題はない。be 動詞でも分詞構文に使える。get は使役動詞の仲間だが、他の使役動詞が V＋目的語＋原形という形をとるのに対して、get だけは

Chapter 4 不定詞・動名詞・分詞

get＋目的語＋to do という形になる。したがって、negotiate には to が必要である。たとえ、get が使役動詞だと知らなくても、構造上 negotiate が原形ではまずいということは理解する必要がある。

Point 31 分詞構文としての being

be動詞も動詞には変わりないので、分詞構文でも使われる。しかし、この being は省略可能。

(Being) A poor singer, he doesn't like singing in front of anyone else.
→Because he is ...

よって、特に上記のように being＋名詞の場合、being が省略されると、まるで名詞が浮いているように見えるので注意すること。

324. recover → recovered

「私は警察に回収された車が警察の車両置き場に置いてあるのを見たが、それはひどい状態であった」

どこまで読めば答えが分かる？： recover

recover に「回収する、発見する」という意味があると知らなくても、by the police から受け身の関係であると想像がつくはず。きちんとその構造をとっているかどうかが問題。

I saw ⌈the car recovered by the police⌉ parked in the police pound.

であり、recovered は知覚動詞 see とセットになっているのではなく the car を説明している。そして、parked が saw とセットになっているのである。
◯pound「(違反車両などの) 留め置き場」

325. Sitting → Having sat

「その男女はその週、3回列車で一緒に座ったので、互いのことをとてもよく知ることができた」

どこまで読めば答えが分かる？： 3 times that week

分詞構文の場合、分詞とメインの動詞は同じ主語で同じ時制になる。ということは、このままでは got to know と sitting が同時に行われたことになってしまう。その週に3回一緒に座って話したためにお互いのことがよく分かったわけだから、got to know が行われるまでに座って話していたという意味が必要になる。したがって、having をつける。

326.　to you → of you

「そのようなみすぼらしい服でその行事に来るのは、あまり礼儀にかなっていませんでしたね。それにふさわしい格好をすべきでした」

どこまで読めば答えが分かる？：　to you

意味から考えて、to come to the event の主語は you であることが分かる。it is＋形容詞＋to do の構文で to do の主語を示すのには for＋人 または of＋人 の2通りがある。このうち、to do＝形容詞という関係が成り立つ場合は for を使い、人＝形容詞という関係が成り立つ場合は of を使う。

　　It is nice **for** you to relax at home.　「家でリラックスすることはあなたにとってよいことです」
　　It is nice **of** you to help me.　「手伝ってくれるなんて、いい人ですね」

ここでは you were not polite と言っているのだから to you を of you にする。
➲ragged「みすぼらしい、ぼろぼろの」

327.　fill → to fill

「警察署へその事故のことを知らせに行ったとき、私は報告書に記入させられた」

どこまで読めば答えが分かる？：　fill

使役動詞 make は make＋目的語＋原形の形をとるが、受け身になると to不定詞 を必要とする。

　　They made me **work** overtime. → I was made **to work** overtime.
したがって、fill を to fill にする必要がある。
➲fill out「記入する」

328.　worked → working

「害虫駆除の専門家は、ビルの中を進みながら、化学薬品を使って部屋にスプレーした」

どこまで読めば答えが分かる？：　worked

主節の主語と while節の主語が一致する場合、主語＋be動詞が省略可能。そして、while は接続詞なので主語を省略して動詞から始めることはできない。したがって、worked は過去形ではなく過去分詞で he was worked の he was が省略された形であるはず。そうすると、ここでは the pest control specialist was worked という関係が成り立つことになってしまう。specialist と work の関係は、the specialist was working のはずだから、worked を working にする。
➲work one's way「骨折って進む」　chemical「化学物質」

Chapter 4　不定詞・動名詞・分詞

329.　resting → to rest

「ジャネットは、高速道路を走りながら少し眠く感じていたので、休むためにサービスエリアに立ち寄った」

どこまで読めば答えが分かる？：　resting

stop＋to do/doing は意味が異なる。stop to do は「～するために立ち止まる、（～するために）今やっている作業をやめる」、stop doing は「～することをやめる」である。stop to do のほうは to do が stop の目的語というよりも stop in order to do ～と同じ意味であるという認識でよい。ここでは、休むのをやめるのではなく、休むために運転をやめるのであるから to rest にする必要がある。

330.　analyze → analyzed

「その会社は効率を上げるために、コンサルタントに製造手順を分析してもらった」

どこまで読めば答えが分かる？：　analyze

analyze は原形動詞なので、この文章は have＋目的語＋原形「～に～してもらう」となっていることが分かる。しかし、このままだと、its process analyzes という関係になり、プロセスが analyze することになってしまう。process は analyze されるほうだから、受け身の関係を表す過去分詞を使わなければならない。よって、analyze を analyzed に直す。

もし、analyze の品詞を知らなくても、**by** a consultant「コンサルタント**によって**」という表現を見たら、受動態の意味が入ってくるのでは？　と考えるべき。
◯efficiency「能率、効率」

Test 4

穴埋め

331.　（D）　知覚動詞の使い分け

「聞いて！　遠くであの鳥が鳴いているのが聞こえる？　きれいな声ですよね」

hear は知覚動詞の場合、hear＋目的語＋do/doing/done となり to不定詞はとらない。したがって、（A）（B）は不可。あとは、動作の途中を指すのか動作の完了を指すのかを考える。文の内容から、鳥はそのとき鳴いている最中であるから、singing が正答。

332. （C） to不定詞の受動態

「コアラに噛まれたくなければ、檻に指を入れないでください」

to不定詞が動詞の目的語になる場合、to不定詞の主語は主節の主語と同じになる。つまり、ここでは、選択肢（A）～（D）のいずれの動作も主語は you である。そこで、you と bite の関係を考えるのだが、意味から考えて、「あなたが噛まれる」という受け身になっているはずである。よって、能動態になる（B）（D）ははずれる。（A）（C）では何が異なるかというと、時制である。（C）だとメインの動詞である don't want と同じで、（A）だと現在完了か過去形になる。内容から考えて、「今噛まれるのが今いやであれば」という意味のはずなので（C）が正答。

◯cage「檻、鳥かご」

333. （B） 形容詞となる ed形

「偉大な音楽家に作曲されたその曲はとても人気が出た」

空欄の直後に by があることから容易に想像できるが、That piece of music と compose「作曲する」の関係は受け身。したがって、現在分詞ではなく過去分詞が必要。composing にすると、music が作曲する動作を行うことになってしまう。

334. （B） 分詞構文→ ed/ing形の区別

「砂漠を横切って吹いてくるため、風は非常に乾燥している」

まず、blow と wind が能動態の関係なのか受動態の関係なのかを考える。the wind blows のはずだから能動態の関係。したがって、受動態を表す（C）（D）は不可。あとは目的を表すのか理由を表すのかを考える。日本語では「～するために」というのは目的と原因の両方を表すので、日本語だけで考えていると混同してしまうので注意すること。

335. （D） 主語になる ing形

「とても恐ろしいホラー映画を観ると、私は非常に怖くなる」

文章の構造を考えれば難しくない。make が動詞なのだから主語は文頭から movie まで。したがって、主語になるものが必要。（B）は名詞として使えるが、直後の a very scary horror movie もまた名詞なので、別のパートの名詞が前置詞もなく連続することになるので不可。よって、（D）が正答。

Chapter 4　不定詞・動名詞・分詞

336. (A)　to不定詞を目的語にとる動詞

「スケジュールが忙しいにもかかわらず、私は子供たちを海に連れて行くと約束した」

(B)(D)は目的語に動名詞しかとらないので不可。refuse は to不定詞しか目的語にとらない動詞なので文法的には合うが、意味が不適切。

337. (D)　使役動詞 have の使い方

「倉庫での会議で自分を手伝ってもらうために、社長は秘書を呼び出してもらった」

使役動詞 have は基本的に do/done の２つをとるので、ここでは his secretary と page「呼び出す」の関係を考える。要は、「秘書を呼び出してもらう」のか「秘書に誰かを呼び出してもらう」のかを考える。秘書に誰かを呼び出してもらうなら当然「誰を」呼び出してもらうのかが必要となるが、page のあとには目的語がない。したがって、秘書を呼び出してもらうと分かる。ゆえに paged が正答。
◯warehouse「倉庫、貯蔵庫」　page「呼び出す」

338. (A)　spend＋金＋ing形

「その会社は、社屋をきれいに保つために年間１万ドル以上費やしている」

spend＋時間／金＋doing の構文を問う問題。(C)は意味的には合っているようだが、前置詞のあとに動詞を持ってくるときには ing形にしなければならないので不可。(D)は惑わされてしまいそうだが、do A by doing B というのは B を行うという手段によって A を達成するという意味だから、ここでは入らない。(B)は時制が合わないので不可。主節の動詞は spends という現在形であり、習慣を表すことに注意。

339. (A)　to不定詞の時制

「その教授は、現在行っている研究を20年間ずっとし続けていると信じられている」

for over 20 years があるので、現在形と現在進行形の意味になる(B)(D)は不可。あとは、(A)(C)で悩むことになるのだが、current「現在の」がカギ。現在も行っているのであるから、普通の完了形ではなく継続を表す完了形を使わなければならない。work は動作動詞なので継続を表す場合は現在完了進行形にする。したがって、(A)が正解。
◯current「今の、現行の」

340. (A)　知覚動詞の使い方

「私は、肩にボールが当たるのを感じたことを覚えている」

feel は知覚動詞なので to不定詞は使わない。したがって、(C)(D)は不可。あとは(A)

(B) で悩むのだが、原形と現在分詞には、原形は動作の終わりまでを指し、現在分詞は動作の途中を指すという違いがある。たとえば、I saw him cross/crossing the road. で考えてみると、cross は「渡るのを見た＝渡り終わるのを見た」、crossing は「渡っているところを見た」となる。このように考えると、(B) の「ボールがぶつかっている最中を感じた」というのは不自然であることが分かる。

341. (B) stop＋to do/doing の使い分け

「私は、試合中にひざに重いケガを負ったあと、空手をやめた」

stop は to do/doing のどちらをとるかで意味が変わる、というよりも、目的語としては動名詞しかとれない。to do は目的語としてではなく「～するために」を表す副詞的用法でなければならない。よって、この場合は「空手をするために何かをやめた」というのは不自然なので (A) (C) ともにはずれる。また、格闘技は play ではなく do や practice を使うので、(D) も不可。よって (B) が正答。
◯sustain「(傷などを) こうむる、経験する」

342. (B) enough の語順

「その秘書には、金庫のカギをわたす十分な権限はなかった」

enough to ～の構文を使う場合、enough の位置に注意する。enough は形容詞・副詞を説明する場合はそれらのあとに置かれ、名詞を説明する場合は名詞の前に置かれる。ここでは authority を説明するはずなので enough authority としなければならない (Point 32 参照)。
◯safe「金庫」

Point 32　enough to の使い方

「～するのに十分な」を表すために enough to を使う場合、enough が名詞を説明するか、形容詞・副詞を説明するかで enough の置き場所が異なる。

I have **enough** money to buy a car. → 名詞の前

I studied hard **enough** to pass the exam. →形容詞・副詞のあと

Chapter 4　不定詞・動名詞・分詞

343. (D)　名詞を説明する to 不定詞

「熟練していない数人の労働者によって行われている反復作業を代わって行う機械が、われわれには必要だ」

need は知覚動詞でも使役動詞でもないので、need＋目的語＋原形という形にはならない。よって、(A) は不可。原形動詞というのは、よほど特殊な場合にしか使われないことを覚えておこう。また、a machine と take over の関係は、

　A machine takes over the repetitive tasks.

という能動態の関係であり、受動態ではないはずなので、受動態の関係を表す (B) は不可。あとは、(C)(D) で悩むことになる。

take over という動作が a machine によって行われているのだから、(C) を選んだ場合、taking over 以下がすべて machine を説明する形容詞となるはず。よって、

　a baby sleeping in bed
　a machine taking over the tasks

は同じ構造のはずである。ところが、「引き継いでいる最中の機械を必要としている」というのはまったく意味をなさない。よって、(C) は不可である。

need は need＋目的語＋to do「〜に〜してもらう必要がある」という構文をとる。
➡repetitive「繰り返す、反復性の」

344. (B)　would rather の否定

「全く正直なところ、私はどちらかというと今夜あなたと外出したくない。テレビですごい映画をやるからです」

意味を考えれば「どちらかというと〜したくない」という表現が入るはず。そこで would rather を使うのだが、この否定文は would not rather ではなく would rather not であることに注意する。(A) は「すごい映画があるから、私はあなたと外出すべきではない」という意味になり、全く不可能ではないがコミュニケーションの手段としては使わないほうがよいと考えられる。というよりもこれを正答にしてしまったら (B) を誤答扱いしてしまうことになる。

Point 33　would rather/had better の否定文

would rather と had better はそれぞれ 2 語で 1 つの助動詞と考えるので、not をつけるときには would/had の直後ではなく、rather/better のあとにつけるので注意する。

would rather＋not	→ ◯ **would rather not**	✕ would not rather
had better＋not	→ ◯ **had better not**	✕ had not better

345. （C） 形容詞になる ing形

「今年、夏の舞踏会を主催する家族は、その地方で最も古い家族の1つである」

ここでも S＋V を考えて読んでいれば、メインの V は is だから（B）は選べないと分かる。あとは the family と host「主催する」の関係を考えれば、主催されるのではなく主催するのだから能動態の関係であると分かる。よって、受動態を表す（A）（D）は不可。
◐host「主催する、ホスト役を務める」

間違い探し

346. （B）→ **to enable**

「正午前に頂上に着けるようにするために、彼らは朝5時に出発したが、途中まで来たところで戻らなくてはならなかった」

どこまで読めば答えが分かる？：　文末まで
このままだと enabling が分詞構文ということになるので、
　　They set off at 5 o'clock in the morning **and they enabled** themselves to reach ...
と言っていることになる。そして、they enabled themselves ... の意味は、「到着することができた」である。しかし、but they had to ... の節で、実際には頂上に、到着することができずに引き返したと言っているわけだから、ここで矛盾が生じてしまう。よって、enabling を to enable にして、「到着することができるように」という文にしなければならない。
◐summit「頂上、サミット会談」

347. （B）→ **to build**

「その銀行の支店長は、私が夢見ていた家を建てる資金を貸すことに同意した」

どこまで読めば答えが分かる？：　building
このままだと building 以下が money にかかるので、money が家を建てることになってしまう。銀行から借りるということから考えると、借りるのは「家を建てるための金」であるはず。したがって、to build にしなければならない。

Chapter 4 不定詞・動名詞・分詞

348. （C）→ practicing

「私の兄は、次回行われるアマチュア劇の練習に余暇をすべて費やしている」

どこまで読めば答えが分かる？： to practice

spend＋時間／金＋doing という構文を知っているかどうか。一見すると、間違いがないように感じるかもしれないが、spend は目的語のあとに on＋名詞または doing をとることになっているので、それを省略して to不定詞をつけると、まるで、spend time (on ～) in order to do ～と言っているととられてしまうことになる。そして、on 以下が省略されたこの1文だけだと何に時間を使うのか分からないことになるので不自然に聞こえるのである。これは to practice 以下が time にかかり、「練習するための時間」と考えても同じこと。
◯dramatics「劇、芝居」

349. （A）→ Being tired または Tired

「スミスさんは、長期間の外国旅行で疲れていたので、会議のスピーチに集中することができなかった」

どこまで読めば答えが分かる？： 文末まで

このままだと、主節の was unable to よりも過去の Because he had been tired と同じ意味になってしまう。そのとき疲れていたから、そのとき集中できなかったのだから、主節と同じ時制でなければならない。したがって、Being tired または Being は省略できるので Tired にする。
◯outbound「外国行きの」

350. （B）→ relaxing

「長くストレスの多い日を過ごしたあと、熱くて気持ちのいいおふろでリラックスすることは、私の気持ちを落ち着かせる」

どこまで読めば答えが分かる？： calms

relax も calms も動詞なのでどちらかを変形させる必要があるのだが、calms には下線が引かれていないので relax を変形させる。そして、calms がメインの動詞なのだから、relax は主語にしなければならない。つまり、「リラックスすること」という名詞にするのだから relaxing。
◯calm＋目的語＋down「(～を)静める」

間違い探し（下線なし）

351. to lay → laid

「ジョン、ベッドの上にそろえてあるその洋服を着て、こちらへ入ってきなさい」

どこまで読めば答えが分かる？： to lay out

このままだと、lay out するために put on する、または lay out するための clothes となるが、lay out が「きちんと並べる、準備する」という意味なので意味不明。lay out と clothes の関係を考えると受動態の関係だから the clothes laid out on the bed「ベッドの上に並べて置いてある服」と考えるほうが自然。

●lay out「きちんと並べる、準備する」

352. dropping → drop

「先生は私たちに、ピンの落ちるのが聞こえるぐらい静かにするように言った」

どこまで読めば答えが分かる？： 文末まで

hear＋目的語＋do/doing の違いが分かっているかどうか。原形のほうは動作の完了までを指し、doing のほうは動作の最中を指す。よって、dropping だとピンが空中を落下している最中の音を聞くことができるぐらい静かにするという意味になってしまう。そして、クラス全員が静かにしたぐらいでピンが落ちる最中の音が聞こえるのか、はなはだ疑問である。ちなみに問題文には、so ～ that構文が使われており、that が省略されている。

353. is reported → was reported

「死亡したと伝えられていたその登山者は、今朝無事ケガもなく発見され、皆を驚かせた」

どこまで読めば答えが分かる？： was found safe and well

who is reported to have died は、死んだのは過去だが、伝えられているのは今という意味だから、後半の今朝無事に発見されたという内容とは合わない。

354. for making → to make

「私の家族は、ピラミッドを見るため2月にエジプトへ旅行する計画をたてている」

どこまで読めば答えが分かる？： for making

plan は to不定詞を目的語にとる。また、目的「～するために」の意味で for＋動名詞を使うことは普通できない。

Chapter 4　不定詞・動名詞・分詞

355.　damaging → damaged

「私はかなり長い間、こんなにも広範囲に被害を受けた家を見たことがなかった」

どこまで読めば答えが分かる？：　damaging

damage と a house の関係を考える。このままだと、a house が何かに損害を与えることになってしまうが、本当は家が損害を与えられたという受け身の関係であるはず。よって、damaged にしなければならない。

◯considerable「かなりの、相当な」

356.　間違いなし

「私はしばらく家族と連絡を取っていなかったので、いとこの結婚について知らなかった」

「しばらく家族と連絡を取っていない」という動作は、「知らなかった」という動作まで継続して行われていたはずである。よって、didn't know よりさらに過去からの継続であるので、having been にしてあるのだから間違いはない。

◯for some time「しばらくの間」

357.　to work → work

「人手不足のその会社は、全社員に週末をとおして働かせた」

どこまで読めば答えが分かる？：　to work

make は使役動詞なので make＋目的語＋原形という形をとる。よって、to work は work にしなければならない。実際はこの文法を知っていても、これに気がつかないことがある。というのは、all of its employees が目的語の割に長いので目的語を読んでいる最中に make が存在していることを忘れてしまうからである。英文を読んでいるときにはどんなときでも、今どんな働きをするパーツを読んでいるのかということを頭に残して、広い視野で読まなければならない。

◯understaffed「人員不足の」

358.　attends → will attend または to attend

「その会社の上層部は、全社員それぞれが、会社主催のソフトボール試合に出ることを期待している」

どこまで読めば答えが分かる？：　attends

expect は that 節をとることができるので attends はまるっきり不可能というわけではないが、それでも、時制が間違っていることになる。特定のソフトボールの試合を指しているのだから、それが行われるのは未来である。よって that 節なら未来形を使う必要があるので、attends を will attend に直す。もしくは、expect は V＋目的語＋to do という構文を使うこ

とができるので、attends を to attend にすることも可能。また、each of や some of などは後ろに限定詞（the、these、my ...）＋名詞を必要とするが、staff の場合、～ member of staff という形であればなくてもよい。

359. 間違いなし

「私の母の誕生日を覚えてくれていたなんて、あなたは親切でした。彼女はプレゼントに感動していました」

「形容詞＋of＋人」が it is 形容詞 of 人＋to do でしか使えないと考えていた人には難しかったかもしれない。しかし、これは文章の成り立ちを考えていれば簡単に推測がつくはず。

　　It was kind of you to help me.「私を助けてくれるなんてあなたは親切でした」

の it は to 以下を表しているということはご存じだろう。よって、もとの文章は
　　To help me was kind of you.
　　　→Helping

だったはずである。そして、to不定詞と動名詞　doing　も同じ「～すること」だから、To help を Helping に直してもさしつかえないというわけである。よって、この問題は間違いなしとなる。見かけない構文だと感じる人もいるかもしれないが、実際にはよく使われるので覚えておこう。もちろん、

　　It was nice of you to remember my mother's birthday.

としても何ら問題はない。

360. to plaster → plastering または to be plastered

「そこのみすぼらしくみえる壁が見えますか。あれは数週間のうちに漆喰を塗ることが必要になるだろう」

どこまで読めば答えが分かる？：　　to plaster
need to do/doing はどちらを目的語にとるかによって意味が異なる。need doing は need to be done と同じ意味で「～される必要がある」の意味である。しかし、このままでは、壁が自分でペンキを塗るということになってしまう。
●scruffy「うす汚い、みすぼらしい」　plaster「漆喰を塗る」

Chapter 4　不定詞・動名詞・分詞

Test 5

穴埋め

361. （D）　it is ～ for/of＋人＋to do の使い分け

「その工事作業の間、その部屋で勉強しなければならないことは、彼女にとって、とてもいらだたしいことだった」

annoying が行動を指すことも人の性格を表すこともできる形容詞なので、この問題も Point 27 の解説どおり、何と何がイコールで結べるのかを考える。ここでは、she was annoying なのか、to have to study was annoying なのかである。内容的に「その部屋で勉強しなければならないことがいらいらすることだった」といっているはずなので、for が正答。of を入れると、「その部屋で勉強しなければならないなんて、彼女はいやなヤツだ」となり意味不明である。

362. （D）　to不定詞の時制

「その探検隊は、秘密の地の失われた谷を発見したといわれているが、率直に言うと、私はそのことを疑っている」

探検隊が見つけられたのではないから、受動態の（C）は不可。あとは to不定詞の時制を考える。人にうわさされているのは今だから is said でよいが、見つけたのは過去のはず。to do は主節の動詞と同じ時制になってしまうので、to have done の形にする必要がある。よって、（D）が正答。
◯expedition「探検（隊）」　Shangri-la「秘密の地、地上の楽園」

363. （A）　知覚動詞の使い方

「大勢の人が、その小さいボートが水平線下に消えていくのを見に集まった」

watch は知覚動詞。したがって、「Aが～するのを見る」という意味の場合には watch＋目的語＋原形となるので（A）が正答。（B）（C）は知覚動詞が目的語のあとに to不定詞をとらないので不可。また、（D）は名詞だが、watch は2つの名詞を後ろにとることはできない。
◯gather「集まる」

364. （B）　to do/doing のどちらかしか目的語にとらない動詞

「私は、一日中机に座って過ごすことが嫌いである」

（C）は原形なので、不適切。動詞の目的語に原形が使えるのは help ぐらいである。
　　ex. This event will help improve their relationship.「improve するのに役立つ」
また、dislike という動詞についても注意すること。like は to do/doing のどちらも目的語にとるが、dislike は doing しかとらない。よって、（B）が正答。

365.　（D）　知覚動詞の使い方

「カテーテルが体内で動いているのは分からないので心配しないでください」

feel を見たときに「知覚動詞」だと考えられた人には難しくなかったはず。知覚動詞として使われているから feel＋目的語＋do/doing/done という構文をとる。そして、この構文では、過去分詞は目的語との関係が受動態のときにしか使わない。ここでは、the catheter が体の中を動くのを感じないのであって、動かされるのを感じるのではない。よって、（D）が正答。
◯catheter「カテーテル」

366.　（A）　分詞構文の時制と態

「農夫は、トラクターに燃料が必要だったので、10マイル離れた最寄りのガソリンスタンドに車で行った」

主節の主語が the farmer なので、空欄に入る語の主語も the farmer のはず。そうすると、受動態の関係を表す Needed は入らない。また、目的を表すのではないから（D）「必要とするために」も不可。あとは（A）（C）については時制を考える。drive と need が同時刻に起こっているのか、need が先に起こってしまっているのか。ここでは、必要だからガソリンスタンドに行ったはずなので、Needing が正答。
need は状態動詞だから ing がつかない、というのは進行形の話であって分詞構文の時に通じる規則ではない。分詞構文では主語と動詞の関係が受動態のときに過去分詞を使い、能動態のときには進行形の意味がなくても現在分詞（ing形）を使う。
◯gas「ガソリン」

367.　（D）　知覚動詞の受動態

「その警察官らは、必要とされる捜査令状なしにその敷地へ入るのを見られた」

知覚動詞は動詞＋目的語＋do/doing/done の構文をとるのだが、受動態にした場合は原形動詞は to不定詞に変わる。
　　ex. Tom saw me **do** it. → I was seen **to do** it by Tom.
また、使役動詞も同じことなのだが、使役動詞はmakeしか受動態にならないので（B）は不可。（C）は主語が複数形なので不可。were seen entering なら正答となりうる。
◯premises「家屋、建物、構内」　search warrant「捜査令状」

Chapter 4 不定詞・動名詞・分詞

368. (D) 疑問詞＋to不定詞

「他の誰もどこで会うのか決められなかったので、私は学校で会うことを提案した」

(A) は引っかけ。過去の話をしているので現在形はおかしいし、意味的には where we should meet となるはず。疑問詞＋to不定詞で「疑問詞の意味＋〜すべきか」という意味になる (Point 30 参照)。

ex. what to do「何をすべきか」、how many people to invite「何人の人を招待すべきか」。

369. (D) it is 〜 for/of＋人＋to do の使い分け

「皆がまさにあの問題を見落とすだろうと分かるなんて、あなたはとても賢かった」

Q359 と Q361 を足したような問題。この問題を間違えた方はそれぞれの問題も復習しよう。

It was nice for/of you to do it.

の it は to do を表す形式主語だから、主語の本体は to do。よって、

To do it was nice of/for you.
＝Doing

としても問題はない。そして、to do/doing はともに主語になるから、To do を Doing にしてもよいのである。したがって、あとは realizing was smart なのか、you were smart なのかを考える。ここでは、内容から「あなたは賢かった」という意味になるはずなので、of が正答となる。

370. (D) 分詞構文の態

「その少年は、新しい通学かばんを振り回しながら道を歩いて来た」

swing の主語が誰かを考える。意味から考えて the little boy のはず。よって、the little boy と swing の関係を考える。受動態ではないから (B)(C) は不可。(A) は原形だから、ここには入らない。

◯swing「振る、振り回す」

371. (D) 知覚動詞 ＋ O ＋ do/doing の区別

「私は棚に片付けたと思っていたので、部屋の隅にその人形が横たわっているのを見て驚いた」

see は知覚動詞として使われているので (A)(C) は不可。あとは (B)(D) で悩むことになる。see＋目的語＋do/doing の違いは、動作の始まりから完了までを見たのか、その動作の途中を見たのか。そうすると、横になるという動作の最初から最後までを見たことにする

141

と、人形が自分で横になるという動作を見たことになって不自然。よって、(D) が正答。横になっている状態を見ている限り、棚から落ちて横になっていようが、自分で横になろうが関係なくなる。

372. (C) 分詞構文

「軍のジェット機2機が、20ヤードも離れていない状態で、着陸するためにやってきた」
(B) (D) は名詞なので不可。(A) を選んだ人もいるかもしれないが、(A) だと、

> The two military jets came in to land, and they separated by a distance of less than 20 yards.

が成り立つことになってしまう (Point 21 参照)。しかし、ここでは、come in to land したときにはすでに20ヤード以下しか離れていない状態だったと言っているはず。このままだと、come in to land してから、separated したことになってしまい、おかしい。また、separating を進行形と考えて、they were separating だったとしても、「come in to land したときには、密着状態から20ヤード以下にまで離れるという動作をやっている最中だった」ということになり不自然である。less than 20 yardsという語句から考えて、もともと20ヤード以上離れていたものが、come in to land したときには20ヤード以下になっている状態だったと考えるのが普通で、もともと密着状態で20ヤード以下に離れたと考えるのは不自然である。よって、(A) は不可。by a distance of 〜は「〜の距離の分だけ」の意味で、by があるからといって受け身ということではなく、肯定文にも使える。
◯land「着陸する」

373. (C) spend のとる構文

「昨年、私はすばらしいイタリア料理を食べるのにおそらく1000ドル以上使っただろう」
spend＋時間／金＋doing の構文である。一見すると、to不定詞でも間違いのないように感じるかもしれないが、spend は目的語のあとに on＋名詞または doing をとることになっているので、それを省略して to不定詞をつけると、まるで、spend money (on 〜) in order to do 〜と言っているととられてしまうことになる。つまり、to do 以下をするために別の何かにお金を使うということである。そして、この1文だけだと、on 〜が省略されていて何に金を使うのか分からないことになるので不自然に聞こえる。
◯exquisite「すばらしい」

374. (D) 目的語になる to不定詞

「私は9歳のころに切手収集を始めて、それ以来ずっと集め続けている」

Chapter 4 不定詞・動名詞・分詞

start は動名詞（ing形）と to不定詞の両方を目的語にとる動詞である。しかし、(A) collecting for stamps は for が不要。(B) は a stamp collection なら可能。
◯stamp「切手、印紙」

375. （A）　使役動詞 have の使い方と熟語の受動態

「その若夫婦は、家を改装している間、友人に犬の面倒を見てもらった」

意味から考えて、犬に誰かの面倒を見てもらうのではなく、犬の面倒を誰かに見てもらうとなるはず。したがって、their dog と take care of は受け身の関係になる。そして、They took care of him. の受動態は He was taken care of by them. であるように、of を忘れてはいけない。
◯take care of「～を世話する」

間違い探し

376. （C）→ to put up

「その女性の夫は、年齢を重ねるにつれて、ますます我慢するに耐えがたい人物になった」

どこまで読めば答えが分かる？：　文末まで

putting up with と man は動詞＋目的語の関係である。よって、man to put up with にする。
◯increasingly「ますます、いよいよ、だんだん」　put up with「～を我慢する」

377. （B）→ in order not または so as not

「その会計士は、所得税申告書の完了期限に遅れないよう、夜通し事務所にいた」

どこまで読めば答えが分かる？：　not to miss

内容から考えて not to miss は「締め切りに遅れないために」である。to do は「～すること」の意味では否定語は not to do「～しないこと」であるが、「～するために」の否定語は in order not to do/so as not to do「～しないために」を使うことになっている。
◯accountant「会計係（士）、計理士」　tax return「所得税申告書」

378. （B）→ to serve

「その若い女性は、会社の規則に反してお茶を出すことを強要されていた」

どこまで読めば答えが分かる？：　serving

意味から考えて、この made は使役動詞の受け身と考えられる。使役動詞は V＋目的語＋原

143

形という構文をとるが、受け身になると原形ではなく **to do** をとることになっている。よって、**to serve**にする必要がある。ただし、知覚動詞の場合は、V＋目的語＋do/doing/done という3つの使い方があり、先ほどの使役動詞と同じになるのは do のときだけである。

They saw him **steal** the money. → He was seen **to steal** the money.
They saw him **stealing** the money. → He was seen **stealing** the money.
They saw him **robbed** by gangsters. → He was seen **robbed** by gangsters.

❍violation「違反」

379.（C）→ to apply

「もしあなたのお父さんが増築したいなら、建築許可を申請する必要があります」

どこまで読めば答えが分かる？： applying

need to do/doing はどちらを目的語にとるかによって意味が異なる。need doing は need to be done と同じで「～される必要がある」の意味である。よって、このままでは、he needs to be applied という関係になってしまい不適切である。

❍addition「建て増し」 permission「許可、認可」

380.（C）→ telephone

「屋根から降りることができなかったので、父は息子に救助のため消防署に電話してもらった」

どこまで読めば答えが分かる？： telephoned

had は使役動詞 have の過去形だから、have＋目的語＋do/done の使い方がある。あとは、目的語と動詞との関係を考える。his son と telephone という動詞の関係は受動態ではなく能動態である。よって、過去分詞ではなく原形を使う。（A）は分詞構文の being が省略された形で問題はない。

(間違い探し（下線なし）)

---

381. having fixed → fixing

「その男は家の屋根を修理するのに忙しかったので、電話が鳴っているのが聞こえなかった」

どこまで読めば答えが分かる？： having fixed

having fixed は ing形の完了形なので was busy よりも前の時制を表す。しかし、busy doing は「〜するのに忙しい」というイディオムであるから、意味的に考えて was busy と fix の時制が同じでなければならない。よって、having fixed を fixing にする。基本的に、不定詞・動名詞・分詞のいずれも、時制は主節の動詞と同じになる。

382. 間違いなし

「その仕事はやっかいなものだったが、彼らは早く帰宅できるように終わらせたかった」

finish のあとは to不定詞ではなく doing しかこないと考えていた人は引っかかっただろう。確かに、finish のあとには to不定詞は使えないが、それは to不定詞を目的語として「〜することを」の意味で使う場合の話である。ここでは、to ensure は「確認すること」ではなく「確かにするために」という目的を表す使い方である。よって、間違いではない。
➲tricky「やっかいな、扱いにくい」

383. enough talented → talented enough

「その若い女性は、自分がダンサーとして成功するのに十分な才能があるとは思っていなかった」

どこまで読めば答えが分かる？：　enough talented
enough to do で使う enough は名詞を説明する場合、名詞の前に置かれ、形容詞・副詞を説明する場合は後ろに置かれる。
　　ex. I have **enough** money to build a house.
　　　　I studied hard **enough** to pass the exam.
設問では、enough は talented という形容詞を説明するのだから、talented enough にする必要がある。
➲talented「才能のある、有能な」

384. go → went

「その若者は、試験用紙がなくなる前の晩に、学校に盗みに入るのを見られた」

どこまで読めば答えが分かる？：　go
内容的に考えて、試験用紙がなくなったのは過去の話だから、go ではなく went にしなければならない。ちなみに、知覚動詞の構文のうち、V＋目的語＋原形を受動態にする場合は、原形動詞を to不定詞に変える必要がある。
　　I saw him **enter** the room. → He was seen **to enter** the room.
よって、was seen to steal はこのままでよい。
➲premises「建物、構内」　missing「紛失している」

385. to drink → drinking

「父はあまりお酒を飲みません。しかし、彼は夕食のときに、ボルドー産の赤ワインをグラスで１杯飲むのを楽しんでいます」

どこまで読めば答えが分かる？：　to drink

enjoy は doing を目的語にとり、to do は目的語にとれないことになっている。日本語に訳してその意味から問題を解こうとしている限り、間違いに気がつかない。日本語では to do も doing も「～すること」には変わりないからである。

386. to sit → sitting

「その客は受付に座っている若い女性に、トイレはどこか尋ねた」

どこまで読めば答えが分かる？：　文末まで

一見すると、to sit はこのままでもよいという気がするが、よく意味を考えてほしい。「客はその若い女性に受付の後ろに座ってほしいと頼んだ」というのも変な話だが、さらにそのあとの where the toilet was がこのままでは the reception desk を説明する関係詞節になってしまう。ということは、「トイレがある受付」という意味になるのである。ここで、ask には「頼む」のほかに「尋ねる」という意味があることを思い出してほしい。そうすると、ask＋人＋間接疑問文という構造が浮かんでくるはず。つまり、

ask │the young lady│ to sit behind **the reception desk** where the toilet was
頼む

ではなく、

ask │the young lady (sit) behind the reception desk│ where the toilet was
尋ねる　　　　　　　　　　　　O に

という構造である。とすると、sit 以下が lady を説明しないといけないのだから、sitting であると分かるだろう。

387. Concerning → Concerned

「その女性は、夫の健康状態を心配し、彼に健康診断を受けに行くべきだと言った」

どこまで読めば答えが分かる？：　Concerning

concerning という単語をなまじ見聞きしたことがある人は気がつかなかったかもしれない。concerning の品詞をご存じだろうか？ concerning はなんと前置詞である。よって、about は不要。動詞の ing形と考えても、「心配させる」の意味で目的語を必要とするから、どちらにしても不可。ing形が違うなら、あと考えられるのは to concern か concerned ぐらいなものである。動詞の concern は目的語を必要とするし、意味的にも不適切なので不可。

Chapter 4 不定詞・動名詞・分詞

concerned には「心配して」という形容詞の使い方があり、ここでは分詞構文 Being concerned の Being が省略されていると考えればつじつまが合う。ちなみに insist や demand など要求や義務に関わる動詞が that 節をとると、that 節の動詞は原型または should ＋原型になるので、go and have はこのままでよい。
◯state「状態、様子」 check up「健康診断」

388. to watch → watching

「このクラスの子供たちは、1日に平均3時間テレビを見て過ごしている」

どこまで読めば答えが分かる？： to watch

spend ＋時間／金＋ ing 形を問う問題。だが、構造に気をつけて読んでいないと、時間／金を表す語句が長い場合、たとえこの文法項目が知識として頭に入っていても気がつかない場合がある。ここでも、spend 3 hours to watch なら間違いに気がついたかもしれないが、3 hours ではなく、an average of three hours a day のように長い語句が真ん中に入ると、これを読んでいる最中に spend のことを忘れてしまいがちである。

389. to complete → completing

「多くの人のように、ジェームズはいつも可能な限りぎりぎりまで所得税申告書の作成を避けている」

どこまで読めば答えが分かる？： to complete

avoid は動名詞を目的語にとり、to 不定詞は目的語にとれない。Point 17 を参照。
◯tax return「所得税申告書」

390. to think → thinking または but think

「彼女はバレエを見るたびに、もし自分がダンサーになっていたら人生はどんなふうになっていただろうと考えずにはいられなかった」

どこまで読めば答えが分かる？： to think

cannot help doing「〜せずにはいられない」を問う問題。知らないとどうしようもないので、覚えていない場合はあきらめよう。couldn't but think や couldn't help but think でもよい。

Chapter 5

Relatives
関係詞

Test 1

穴埋め

Point 34　関係詞を問う問題の解き方

関係詞を問う問題が出題された場合、先行詞が関係詞節のどこにどのように挿入できる関係になっているのかを考える。

This is the book (　？　) I bought at the bookshop yesterday.

> 先行詞 the book は bought のあとに挿入すると
>   I bought **the book** at the bookshop.
> という文が成り立つ。よって、the book は I bought 以下の文章では目的語の働きをしていることになる。したがって、かっこ内には which が入る。

This is the room (　？　) I studied English.
　　　　　　　　　+ in

> 先行詞 the room はこのまま I studied English の文に挿入しても
>   × I studied English **the room**.
> という間違った文になってしまう。この文が正しくなるためには the room の前に in が必要である。
>   ○ I studied English **in the room**.
> よって、the room は in を足して in the room の形になって初めて、I studied 以下の文章に挿入できることになる。したがって、かっこ内には in which または同じ意味の where が入る。

まずは、先行詞と関係詞節を確認し、そのあと先行詞を実際に関係詞節に挿入してみよう。

Chapter 5 関係詞

391. （C） 関係詞を使った文の構造

「私の子供と同じ学校に通っている生徒は、全国ジュニアテニス大会に参加している」

選択肢を読んで Testing Point をあげよといわれたらなんと答えるだろうか。1つは、ボキャブラリーである。participate/take part in/compete という動詞が使われているので、それぞれに文法的・意味的に空欄に入るかを考える必要がある。そして、もう1つの Testing Point は時制である。（A）～（C）は進行形、（D）は現在形であるから当然時制についても考慮する必要がある。そして、実はもう1つ Testing Point が隠されている。それは、主語が三人称単数なのかそうでないのかである。（A）（B）（D）は三人称単数以外の主語に対して使うが、（C）は三人称単数に対して使う。

ここまで述べれば（C）が正答であると分かるだろうが、問題は、普段から動詞を見た瞬間に主語の確認をしているかどうかである。動詞を見て考えなければならないのは、①主語の確認、②時制、③意味、④そのあとの文型である。多くの学習者は単語の意味だけとって安心してしまうので注意しよう。特に関係詞を使った文章は、主語や目的語が長くなり、文の構造を忘れがちである。長い主語や目的語に惑わされないようにしたい。

392. （C） 先行詞なしで使える関係詞

「私はあなたができることをするように頼んでいるだけです。奇跡を期待しているわけではありません」

関係代名詞の中で what だけが先行詞を必要としない。what は the thing which ... と入れ換えられる（Point 35 参照）。

Point 35　what の特徴

> what は the thing which と書き換えられ、先行詞を中に含んでいる。よって、what には先行詞がいらない。また、what は単数形の名詞を作ることに注意。
>
> What happened yesterday **is** still a mystery.　昨日起こったこと
> 　　名詞の固まり
> What he said at the party **was** unbelievable.　彼がパーティで言ったこと

393. （B） on/at/in＋which の働きをする when

「ジョナサンは、彼の友だちがその国に到着した日が雨だったということを、はっきり思い出せる」

先行詞が the day で関係詞節が空欄〜 country であると分かれば、あとは先行詞がどのように関係詞節に挿入できるのかを考える。his friend arrived in the country **on the day** という関係が成り立つことが分かる。したがって、on which か、または先行詞が時を表す名詞で、なおかつ前置詞＋which のときは when が使えるので、when でもよいことになる。（D）は in the day ではなく on the day ということで選べない。
◯wet「雨の、雨模様の」

Point 36　関係副詞 when

> 先行詞が時を表す名詞の場合、前置詞＋which の代わりに when を使うことができる。
>
> June is the month **in which** we have a lot of rain in Japan.
> 　　　　　　　　　→when
>
> ただし、これはあくまで「前置詞＋which」の代わりに when が使えるということであって、先行詞が時を表す名詞の場合、必ず when を使わなければならないということではないので注意。
>
> June is the month **which** I like the most.
> 　　　　　　　　→I like the month. という関係が成り立つので、目的語を表す which が必要。month が時間を表す名詞だからといって when にしない。

394.（D）人・物の両方に使える that

「会社側によって出されたオフィスデザインは、社員が変更を提案できるように回覧されている」

先行詞が The office design という物を表す語なので、人を表す（A）（B）ははずれる。また、

　The office design has been proposed.

という関係が成り立つから、先行詞 the office design は関係詞節 has been proposed の主語に当たる。よって、前置詞は必要ないので（C）も不可。
◯propose「提案する」　circulate「次々に回す」

395. (B) those = people

「英語をうまく話せるようになりたいという人のために、土曜日の朝にクラスが開講されている」

どんな問題でも選択肢を読んだときに Testing Point を考える必要があるのだが、この4つの選択肢を読んで Testing Point を理解できただろうか？ 関係代名詞を問われているだけではなく、名詞が単数と複数に分かれていることに気がついてほしい。(A)(C)(D) は単数扱いであり、(B) は複数扱いである。これに気がつけば、設問の want に三人称単数の s がついていないことにも気がつくはずである。なお、(B) の those は people と同じ意味である。

396. (C) no matter＋疑問詞

「たとえ私の帰宅がどれだけ遅くなっても、妻はいつも起きて私を待っている」

そそっかしい人は (A) を選ぶかもしれないが、no matter＋疑問詞＝疑問詞＋ever である。(ex. no matter what＝whatever)。よって、no matter＋疑問詞＋ever は不可能である。(B) は how late a time なら可能。なぜ、time に a が必要かというと、at a time で「ある時間に」となるからである。また、なぜ語順が how a late time にならないかというと、本来は a very late time の very を how に直すのだから、a how late time となる。そして、how は疑問詞なので先頭にくるが、そのときセットになっている late も一緒に先頭に移動することになるのである。

397. (C) 主語を表す who

「自動車窃盗で有罪判決を受けた政府の職員は、所属する省でのポストをクビになった」

関係代名詞の問題で考えなければならないのは、①説明する語（先行詞）が人か物か②先行詞が関係詞のパートのどこにどのように入るか、である。ここでは、official が役人の意味だから (D) ははずれる。あとはどうやって the official を、was convicted of stealing cars の中に挿入できるかである。関係詞を使っている限り、先行詞を関係詞の S＋V（関係詞節）のどこかに挿入しても文として成り立つ。そして、主語の位置に挿入できるのか、目的語の位置なのか、それとも前置詞をつけて文末に入るのかなどによって使う関係詞が異なる。そこで、関係詞の問題は必ず、先行詞を関係詞節に挿入して検証すること。ここでは、the official was convicted のように、was 以下の主語の位置に入ることが分かる。したがって、主語を表すwho/that が必要である。

▶convict of「(〜の罪で) 有罪と決する」 fire「クビにする」 ministry「省」

398.（A） 前置詞＋関係詞

「警察は、今も暴行犯が被害者を攻撃した凶器を捜している」

先行詞 the weapon が関係詞節である空欄以下のどこにどのように入るかを考える。そうすると、the assailant attacked his victim **with the weapon** となることが分かるから、（A）が正答である。by は道具を表さないので、（C）は不可。

▶assailant「攻撃者」　victim「犠牲者、被害者」

399.（D） 疑問詞＋ever

「ほしい自転車はどれでもお父さんが買ってくれますよ」

「あなたが何の／どの自転車がほしいか」を空欄に入れると、意味が分からなくなるので（A）（B）は不可。あとは構造を考える。空欄から want まででひとつの名詞を表すはずだから、no matter which は使えない。no matter ～は名詞として使えないからである。Your father will get you one, no matter which bicycle you want. なら no matter which にすることも可能。よって、名詞の固まりを作る（D）が正答。

400.（A） 文・句を先行詞にとる which

「その車は急停車した。そしてそのことが、他の車がぶつかり合う結果となった」

result は to をとらないので（C）（D）は不可。（B）の what は名詞の固まりを作る関係詞だから、空欄から文末までが1つの長い名詞となり文章から浮いてしまうので不可。よって（A）が正答。コンマ＋which は文や句を先行詞にとることができ、ここでは suddenly までを指す。

Point 37　コンマ＋which

コンマ＋which は直前の語ではなく、前の文章や句を先行詞にとることがある。

I passed the exam, **which** was quite surprising.
「私はその試験に合格した。それは、とても驚くべきことだった」

この文の場合、which は the exam を指しているのではなく、I passed the exam を指している。

Chapter 5　関係詞

401. （C）　先行詞が目的語になる場合の関係詞

「選挙民が選出した政治家は、政治のことに全く不慣れであった」

先行詞が the politician で関係詞節が空欄～ electorate chose。あとは先行詞と関係詞節の関係を考える。（A）は politician が物ではないので不可。（B）は一見すると正答のように見えるが、誰を選ぶのかが分からない。たとえば、The boy whose father lives in Kyoto. は厳密に訳すと「京都に住むという動作を行う父を持つ少年」だが、the politician whose electorate chose は「選ぶという動作を行った選挙民を持つ政治家」となる。選挙で彼を選んだという意味ではなく、単に何かを選んだという意味にしかならないのでおかしい。残ったのは（C）（D）だが、これは選択肢を見比べて何を問われているのか考えてほしい。（C）（D）の違いは関係詞が異なるだけではなく、冠詞がついているかどうかも違う。ということは、冠詞が必要かどうかも考える必要があるということである。そして、ここでは the が必要であるので、（C）が正答。

◯electorate「選挙民」

402. （D）　先行詞が関係詞直後の名詞を所有する場合の関係詞

「私には、祖父が有名なヒマラヤ山脈の登山家だったという友だちがいる」

a friend を grandfather ～ climber が説明しているから、a friend が grandfather 以下のどの位置にどんなふうに挿入できるかを考える。そうすると、a friend's grandfather という関係が成り立つので、a friend と grandfather は所有の関係であると分かる。したがって、whose が正答。

◯climber「登山者」

403. （C）　why と同じ意味の for which

「この森林地域における植物の種類の数が減少している理由はたくさんあり、その理由も様様である」

（B）を見てこれに飛びついた人も多かったかもしれない。この文の動詞は are なので、（B）だと単数形になってしまい合わない。よって、（B）は誤答である。（A）（D）も同じく単数形として使われるうえに、many and various と合わない。よって、（C）が正答となる。これを間違えた人は、名詞を読むとき、数を考慮に入れず意味しか考えていなかったり、動詞を見た瞬間に主語を思い出すというクセがついていない可能性があるので注意しよう。

◯species「種類」

404. (C) 前置詞＋関係詞

「その2人の少年が争いあっている少女は、その両方とも好きではない」

先行詞が人間なので（A）は不可。また、前置詞は合っているが前置詞の直後は who/that が使えないので（B）も不可。あとは（C）（D）を考えるのだが、（C）（D）の違いは前置詞だけである。つまり、先行詞を関係詞節に挿入したときにどの前置詞が入るのかを考える。the two boys are fighting over/of the girl のどちらがよいのかが問題。この場合は over が正しいので（C）が正答となる。

Point 38 前置詞＋関係詞の注意点

前置詞＋関係詞という構文を使う場合、関係詞には who と that が使えないので注意すること。

This is the room (**which/that**) I like. → which/that のどちらでもよいし、省略も可能
This is the room **in which** I sleep. → in のあとだから that は使えないし、省略も不可

This is the boy (**who/whom/that**) I met at the party. → who/whom/that のどれでもよい
This is the boy **with whom** I talked at the party. → with のあとだから who/that は不可

405. (B) 文章全体の構造

「科学分野の研究で定評のあるその大学は、新しい物理学の教授を探している」

関係詞は S+V を形容詞として使うために使用するものなので、関係詞節には V は必ず存在する。この問題が解けなかった場合、この一番 Basic なところを間違えたことになるので非常に痛い。関係詞節は well-established ～ research だが、現時点でこの中には動詞がない。したがって、（B）が正答。

◯well-established「定評のある」 physics「物理学」

間違い探し

406. (A)→ who

「最近起きた銀行強盗で負傷した警察官は、特別敢闘賞を与えられるだろう」

Chapter 5 関係詞

どこまで読めば答えが分かる？： was injured
関係代名詞を問う問題は、先行詞と関係詞節との関係を考えるのが最初。ここでは、先行詞 the policeman が関係詞節 was ～ robbery のどこに挿入できる関係であるかを考える。そうすると、the policeman was injured in a recent bank robbery というように、was の主語になると考えられるので、ここで必要な関係詞は whom ではなく who である。whom は先行詞が関係詞節の中では目的語の位置に入ることを示す関係詞である。ちなみに、最近は whom のかわりに who を使うほうが普通である。
　ex. The boy who I met at the party.
◯bravery「勇敢」

407. （A）→ The things which
「昨晩、ここで起こったことは君と私の間の秘密だよ」

どこまで読めば答えが分かる？： have
What でも意味的には問題ないが、what は単数形であることに注意しなければならない。ここでは、動詞が have であり has になっていないので、主語が単数ではまずい。よって、what と同じ意味の The things which に書き換える。
◯between you and me「ここだけの話だが、内密に」

408. （C）→ where/in which/at which
「昨日、私が電話したとき、警察はその被害者の女性が襲われた場所に彼女を連れて行くところだった」

どこまで読めば答えが分かる？： attacked に in がついていないのを確認したとき
which 以下は the place を説明しているので、the place が which 以下のどこにどのように入るかを考える。すると、she was attacked **in/at the place** という関係が成り立つと考えられるので、which を in/at which にするか、もしくは where に直す。
◯victim「被害者」

409. （B）→ whose
「好みを見つけるのが難しい客を応対するのは楽しくない」

どこまで読めば答えが分かる？： 文末まで
品詞と構造を考えて読んでいるかどうかがポイント。明らかに likes と are が連続しているのがおかしいのだが、どのように直すのかが難しい。likes が名詞の複数形であると気がつけば、who を whose に直さなければならないことに気がつく。
◯likes「(通例複数形で) 好み、嗜好」　ascertain「確かめる」

410.　(A) → on which

「遠く離れた村々が、毎日の必需品を手に入れるのに頼りにしているその山間部の鉄道は、改修が必要である」

どこまで読めば答えが分かる?：　for their daily needs
先行詞が The mountain railway で、関係詞節は which ～ needs である。関係詞が正しいものかどうかは、実際に先行詞を関係詞節の中に挿入して、どこにどのように入る関係かを調べる。ここでは、

　　the remote villages rely **on the mountain railway** for their daily needs

のように、on をつけて rely のあとに置くよりほかにない。よって、関係代名詞には on をつける必要があると分かる。
◯remote「遠い、人里離れた」

間違い探し(下線なし)

411.　間違いなし

「彼女が説明した理由が、実は全く真実ではなかったことに誰も気がついていなかった」

the reason を見て which に飛びついた人は要注意。どんなに簡単に見えても、必ず先行詞を関係詞節に挿入して検証すること。ここでは、the reason が先行詞で、which she'd explained to us が関係詞節。そうすると、

　　she'd explained the reason to us　　「理由を説明した」

が成り立つことになる。つまり、reason は explain の目的語の関係であると分かる。たとえ、先行詞が reason でも物にはかわりないので、which にしなければならない。ちなみに、why = for which なので、

　　the reason why she explained about the accident なら
　　She explained about the accident **for the reason**.

という関係が成り立つので why でもよい。

Point 39　関係副詞 why

関係詞 why は先行詞が reason のとき、for which の代わりに使う。

the reason **for which** I study English → I study English **for** the reason が成り立つ
　　　　　→ why

よって、たとえ先行詞が reason であっても for which 以外のときは why は使えない。

Chapter 5　関係詞

the reason **which** she gave us → she gave us the reason が成り立つ
　　　　　→ she gave us **for** the reason という関係が成り立たないので why にしてはいけない。

412.　which → who/that/whom/省略

「調査チームが帳簿を偽造したと疑っているその会社の会計士は、昨日逮捕された」

どこまで読めば答えが分かる？：　which
accountant が「会計士」という意味であることを知らなくても、メインの動詞が was arrested「逮捕された」だから、人を表す名詞であることは分かる。そうすれば、少なくとも which が間違いであるということは分かるはず。あとは、先行詞と関係詞節の関係が、the investigating team suspected **the company accountant** of having ...
となるので、ダイレクトに目的語の位置に入る。よって、who/that/whom/省略が正答。
●falsify「変造する、偽造する」　book「帳簿」

413.　no matter what → whatever

「ご要望は何でもスタッフの1人に遠慮せずお申し出ください。喜んでお受けいたします」

どこまで読めば答えが分かる？：　what you want
whatever と no matter what は「何を〜しようとも」という副詞の固まりを作る場合は同じように使えるので入れ替え可能だが、「S が V するものは何でも」という名詞の意味で no matter what を使うことはできない。

　Whatever you say to her, she won't come to the party.
　　→ No matter what でもよい。
　You can buy **whatever** you want.
　　　　　　　→ whatever you want が名詞なので、no matter what には書き換えられない。

ここでも、for のあとに入っていることから考えて、名詞として使われるはずである。よって、whatever に直す。
●hesitate「ためらう、ちゅうちょする」　oblige「頼まれたことをしてやる、強いる」

Point 40　〜ever と no matter 〜

〜ever と no matter 〜 は同じ意味で使える場合と、使えない場合があるので注意。

> 入れ替え可能……「たとえ〜しても」の意味で副詞の固まりを作る場合
> **No matter what** happens, you must be calm. 「たとえ何が起ころうとも」
> **Wherever you go**, I'll be with you. 「たとえあなたがどこに行こうとも」
>
> 〜ever のみ可能……「〜するものは何でも／どれでも／誰でも」の意味で名詞の固まりを作る場合
> You can do **whatever you want to do**. 「あなたが望むものは何でも」
> 　　　　　　　目的語 つまり名詞

414. who → which

「80年間出版されているジョン・スミス執筆の雑誌は、医学の専門家らに広く読まれている」
どこまで読めば答えが分かる？：　published
関係代名詞は先行詞の直後に置かれるというのは、関係詞の基本である。ところが、先行詞が必ずしも1つのパーツから成り立っているわけではないということに注意しよう。

　the **beautiful** lady
　the lady **in the car**

これらは両方とも全部で1つの名詞と考えられる。注意したいのは、beautiful と in the car がそれぞれ形容詞の働きをしているということである。
ここでは、関係詞節 has been published が「出版されている」という内容であることから説明しているのは journal のほうである。よって which が必要。たとえば、

　a door of the room **which has been painted red**

では、which 以下が、room を説明しているのか、それとも a door of the room を説明しているのかが分からない。つまり、赤く塗られたのがドアなのか部屋なのかは特定できないのである。これは日本語でも同じだろう。「赤く塗られたその部屋のドア」という日本語では赤く塗られたのがドアか部屋かをこれだけで特定することはできない。ということは、内容から判断するしかないということである。

415. what → which

「その最新の車の売り上げは横ばいであり、それは業界のほとんどの人にとっては、かなりの驚きである」
どこまで読めば答えが分かる？：　文末まで
what は他の関係代名詞とは異なり、名詞の固まりを作る。

The boy **who lives next door** can speak English.
　　　→ the boy を説明する→形容詞
The book **which I bought yesterday** is interesting.
　　　→ the book を説明する→形容詞
What he said was unforgivable.
→主語になる→名詞

つまり、設問はこのままだと what ～ industry が大きな１つの名詞になっているのである。こんなところに名詞を入れると浮いてしまうので what が不適切であるということは読み取りたいところ。what を何に直すかについては文全体の意味が分かっていなければならないが、いずれにしても、関係詞は直前にある何かを説明するために使う。よって、何が業界の人々にとって大きな驚きなのかを考える。そうすると、内容から「車」が驚きの原因なのではなく、「最新の車の売り上げが横ばいであること」が驚きの原因であるのが分かる。よって、関係代名詞は、文章を受けることができるコンマ＋ which でなければならないことが分かる。
◯flat「不活発な、不況の」

416.　what → how

「たとえその仕事がどれだけ困難になろうとも、あなたは会社のために押し進めなければならない」

どこまで読めば答えが分かる？：　the job
what は必ず名詞の固まりを作る。よって、what＋形容詞は不可能。形容詞をとることができる疑問詞は how である。
◯push on「続けていく、続行する」　for the sake of「～のために」

417.　is → are

「工場のこの区画の責任者らは、ただいま会議の最中である」

どこまで読めば答えが分かる？：　is
文章の構造を考えて読んでいたかどうかを問う問題。動詞を見たときに最初に考えなければならないのは、意味ではなく主語。is を見たときに「主語は何だったかな？」ときちんと考えている人にとっては読んだ瞬間に間違いだと分かり、それ以降を読む必要がないはず。特に、主語を長い形容詞が後ろから修飾している場合、何が主語の本体だったか忘れがちである。仮にこの問題が解けても、is 以降を読んでしまったり、何度も文章を読み返してしまったりした人は反省すべき。

418.　where → which

「こちらにお越しいただければ、その偉大な脚本家が生まれた部屋をお見せいたします」

どこまで読めば答えが分かる？：　文末まで

場所を表す名詞が先行詞のときは必ず where を使うと信じている学習者が多いが、それは大きな誤解である。

This is the room which I sleep in.
This is the room **where** I sleep.
　　　　　　　→ in＋which

この例を見れば分かるように、先行詞が場所を表し、なおかつ in/on/at＋which のときに where にしてもよいのである。この問題では、文末に in があるので、このあとに the room をダイレクトに挿入できる関係になっている。よって、このうえさらに前置詞をつける必要がないので which が正答。ここで、where のままにしておくと、the playwright was born in in the room という関係が成り立つことになってしまう。
◯playwright「脚本家、劇作家」

419.　how → however または no matter how

「あなた自身のプライドのために、どれだけ時間がかかろうともそのレースを終えなければならない」

どこまで読めば答えが分かる？：　how long

how は the way を説明する関係詞なので、how の前に the race が入っている以上、設問にある how は関係詞ではなく疑問詞である。したがって、how long it takes you は「どれぐらい時間がかかるか」という名詞扱いとなる。当然、こんな場所には名詞を置けないので、how を however にする。そうすると、「どれだけ長くかかろうとも」という副詞になる。
◯for the sake of「〜のために」

420.　who → whose

「この会社には、社の販売不振を再建する任務に必要な能力のある指導者が必要である」

どこまで読めば答えが分かる？：　abilities で怪しいと感じ、文末で確定

内容から考えて、leader's abilities となるはずなので、whose に直す必要がある。abilities が無冠詞であることにも注意。
◯up to「〜に耐えて、〜をすることができるほどすぐれて」　sluggish「不振な」

Chapter 5 関係詞

Test 2

穴埋め

421. (C) 疑問詞＋ever

「私が誰にその仕事をするように頼んでも、きちんとされたことは一度もない。だから自分でしたほうがよい」

(A)は接続詞の役割をしないから不可。また、(B)(D)を入れると do the work するのが自分になってしまうのだが、それだと最後の節 so I'd better do it myself と合わなくなる。ask は ask＋目的語＋to do だけでなく、ask to do という使い方もある。その場合、to do の主語は ask の主語と同じなので注意。

ex. She asked to open the window.
「彼女は窓を開けたいと言った」

422. (A) no matter＋疑問詞

「たとえみんながなんと言おうとも、私は私のやり方でその仕事を続ける」

(C) what は what everyone says がまとめて1つの名詞の働きをすることになり、ここでは名詞が入らないので不可。(D) は in the things which everyone says となり意味的に合わない。(B)は日本語で考えていると合っていそうな気がするが、whenever everyone says の say には目的語が使われていないので厳密な意味は「発言するときはいつでも」である。

423. (C) 先行詞と関係詞との関係

「私が普段、学校まで歩いている道路は、修理のために通行止めになっている」

先行詞が物なので(A)は不可。あとは先行詞と関係詞節の関係を考える。I normally walk to school **down the road** となるので、(C)が正答。この他に along/up/on も使えるので、along/up/on which でも正答。(D) は what が the thing which であることから不適切。

424. (C) the thing ＝ what

「ジョーンズ氏は、会社の財務状況について告げられていることを信じることができなかった」

what を除く関係代名詞はすべて、名詞を説明する形容詞の固まりを作るためにある。よって、説明されるべき名詞がない場合は関係代名詞の使いようがない（what は the thing とい

う名詞を中に含んでいるので先行詞は必要ない）。よって、(A)(D)は関係詞ではなく疑問詞として使われていると考えるほかにない。しかし、who も which も単体で使われる場合、名詞として使われるのだが、he was being told 以下の文章では名詞を入れるスペースがない。つまり、(A)(D)は疑問詞としても使えないので、ここでは答えとしてははずれる。(B)については、前置詞＋関係詞の場合、この関係詞には who と that は使えないことになっている。よって、ここでは in that S＋V「S が V するという点で」という意味の接続詞としてしか考えようがない。しかし、これも意味的には文意と合わないので不適切といえる。したがって、(C) が正答。

425. (A) 先行詞と関係詞との関係

「最新作が10億ドルの売り上げという成功を収めた脚本家は、別の作品を書くことに同意した」

先行詞は the scriptwriter で関係詞節は空欄〜 success。先行詞が人を表すから which は不可。あとは実際に選択肢を入れてみてそれぞれに検証する。(B)(D) は the scriptwriter became success という関係になってしまうから不可能。success というのは人を表す名詞ではない。successful なら可能。したがって、(A) が正答である。
▶scriptwriter「脚本家、台本作家」 box-office「興行成績の、大当りの」

426. (D) 先行詞と関係詞との関係

「私がピアノを教えている小学生の少女は、全国ピアノコンペにおいて１位をとった」

先行詞は An elementary school girl だとすぐに分かるが、どこまでが関係詞節かを考えるのは難しい。構造としては主語に関係詞節のおまけがついた状態で、S（＋関係詞節 S＋V）＋V になっているはずだから、関係詞節はメインの動詞の前までのはず。The boy whom I met at the party lives in Kyoto. のように、主語に長い関係詞節のおまけがくっついている。したがって、won がメインの動詞であると分かる。ということは関係詞節は、I 〜 to までである。そこで、"I teach piano to" のどの位置に the girl が挿入できるか考えると、"I teach piano to the girl" という関係が成り立つことが分かるので、girl は "I teach piano to" の文では目的語の形になることが分かる。したがって、whom が正答。この問題では、関係詞節がどこまでかを考えるのが難しいのだが、to と won が別パートであるというのは、to の直後にもかかわらず、won が過去形であるということからも予想がつかなければならない。

427. (B) 先行詞が物の場合の関係詞

「私の兄が先週購入したコンピュータのハードディスクは、もう故障してしまった」

先行詞は the computer という物なので (A)(C) は不可能。また、whose の場合、the computer's my brother という関係になってしまいおかしい。the computer は bought のあ

Chapter 5　関係詞

とに挿入して、he bought the computer last week が成り立つ関係となるので、the computer は関係詞節の中では目的語の働きをしている。よって、which が正解。

428.（C）　those = people

「スイングの調子をいい状態に保ちたいという人のために、ホテルの裏にはゴルフの練習場がある」

空欄の後ろの want に三人称単数の s がなく、さらに（A）（B）（D）はいずれも単数形であるということに気がついただろうか？　疑問詞・関係詞は主語になる場合、三人称単数扱いである。よって、（B）も不可である。（C）の those は「あれらの」という意味ではなく、people を表す代名詞。
◐golf range「ゴルフ練習場」

Point 41　人々を表す those

> those は people の意味で使われることがよくある。
> **those** who wish to take the exam　「その試験を受けたい人々」
> **those** present at the meeting　「その会議に出席している人々」

429.（C）　the reason for which S+V となる why

「なぜ毎朝、私が運動するのに早く起きるのかというと、まだその時間帯は涼しいからだ」
先行詞が reason で、なおかつ、
　I get up early every morning to exercise **for the reason**.
が成り立つので why を使う。必ずしも、先行詞が reason の場合に why を使うということではなく、先行詞が reason でなおかつ for the reason にして関係詞節に挿入できる関係になっているときだけ why が入るのである。

　ex. The reason which he told me was unbelievable.
　　「彼が私に話した理由は信じられないものだった」

上記の場合は、He told me the reason. が成り立つので which になる。

430.（B）　前置詞＋関係詞

「私がついさっき話していた女性を知っていますか？」

前置詞＋関係詞の場合は who/that は使えないので（C）は不可。また、先行詞が人間なので（D）も使用できない。あとは、先行詞 the woman が関係詞節 I was speaking a few moments ago のどこにどうやって入るのかを考える。I was speaking **with the woman** となるはずなので、（B）が正答。

431.（A） S＋V の関係

「先週から働き始めた管理職候補者たちは、訓練をたくさん受ける必要がある」

動詞を見たときに主語のことを考えられたかどうかが問題。need を見て「主語は何でなければならないのか」という考え方をした人はおそらく正答できているだろう。選択肢を見て Testing Point を当ててみてほしい。1つはボキャブラリーである。内容的に従業員という言葉が入るのか新入社員なのか、部長なのかも考えなければならない。そして、もう1つの Testing Point は「名詞の数」である。（A）は複数形で（B）～（D）は単数形である。つまり、出題者は「空欄には単数が入るのか複数が入るのかも考えなさい」といっているのだ。そのメッセージが分かればそれにそって考えればいいのだから比較的簡単に解けるだろう。

◯undergo「受ける、経験する」 trainee「訓練を受ける人」

432.（B） 前置詞＋関係詞

「初めて当選した日のことを、あなたは思い出すことができますか？」

先行詞 the day が関係詞節 you 以下のどこにどのように挿入できるかを考える。you were elected for the first time **on the day** という関係が成り立つので（B）が正答。（A）は場所を表す先行詞に対して使用するので不可。（C）は when にすでに in/on/at が含まれているので on when などとすると on on which となってしまう。

◯elect「選ぶ」

433.（D） 疑問詞＋ever の使い分け

「来たい人は誰でも参加できる訓練セミナーの開催が決定した」

意味から考えて人を指す言葉が入るはずなので、whatever は不可。また、wants to come の主語の働きをするものでないといけないから whomever も入れることができない。あとは、no matter who と whoever の違いを考える。no matter ～と～everの違いは、～ever のみが名詞として使えるということである。つまり、Whoever wants to see me, I won't see anyone.「誰が来ようとも私は誰にも会わない」では、whoever を no matter who に置き換えることができるが、Let's invite whoever wants to come. では whoever wants to come は名詞なので whoever を no matter who には置き換え不可なのである（Point 40 参照）。

◯open to「～に開かれていて」

Chapter 5 関係詞

434. (D) 先行詞と関係詞との関係

「我々がずっと交渉してきた企業は突然、交渉から撤退した」

先行詞 The company と関係詞節 we 〜の関係を考える。we have been negotiating **with** the company となるはずなので（D）が正答。
◯negotiate「交渉する」 pull out「（計画・仕事などから）手を引く」

435. (A) 先行詞と関係詞との関係

「税務当局が、所得を低く申告したと疑っている選手らには、警告状が送られた」

先行詞は the players で関係詞節は空欄〜 income まで。この関係詞節の中にどのように the players が挿入できる関係になっているかを考える。そうすると、the tax authorities suspect **the players** of having under-declared their income という関係が成り立つので、the players は関係詞節の中では目的語である。したがって、（A）が正答。suspect を名詞と考えると、（C）（D）もOKのように見えるが、the players が複数形なので suspect も複数形でなければならないうえに、authorities' とアポストロフィをつけ、さらに of を for にしなければならない。

間違い探し

436. (D)→ where または in which

「何ヵ月も探したのち、探検家らは雪男が住んでいると信じられている谷を発見した」

<u>どこまで読めば答えが分かる？：</u> live のあとに in がないことを確認したとき
先行詞が the valley で関係詞節は which 以下。the valley と関係詞節の関係は、
　the Abominable Snowman was believed to live **in the valley**
となるはず。よって、which の前か live の後ろに in をつけるか、in which と同義の where を使う。ちなみに、時を表す名詞はアポストロフィをつけて「〜の」とできるので、（A）は問題ない。
　　ex. tomorrow's weather「明日の天気」
　　　　two hours' break「2時間の休憩」
◯Abominable Snowman「雪男」

437. (A)→ The things which

「最後の質問に答えて演説者が言ったことは、その問題とは全く関係がなかった」

どこまで読めば答えが分かる？： were
What は単数形なので、主語になる場合、be動詞は was である。ここでは、were に下線が引かれていないため What を変えなければならないことになるが、その場合、The things which にする。
◯irrelevant「的外れの、無関係な」

438．（B）→ which

「私には、幼い少年だったころに住んでいた家の大好きな思い出がある」

どこまで読めば答えが分かる？： live in
先行詞が the house で関係詞節が where 以下なので the house が関係詞節のどこにどのように入るのかを考える。すると、the house は in のあとにダイレクトに入るようになっている。先行詞が関係詞節の中にダイレクトに入る関係になるときには、前置詞＋関係代名詞の働きをする where/when/why を入れることはできない。前置詞が不要だからである。

　　the house where I used to live
　　the house which I used to live in

よって、ここは where を which にする。
◯fond「大好きな、甘い」

Point 42　関係副詞 where

先行詞が場所を表す名詞の場合、前置詞＋which の代わりに where を使うことができる。

This is the restaurant **in which** I had dinner with Tom yesterday.
　　　　　　　　　　 → where

ただし、これはあくまで「前置詞＋which」の代わりに where が使えるのであって、先行詞が場所を表す名詞の場合、自動的に where を使わなければならないということではないので注意。

This is the restaurant **which** I like the most.
　　　　　　　　　→ I like the restaurant. という関係が成り立つので、目的語を表す which が必要。restaurant が場所を表す名詞だからといって何も考えずに where にしないこと。

Chapter 5　関係詞

439.　(A) → whose

「会社の利益への貢献が非常に著しい社員は、かなりの昇給が与えられる」

どこまで読めば答えが分かる？：　関係詞節が significant で終わっていると分かったところ

whom は先行詞が関係詞節（この場合は whom ～ significant）の中で目的語になっていることを示すが、works を目的語として挿入できる関係にはなっていない。「従業員」と「会社の利益への貢献が顕著である」との関係を考えれば、「従業員の貢献」という意味になるというのが分かる。したがって、whose が正答。

◯contribution「貢献」　significant「著しい」　substantial「相当な」　raise「昇給」

440.　(B) → arguing about/over

「その2つの国が何年にもわたって争っているその領土は、鉱物資源が豊かである」

どこまで読めば答えが分かる？：　for many years

先行詞は the area で関係詞節は the two ～ years まで。ここでは which が省略されている。正しい関係詞を使っているかどうかを調べるには実際に先行詞を関係詞節の中に挿入して考える。

　　the two countries have been arguing **about the area** for many years

のように about（または over）をつけてしか the area を挿入できないことになる。また、設問では関係詞が省略されているところに下線が引かれていないので、about which にすることができない。よって、arguing のあとに about（または over）を入れる。

◯deposit「（鉱石・石油などの）埋蔵物、鉱床」

間違い探し（下線なし）

441.　間違いなし

「私は、電車で隣に座っている男性に、彼の新聞を読んでもいいか尋ねた」

next to は 2 語で 1 つの前置詞の働きをしていると考えられるので、whom の前に 2 語の単語を置いてもさしつかえはない。I was sitting **next to the man**. という関係が成り立つので、正しい文章といえる。

442. who → which

「この地域の勤め口のほとんどを提供している自動車工場の代理人は、工場の閉鎖を発表した」

どこまで読めば答えが分かる？：　employment

これも、関係詞節の意味をとる必要がある。「この地域の勤め口のほとんどを提供している」のは自動車工場なのか代理人なのか考える。代理人が提供しているのではなく、工場が存在することによって雇用が増えるのだから、主語は the car factory でなければならない。よって、関係詞は which。

➲representative「代理人、外交員」　closure「閉鎖」

443. No matter whoever → Whoever、または whoever → who

「たとえ誰がその老人と話すのに家に入ったとしても、彼に家から出るよう説得することはできないようだ」

どこまで読めば答えが分かる？：　whoever

No matter＋疑問詞と疑問詞＋ever の構文は混ぜて使うことができない。よって、no matter を削除するか、whoever を who に直す。意味だけで考えているとなかなか気がつかないので注意。no matter が見えた瞬間に「次は普通の疑問詞がくる」と考えていれば、whoever を見た瞬間に間違いに気がつくはず。

444. What → Whatever または No matter what

「水中にいる間は何が起ころうとも、平静を保つことがきわめて重要である」

どこまで読めば答えが分かる？：　it is から S＋V が始まるのを確認したとき

what は the thing which と同じだから、先行詞なしで使える。しかし、いずれにしても what＋S＋V はまとめて名詞扱いである。文章を見ると、メインの S は it であるから、こんな所に名詞を置くことはできない。よって、what は不可。あとは、「何が起ころうとも」という意味になるということが文脈から読みとれれば、whatever に直さなければならないと分かるはず。または no matter what でもよい。

また、主語が he なのに remain になっているのがおかしいと考えて、remains に直した人もいると思うが、義務・当然・命令などに関わる形容詞・動詞が that節をとるとその中は原形動詞または should＋V になるという規則がある。したがって、設問ではこの箇所を直す必要はない。

　　He demanded that he **be/should be** treated as a VIP.
　　「彼は VIP として扱われるように要求した」

It is essential that she **come/should come** back in time.
「彼女が時間内に戻ってくることが不可欠である」

S＋原形はアメリカでよく使われ、S＋should＋V はイギリス英語でよく使われる。かなり文語的な表現のように見えるが、英字新聞程度の英語では日常的に使われる。ただ、この文法も実際に話されるときには省略されて、単に現在形を使う人も多い。
➲underwater「水面下の」 calm「平静な」

445. that → which

「多くの人たちが、最後のお別れをするためにその老人の葬式に出席した。そして、そのことは彼が人気があったということを示していた」

どこまで読めば答えが分かる？： that
コンマ＋関係詞を使う場合、that は使えないことになっているので that が不適切。これを何に直すかは、先行詞と関係詞節の関係を考える。この場合、何が彼の人気を示していたのかというと、多くの人たちが葬式に出席したことである。要するに、先行詞は前の文全体ということになる。先行詞に文章をとることができるのは which だけなので、that を which に直す。

446. because → why

「なぜ今こんなに忙しいのかというと、この仕事の締め切りが繰り上げられたからである」

どこまで読めば答えが分かる？： because
意味から考えると because でもさしつかえないように感じるが、because には関係詞の役割はないので why にする必要がある。
➲deadline「最終期限、締め切り」 move up「（日時など）繰り上げる」

447. about whom → for whom

「私が責任を持っていたその社員は、私の職を失わせる重大なへまをおかした」

どこまで読めば答えが分かる？： was responsible
先行詞＋前置詞＋関係詞となっている場合は、関係詞節の中に「前置詞＋先行詞」を挿入できる関係が成り立つ。実際に前置詞と先行詞を挿入してみると、
  × I was responsible **about the worker**.
となるが、responsible は後ろに for をとるので、about の代わりに for に直す必要がある。よって、about whom を for whom に直す。
➲blunder「ばかな間違い、へま」

448. in that → in which

「偉大な探検家がその山の頂上に達する前夜に睡眠をとるのに使った寝袋が、オークションにかけられている」

どこまで読めば答えが分かる？： in that
関係詞の前に前置詞を置く場合、that/who は使用できないことになっている。人のときは「前置詞＋whom」で、物のときは「前置詞＋which」である。またこの場合は省略もできない。

This is the man **about whom** I talked.
This is the man (**who/whom/that/省略**) I talked about.

This is the book **about which** I talked.
This is the book (**which/that/省略**) I talked about.

◯summit「頂上、サミット会談」 auction「(物を) 競売で売る」

449. whatever → whoever/whomever

「出席した経験がその人のためになると、あなたが思う人には誰にでも、出席するように求めなさい」

どこまで読めば答えが分かる？： 文末まで
文章の構造が理解できたかどうかがポイント。

ask　|whatever you think would benefit from the experience|　to attend
求める　　　　　　　　　　Oに　　　　　　　　　　　　〜するように

であるから、目的語の部分(whatever 〜 experience)までが、attend の主語であるということが分かる。「O に出席するように求める」という意味から分かるように、目的語は人を表す名詞でなければならない。よって、whatever ではいけないことが分かる。whatever を何に直すかは、anyone がどこにどのように入るかを考える。ここでは、anyone would benefit という関係になるはずなので、would benefit の主語の形が必要である。よって、whoever が正答。

ただ、日常の英語では、you think などが挿入された場合、whoever が that節の主語であったとしても whomever が使われることもよくある。これは、that節の主語であるという認識よりも、think の目的語にはなっていないが、とりあえず S+V の後ろに入る関係であるという認識に引きずられたものだと思われる。

Chapter 5　関係詞

You can invite ｛
- whoever likes English.
  → whoever は likes の主語
- whomever you like.
  → whomever は like の目的語
- whomever you think likes English.
  → whomever は likes の主語だから whoever になるはずだが、you think に引きずられて、whomever になっている

450.　on を削除

「この学校の生徒たちは一流の大学に入学している。それは、指導の質を反映している」

どこまで読めば答えが分かる？：　on which のあとに動詞がきていることが分かったとき前置詞＋関係詞は必ず、前置詞＋先行詞を関係詞節のどこかに挿入してもさしつかえない関係になっている。

This is the room **in which** I sleep everyday.

> ここに in the room を挿入しても、I sleep in the room が成り立つ

The man **about whom** we talked lives in the U.S.

> ここに about the man を挿入しても、We talked about the man が成り立つ

ところが、この設問では which の先行詞が何であろうとも、reflects の主語がないことになってしまう。よって、on を削除し which を reflects の主語とする。
➲reflect「反映する、表す」

Test 3

（穴埋め）

451.　（A）　疑問詞＋ever の品詞

「この家で行きたい場所はどこでも自由に行ってください」

（C）は品詞が名詞なので go＋名詞となりおかしい。（D）は wherever の中にすでに to という前置詞が含まれているので to をつける必要がなく不可。（B）は人を表すので、want to のあとに省略されている go と合わないので選べない。

452. (D)　how と形容詞／副詞の関係

「たとえその状況にどれだけイライラしたとしても、決して社員にそれを見せてはいけない」

how と frustrated は分割できない。これは、意味を考えれば分かる。要するに、**very** frustrated であっても **a little** frustrated であってもという意味であり、very/a little のところを how に置き換えているだけである。したがって、同じパーツに属しているので分割できない。ゆえに、(A)(B) はともに不可である。(C) には「〜しても」という意味がないので使えない。

453. (B)　文や句を先行詞にとる which

「若者たちの晩婚化は進んでおり、そのことは、その国の出生率にも影響を与えている」

コンマがあるので、関係詞 that は使用できない。また、コンマで2つの S+V をつなぐことはできないから (D) も不可。そして、先行詞は前文のはずだから which が正答。
◯birth rate「出生率」

454. (D)　先行詞と関係詞との関係

「その生徒たちは、先生が話していることになんら注意を払っていなかった」

(A) は to が前置詞なのにそのあとに S+V がきていることになり不可。(B) は関係代名詞と考えられるが、the teacher was saying attention という関係にはならないので不可。(C) も関係代名詞だが、the teacher was saying in attention という関係にならないので不可。よって (D) が正答。what は the thing which と置き換えられる。

455. (B)　先行詞と関係詞との関係

「その耐火金庫は、私だけがカギを持っている部屋の中にある」

先行詞 a room が関係詞節 only 以下のどこにどのように入るかを考える。only I have the key **for a room** という関係が成り立つので (B) が正答と分かる。(A)(C) だと only I have the key **in a room** という関係が成り立つことになる。しかし、文意から考えると、部屋のカギは私しか持っていないということが言いたいのであって、その部屋の中で私しかカギを持っている人間がいないということが言いたいわけではないから (A)(C) は選べない。
◯fire safe「耐火金庫」

456. (B)　基本的な関係詞の使い方

「私が去年フランスの列車の中で出会った少女は、今年の夏、私の家へ泊まりに来た」

Chapter 5　関係詞

先行詞が The girl で関係詞節が on a train ～ last year である。the girl は物ではないので which は不可。また、（C）を入れると関係詞節に S+V の V が存在しなくなるので不可。関係詞というのは S+V を形容詞にするために使うものだから、関係詞節に動詞がないというのはありえない。（D）は文章をきちんと読んでいないと選んでしまうが、last year があるので現在完了は使えないはず。

457.（B）　疑問詞＋ever の基本的な使い分け

「いつ上司が私のオフィスに立ち寄ろうとも、私は決して自分の席にいない」

内容から考えて「どこで立ち寄っても」というのは my office と合わないから（A）は不可。（C）はこれだけでは接続詞の働きができないのでここには入らない。Whatever time なら可能。（D）は my boss visits my office の中で目的語の役割を果たすはずなのだが、この文章に目的語は入らないので不可。

458.（C）　先行詞と関係詞との関係

「ジェフは、何年も前に初めて登山することを教えてもらった山に、叔父と戻った」

先行詞 the mountain が関係詞節 he first learned to climb many years ago with his uncle のどこにどのように入るかを考える。He first learned to climb on the mountain. という関係が成り立つので on which が正答となる。ちなみに on the mountain は climb を説明しているのではなく、learned を説明している。つまり、「その山で登山を学んだ」ということ。

459.（A）　why ＝ for which

「その工場の閉鎖を防ぐために、重役たちに提出できるよい理由づけが必要だ」

これも原則どおり、先行詞が関係詞節のどこにどのように入るのかを考える。

（A）we can give a good reason
（B）we can give for a good reason
（C）we can give for a good reason
（D）we can give with a good reason

よって、ここでは（A）が正答だと分かる。a good reason が先行詞だからといって why に飛びつかないように注意。why を使えるのは、あくまで the reason for which ～のときだけである。

460. （A） 基本的な関係詞の使い方

「裁判所は、破産宣告した会社の運営を引き継ぐべき当局者を1人指名した」

先行詞は the company、関係詞節は had 以下。そこで、the company が関係詞節のどこにどのように入るのかを考える。そうすると、

 the company filed for bankruptcy

となるはずである。よって、the company は関係詞節の主語であると分かる。したがって、関係詞節の中で目的語の働きをしているべき whom と所有を表すべき whose は使えない。あとは、the company が人を表す単語ではないということから、which が正答であると考える。

➔ appoint「指名する、任命する」　running「経営」　bankruptcy「破産、倒産」

461. （D） 前置詞＋関係詞の基本ルール

「あなたが弁護しているクライアントは、次の聴聞会には出席すべきだ」

who/whom/that は先行詞が関係詞節の目的語になる場合、それぞれ入れ替え可能である。ただし、前置詞＋関係代名詞の場合は whom しか使えない。

 This is the man（who/whom/that）I was talking about.
 This is the man **about whom** I was talking.
   → about がついているので who/that/省略は不可

よって、（A）（B）は不可。また（C）は、
 × I speak the client.
が成り立たないので不可。

➔ speak for「弁護する、代弁する」　hearing「聴聞会」

462. （D） 文や句を先行詞にとる which

「不景気はその地域にひどい影響を与えた。そしてそのことが家の値段を下落させた」

コンマがあるときは関係代名詞として that は使えない。また、コンマで2つの文章をつなぐことはできないので that を「あれ」という意味で使うことも不可。同じ理由で this もだめ。what は名詞の固まりを作ることに注意。このような場所に名詞を置いても浮いてしまうので what も不可。ここでは、has depressed の主語、すなわち関係詞の先行詞を考える。何が家の値段を下落させたかというと、不景気がその地域にひどい影響を与えたということ。つまり、先行詞は前の文全体である。そして文や句を先行詞にとる関係詞は which なので（D）が正答である。

➔ recession「景気後退、不景気」　depress「（相場を）下落させる」

Chapter 5　関係詞

463．（C）　疑問詞＋ever の基本的な使い方

「今日その会議に誰が来たとしても、あなたは落ち着きを保つようにしなくてはならない」

（A）空欄に入る語は comes の主語にならなければならないので、目的語を表す Whomever は不可。（B）who は主語になることができるが、この場合、間接疑問文であっても Who ～ today までが名詞扱いになってしまう。（D）no matter＋疑問詞＝疑問詞＋ever という関係なので、それらを混ぜた no matter＋疑問詞＋ever は不可。よって、（C）が正答。Whoever ＋ V で「誰が～しようとも」の意味。

▶composure「沈着、平静」

464．（D）　基本的な関係詞の使い方

「私の兄が買った絵の作者は、それからとても有名になった」

The artist が先行詞で、painting my brother bought が関係詞節。したがって、artist が関係詞節のどの位置にどうやって入るか考える。そして、the **artist's** painting という関係が成り立つから、whose が正答。

465．（D）　基本的な関係詞の使い方

「財務部のドアのそばで働いている少女をご存知ですか？　彼女が質問に答えることができるでしょう」

関係詞のパート works ～ department は the girl を説明しているので、the girl が works 以下の文のどの位置に挿入できる関係になっているのか考える。そうすると、**the girl** works by the door ... という関係が成り立っていることが分かるので、the girl は works 以下の文の主語である。したがって、who が正答。

間違い探し

466．（A）→ whose

「この四半期で多大な損失をこうむった会社の社員全員は、職を失う可能性に直面している」

どこまで読めば答えが分かる？：　company であやしいと思い、faces で確定
company が無冠詞の単数形で使われていることに気がついたかどうかがポイント。company が「会社」という意味で使われている限り、数えられる名詞のはずなので単数形を無冠詞で使うことはできない。ということは、（A）には冠詞のような働きをする関係詞が入ることになる。したがって、whose が正答。whose は his/their/my など所有格の代わりに

使う関係詞だから、その直後にくる名詞は無冠詞である。
　　ex. I have a friend whose father lives in Kyoto.
◯massive「大規模な、大きな」　quarter「四半期」　prospect「見通し」

467.（A）→ whom

「あなたの知り合いであるスタッフの1人は、また自分の経費を正しく報告していない」

どこまで読めば答えが分かる？：　with who
関係詞の前に前置詞を置く場合、that/who は使用できないことになっている。人のときは「前置詞＋whom」を使う。よって whom が正答。ちなみにここで with が必要なのは、you are aquainted **with** a staff member となるため。
◯acquainted「知り合いで」　expense「経費」

468.（B）→ at which または when

「私は、ドーベルマン・ピンシェル犬に追いかけられ噛まれたときのことを、とてもはっきりと思い出すことができる」

どこまで読めば答えが分かる？：　which 以下に at がないことを確認したとき
先行詞が the time で関係詞節が which 以下なので、実際に the time を which 以下に挿入して検証する。すると、

　　I was chased and bitten by a Doberman Pinscher **at the time**.

というように、the time は at をつけて文末に置くしか挿入できないことが分かる。ということは、at が文中のどこかになければならないことになる。具体的には、本来あると考えられる場所（この場合は、文末）か関係詞の前である。ただし、この場合は the time と at の距離が遠くなるので文末に置かないほうがよい。よって、at which か前置詞＋which で先行詞が時間を表す語のときに使える when でもよい。
◯chase「追う」

469.（D）→ which

「会社にする建物を探して、私はコルビュジェ氏のデザインで20年前に建てられたビルを訪れた」

どこまで読めば答えが分かる？：　was built
関係詞節の意味が「20年前に建てられた」だから、Mr. Corbusier を説明しているのではなく、one（a building）を説明しているはずである。よって、which が正答。

176

Chapter 5 関係詞

470. (B) → which

「その少年が万引きで捕まったのはこれで2回目だった。そして、そのことは判事がさらに厳しい判決を言い渡す原因となった」

どこまで読めば答えが分かる？： this
スピーキングの際には問題にならないが、厳密にはコンマには2つの文章を1つにする働きはないので、たとえば、

　I'm a student, he is a doctor.

などとは書かない。2つの文章を1つにするには接続詞が必要である。よって、this を which にする必要がある。コンマ+which は前の文章を先行詞にとることができ、そのときには and that に置き換えることができる。
●shoplifting「万引き」 harsh「厳しい、過酷な」 sentence「判決」

間違い探し（下線なし）

471. whenever → when、または no matter を削除

「その政治家は、たといつ編集者が彼に電話をかけてもその場におらず、コメントを取ることができないようだ」

どこまで読めば答えが分かる？： whenever
no matter when と whenever は同じ意味なのだから、no matter をつけるなら ever は不要。または、no matter を削除する。
●editor「編集者、校訂者」

472. for whom → with whom または who/whom/that/省略

「10年後、私は大学1回生のころ初めてデートした女性とついに結婚した」

どこまで読めば答えが分かる？： 文末まで
先行詞＋前置詞＋関係詞となっている場合は、関係詞節の中に「前置詞＋先行詞」を挿入できる関係が成り立つ。

　ex. This is the man **with whom** I talked at the party.
　　　I talked **with the man** at the party. が成り立つ

ここで、その関係が成り立っているかどうか調べると、
　× I had first dated **for** a woman.
となるが、この文章は誤りである。本来なら、
　I had first dated a woman. か I had first dated with a woman.
となるので、who/whom/that/省略か、with whom のどちらかとなる。
◐eventually「いつかは、最終的に」

473.　who → to whom、または come → come to

「オフィスのほとんどの人がよいアドバイスを求めにやってくるその人は出張中である」

どこまで読めば答えが分かる？：　is
関係代名詞を使った文章は、必ず先行詞が関係詞節のどこかにダイレクトに入る関係になっている。よって、関係代名詞を検証する場合は、実際に挿入して成り立つのかどうかを考える。ここでは、先行詞が the person で関係詞節が who 以下 ～ advice までである。

　Most people in the office come **to** the person for good advice.

上記のように、the person は to をつけて挿入するしか成り立たない関係になっている。したがって、この文章にも to を残しておく必要があるのである。前置詞の置き場は関係詞の前か、本来の位置である。よって、この問題では to whom にするか、come のあとに to をつける必要がある。
◐away「別のところにいて、不在で」

474.　to where → wherever または no matter where

「アメリカ出身のその映画スターは、彼がどこへ行こうとも、絶叫する同じような群衆にいつも出会う」

どこまで読めば答えが分かる？：　where
「行くところはどこでも」という意味になるはずなので、wherever にする。また、where も wherever も副詞であるので、前置詞が含まれているのと同じ扱いを受ける。よって、to は不要。または、no matter where でもよい。
◐encounter「出会う」　crowd「群衆」

475.　that → which

「警察は未だにその地域のみんなを尋問している。そして、そのことは警察がまだ誰も逮捕していないことを意味する」

どこまで読めば答えが分かる？：　that

Chapter 5 関係詞

これもQ470の問題と同じである。2つの文章をひとつにするには接続詞が必要であるので、that を which にする必要がある。コンマ+which は前の文章を先行詞にとることができ、そのときには and that に置き換えることができる。
◯question「尋問する、調査する」

476. Who → Whoever または No matter who

「その教授が誰であろうと、私はまた１つ退屈な講義の間ずっと座って時間を無駄にするつもりはない」

どこまで読めば答えが分かる？： is のあとに S+V がきていることが分かったとき
「その教授が誰であろうとも」という意味になるはずなので、Whoever に直す。または、No matter who でもよい。
◯intention「意図、意向」 waste「浪費する、無駄にする」

477. what → why

「その屋根はきちんと建設されなかった。そのことが、風でこのような大きな損傷を受けた原因である」

どこまで読めば答えが分かる？： caused に目的語があると気がついたとき
what は the thing which と同じであるので、書き換えてみると、
  × that's the thing which the wind caused so much damage to it
となるが、これは成り立たない。なぜなら、the thing が the wind 以下の文に挿入できる関係になっていないからである。したがって、what は不可。そこで、他の関係詞を探すのだが、ここで、問題には先行詞がないことに気がつきたい。関係詞の中で先行詞なしで使えるのは what 以外には why, where, when である。why は the reason why の the reason を省略できる。where は the place where の the place を省略できる。when は the time when の the time を省略できる。あとは、最初の S+V「屋根が正しく工事されなかった」と後ろの文との関係を考えれば、理由を表すはずだということが分かるので why に直す。
◯construct「建設する、組み立てる」

478. was → were

「自転車置き場の裏でタバコを吸っているのを校長が目撃した生徒らは、１週間の停学処分を受けた」

どこまで読めば答えが分かる？： was suspended
文章の構造を考えながら文字からイメージに変換しているかどうかを問われる。The students を読んだ瞬間に頭の中に２人以上の生徒を実際にイメージし、was を見た瞬間に「was の主語は誰だったか」と頭の中で確認できている人は、was を見た瞬間に答えが分か

っただろう。逆に言えば、最後まで読んでしまった人は、イメージ化ができていない、構造が考えられていない、意味しか考えていないということが考えられる。
◯shed「置き場、車庫」 suspend「停学にする」

479. saved のあとの her を削除

「その10代の少年は、前の年に溺れているところを助けた老婦人からプレゼントを受け取った」

どこまで読めば答えが分かる？：　her
関係詞を使う場合、先行詞は必ず関係詞節のどこかに挿入できる関係になっている。そこで、実際に入れてみようとすると、

　　he had saved her ← the old lady

となり、her がじゃまで the old lady が入れられない。つまり、her が不要なのである。
◯drown「溺れ死にする」

480. was → were

「その店員たちはそのおもちゃを盗んだ少女を見たので、警察にとてもよい人物描写をすることができた」

どこまで読めば答えが分かる？：　was
S＋V を考えて文章を読んでいるかがポイント。was able to の主語は構造的に The salesclerks と the girl の両方が可能だが、警察に詳しく描写できたと言っているのだから内容的に考えて主語は salesclerks のはずである。したがって、was を were にしなければならない。

この問題は厳密に言えば、関係代名詞を問う問題ではない。しかし、関係代名詞が使われると文がとても長くなり、その結果、文章の構造を読んでいる最中に忘れてしまうということにつながる。よって、関係代名詞が使われている文章では、特に S＋V や文の構造に気をつけて読む必要がある。
◯description「記述、描写、人相書き」

Chapter 6

Conditionals
仮定法

Test 1

Point 43 仮定法の基本

if を使った文章は、if S＋V が起こりうるか起こりえないかと時制で形が変わる。

① if S＋Vが起こる／起こった可能性がある場合

現在の話 ＝ 現在形	現在の話 ＝ 現在形
If S＋未来の話 ＝ 現在形 ，	S＋未来の話 ＝ 未来形
過去の話 ＝ 過去形	過去の話 ＝ 過去形

If it **is** sunny tomorrow, I **will wash** my car.　明日晴れる可能性がある
If he **caught** a train at 7, he **will get** here by 8.　彼が実際に乗った可能性がある

② if S＋Vが起こる／起こった可能性がない場合

現在の話 ＝ 過去形	現在の話 ＝ 助動詞の過去＋V
If S＋未来の話 ＝ 過去形 ，	S＋未来の話 ＝ 助動詞の過去＋V
過去の話 ＝ 過去完了形	過去の話 ＝ 助動詞の過去＋have＋過去分詞

If it **had been** sunny yesterday, I **would have gone** shopping.
　　　　　　　　　　　→昨日雨だったので、晴れていた確率は０％
If it **were** sunny now, I **would go** shopping.
　　　　　　　　　　　→現在雨が降っているので、今晴れている確率は０％

穴埋め

481.（B） 直説法の主節の形

「もしあなたが本当に自分の髪を染めたいなら、明日の午後に私がしてあげましょう」

if節が現在形を使用しているので、ありえる話（直説法）であると分かる。したがって主節はそのままの時制を使う。つまり、未来の話は未来形。また、現在進行形は未来の予定を表すこともあるが、この時点では「もし」といっていることから約束・手配が済んでいるという意味ではないはずなので、ここでは使えない。
◐dye「染める、着色する」

482.（D） I wish の that節の形

「先週、スミスさんにあんなにも無礼な振る舞いをしなければよかった。今や彼は上司なので、私を本当につらい目に遭わせるだろう」

wish が that節をとる場合、その中は仮定法になり、形は仮定法の if節と同じである。そして、last week という言葉から過去の話だと分かるので、（D）が正答。
◐rude「無礼な、不作法な」

483.（A） 仮定法の時制

「もし私の祖父ハロルドがそのときもまだ生きていれば、彼は私の弟の結婚式をとても楽しんでいただろう」

文脈から考えて、ハロルドは生きてはいないと考えられる。したがって、それを生きていたらと仮定しているので仮定法を使っているはずである。そして、仮定法の if節で過去完了が使われている場合、過去の出来事を指すはずなので「今生きていたら」ではなく「あのとき生きていたら」という意味である。そうすると、文脈から考えて主節も過去の出来事であると推測できる。よって（A）が正答である。

484.（C） I wish ＝ if only

「両親がこの夏、私に会いに来ることができていれば、彼らは今日のお祭りを気に入っただろうに」

if only も if と同じように単なる未来形としての will や would は使えない。よって、（A）（B）は不可。あとは時制を考える。this summer だけでは過去のことか未来のことかは断定できない。しかし、主節が would have loved になっているので、過去の話であると分か

る。また、if only は I wish と同じように仮定法で使うので、（C）が正答。

485. （A）「～かどうか」の if

「マーガレットさんに、彼女がそこに行くつもりなのかどうか、もう聞きましたか？ 私は彼女に会いたいのです」

if が使われているが、この if の意味は「もし」ではなく「～かどうか」である。したがって、時制は全く通常のものが使用される。ここでは未来の話をしているので will が正答。if の節に will が使えないというのは if が「もし」という条件を表すときだけである。

486. （A） 仮定法のイディオム

「とても思いやりのある校長がいなかったら、息子は退学させられていただろう」

but for ～「～がなければ」を問う問題。without も同じような意味だが、without が直説法・仮定法のいずれにも使えるのに対し、but for は仮定法にしか使えない。（D）は if it had not been for なら、「～がなければ」という意味で正答となる。（C）except は、名詞形が exception「例外」であることからも分かるように、「～を例外として」という意味の前置詞である。ここでは意味的に合わないだけでなく、except は文頭にこないという性質を持つため空欄に入れることはできない。
▶understanding「物わかりのよい、思いやりのある」 principal「校長、社長」 expel「放逐する、免職する」

487. （A） 直説法の主節の形

「もし気象報告で悪天候になりそうだったら、ロケットの打ち上げは遅れるだろう」

if 節が現在形を使用しているので、ありえる話（直説法）であると分かる。この時点で、仮定法の（C）ははずれる。また（B）（D）は、delay が「遅らせる」という意味であるから「遅れる」という意味にするためには受動態にしなければならない。よって、（A）が正答。
▶meteorological「気象（学上）の」 launch「（ミサイル・ロケットなどの）発射、打ち上げ」

488. （C）「万が一」の should

「今後、もし会議に出席できない場合は、できるだけ早く私たちに電話で知らせていただけますか？」

主節が would を使っているが would you のときは要注意。単なる仮定法の疑問文の場合と、現実に依頼を表す使い方がある。文全体の意味から考えると、ここでは「～していただけま

すか」を表す単なる依頼であることが分かる。したがって、if節は実際に起こりうる話をしているはずなので直説法を使わなければならない。よって（C）が正答である。should は「万が一」の意味（Point 45 参照）。
▶make it「都合をつける」

489. （B） 仮定法の過去の話

「コンピュータが発明されていなければ、私は今この仕事をタイプライターでやっていただろう」

主節が現在の話をしているにもかかわらず、would＋V であることと文脈から、仮定法が使われていると考えられるが、コンピュータが発明されたのは事実なのだから、それが発明されなかったというためには仮定法を使わなければならないというのは分かるはず。したがって、内容からだけでも仮定法だと判断できる。そして、主節で何をどう言おうと、コンピュータが発明されたのは過去の話だから、if節には過去完了が必要である。主節の would be doing につられて wasn't を選択しないよう注意。

490. （B） 直説法／仮定法の区別

「もし今日の天気がよかったのなら、どうしてあなたは外に行って遊ばなかったの？」

today は過去でも未来でも使えるので、これだけを当てにして時制を決めることはできない。したがって、内容を考える。主節は「どうして～？」という疑問文だが、よく考えてみると「どうして」と聞いている以上、その問われている内容は実際に行われたと考えられる。つまり、実際に外に出なかったのは事実の出来事である。ということは、起こった出来事を起こったといっているのだから仮定法ではなく直説法である。したがって、（B）が正答である。

491. （D） 「～かどうか」の if

「その地域の人々は、発電所建設に反対して闘うべきかどうかを決める会合を開くことになっている」

if が使われているが、この if の意味は「もし」ではなく「～かどうか」である。したがって、時制は通常どおりのものが使用される。ここでは、実際に闘うのかどうかを決めるのだから仮定法ではまずい。よって、（D）が正答。
▶community「地域社会」

Chapter 6　仮定法

492. （D）　仮定法の時制

「もしその会社の社長が突然に病気にかかったら、責任を代行できる立場にいる人は誰もいないだろう」

were to do「仮に～したら」を問う問題。were to は仮定法の表現なので、主節も仮定法が必要。よって、（A）（C）ははずれる。また過去の話をしているのではないから（B）も不可。したがって、（D）が正答。were to を知らなくても三人称単数の主語で were が使われているのだから、仮定法であることぐらいは推測できるはず。

493. （D）　if を使ったイディオム

「もし政府が相続税の税率を増やしたらどうなる？」「私たちは困ったことになるよ」

what if S+V「もし S が V したらどうなるのだろう？」を問う問題。主節が存在しないので、（A）if は入らない。疑問文の順番になっていないので（C）は不可。
◯inheritance tax「相続税」

494. （D）　仮定法における時制の混合

「前の会社が倒産していなければ、私は今ごろ自分の会社を経営していなかっただろう」

主節が現在の話をしているにもかかわらず、would＋V であることと文脈から、仮定法が使われていると考えられる。そして、if節の時制は my previous company という言葉から過去の話をしていると分かる。仮定法で過去の話をするときは過去完了を使うのだから、（D）が正答。主節の wouldn't be running につられて didn't go を選択しないよう注意。
◯bankrupt「破産した」

495. （D）　「万が一」の should

「もし車が途中で故障したら、私はあなたにこちらに来て車を引っ張ってくれるよう電話します」

主節の時制が will だから、仮定法ではない。したがって、（A）は不可。また文脈から考えて（C）は不適切。（B）is は文法的に入るが、ここでは壊れる運命かどうかを問題にしているわけではなく、実際に壊れた場合の話をしている。したがって、（B）は内容的に不適切である。should については Point 45 を参照。
◯tow「引っ張る、牽引」

間違い探し

496. （B）→ increases

「もし景気がよくなる前に政府が所得税の税率を過剰に引き上げたら、消費者支出は減少するだろう」

どこまで読めば答えが分かる？： 文末まで
主節が will を使っているので仮定法ではなく直説法だと分かる。そして、before の節が未来を表すので、if節の時制も未来の話である。よって、increased ではなく現在形の increases に直す。
◐income tax「所得税」

497. （C）→ he had spent

「卒業試験まで残り1週間となり、私の友人は昨年もっと勉強に時間を費やしておけばよかったと思った」

どこまで読めば答えが分かる？： last year
wish は to不定詞をとれるが、wish to do は意味が「〜したい」なので、to do の動作は必ず未来に行われる。よって、このままでは last year とかみ合わない。そこで、wish が that節をとれることから S+V に直す。ただし、wish の that節は必ず仮定法になるので、現在の話は過去形、過去の話は過去完了形を使う。ここでは、last year の話なので過去完了形にする。

498. （D）→ ourselves

「もし教育を担当する当局がカリキュラムをよくするために何もしようとしないなら、私たち自身でひそかに行おう」

どこまで読めば答えが分かる？： 文末まで
if節には will は使えないのが原則であるが、実は例外がある。それは、will が未来ではなく意志を表す場合で、そのときは使ってもかまわない。この場合、won't は「〜しないだろう」ではなく「どうしても〜しようとしない」であるので、if節に使うことは可能である。ここでは、（D）ourself を ourselves にしなければならない。

Chapter 6　仮定法

499. （A）→ had been

「私にその仕事を再確認する時間がもっと与えられていれば、私たちは現場でそのような問題はなかっただろうに」

どこまで読めば答えが分かる？：　文末まで
if only が仮定法の表現であると知らなくても、主節の動詞の形と内容から考えて仮定法であり、if節は過去の話であると分かる。仮定法の場合、if節には実際の時制よりも古い時制を使うので、過去の話は過去完了を使わなければならない。よって、was を had been にする必要がある。

➲site「現場」

500. （A）→ had started

「もし私がもっと早い年齢でバレエを始めていれば、私は今ごろ大きなバレエ団で働いていただろう」

どこまで読めば答えが分かる？：　at a much earlier age
内容から考えて、仮定法である。あとは、if節の時制を考える。if節は過去の話だから、過去完了に直す。くれぐれも主節の形を見てif節の形を決めたりしないように。
日本人は仮定法を
　　If S＋過去形，S＋助動詞過去＋V
　　If S＋過去完了形，S＋助動詞過去＋have＋過去分詞
という形で習うので、仮定法はこのパターンしか踏まないと思いこみがちであるが、これは、たまたま if節が現在・未来の話で主節も現在・未来の話だったり、if節が過去の話で、主節も過去の話だった場合に上記の形になるだけで、if節が過去の話で主節が現在の話だったり、if節が現在の話で、主節が現在完了の話というように、時制がクロスすることだってあるのである。よって、if節の時制を見て主節の時制を決めつけたり、その逆をしたりはできないのである（Point 44 参照）。

Point 44　時制のクロスに注意

> 多くの学習者が仮定法を
> 　　If S＋過去形，S＋助動詞過去＋V
> 　　If S＋過去完了形，S＋助動詞過去＋have＋過去分詞
> という形で覚えているので、「if節の動詞が過去形なら、主節は助動詞過去＋V」とか「主節の動詞が助動詞過去＋have＋過去分詞なら、if節は過去完了形」などと決めつけてしまっている人が多い。しかし、実際if節と主節の形はそれぞれの時制で決まる。よって、「あのとき～だったら、今～なのに」といった時制のクロスが起こる。したがって、if節／主節の形を見れば自動的にもう1つの動詞の形が決まるわけではないので注意。

If I **had passed** the entrance exam last year, I **would be** a university student now.
「もし私が昨年、その入学試験に合格していたら、私は今、大学生だっただろうに」

had passed は過去の話だが、would be は今の話である。

間違い探し（下線なし）

501. will → would

「大使館の介入がなければ、彼は今ごろ刑務所の中で裁判を待っていたであろう」

どこまで読めば答えが分かる？：　will
but for は「～がなければ」という意味だが、仮定法にしか使えない。よって、will ではなく would に直す。同じ意味で、if it were not for「～がなければ」という表現があるが、これは時制によって形が変わる。過去の話のときには if it had not been for にしなければならない。また、without も but for と同じ意味で使えるが、but for とは異なり、without は仮定法・直説法のどちらにでも使える。

　　Without his help, I **won't be** able to do it.　彼の助けがない可能性がある場合
　　Without his help, I **wouldn't be** able to do it.　彼の助けがある前提で、なかったとしたら

●embassy「大使館」　intervention「介入、干渉」　trial「裁判、公判」

502. is → were/was

「もし経済がもっとよかったら、政府は公共支出を削減することができるだろうに」

どこまで読めば答えが分かる？：　would be able to cut
主節の動詞が would be になっているので仮定法であると分かる。したがって、if節の動詞も現在の話のときは過去形にする。仮定法では be動詞を過去形で使う場合、主語が単数であっても were を使うというのが正式な文法だが、日常生活では主語に合わせて was を使うことも多い。

188

Chapter 6　仮定法

503.　is to crash → were to crash

「株式市場が暴落したら、あなたは本当に困ったことになるだろう。なぜならあなたの預金はすべて株に投資しているからである」

どこまで読めば答えが分かる？：　you'd be
主節が would be になっているので仮定法だと分かる。よって、is to crash を were to crash に直す。were to は「仮に」という意味だが、普通の仮定法と同じと考えてさしつかえない。is to は義務や予定を表すので、is to crash をこのままにして you'd be を you'll be に直すと意味がおかしくなる。

➲saving「(複数形で) 貯金、預金」　share「株、株券」

Point 45　were to と should

if を使った文章では were to や should などの表現を見かけることがある。were to は仮定法の現在・未来の話に使われ「仮に」の意味を表し、should は主に直説法の現在・未来の話に使われ「万が一」の意味になる。

If you **were to** lose your job, would you be able to find another one?
「もし仮に仕事をなくしたとしたら、次の仕事を見つけられますか？」
If you **should** see him tomorrow, tell him to call me.
「明日、万が一彼を見たら、私に電話するように言ってください」

しかし、両方とも特に無理に訳す必要はなく、were to はただの仮定法と同じように考えればよいし、should は「～すべき」と区別ができればそれでよい。

504.　criticizes → will criticize

「国家元首たちがそのサミットで重要な合意に達することができなければ、報道機関は厳しく彼らを批判するだろう」

どこまで読めば答えが分かる？：　criticizes
動詞の形から考えて直説法であるが、直説法の場合、主節の時制は完全にそのままの時制を使う。未来の話は未来形、現在の話は現在形、である。よって、現在形になっている criticizes を will criticize にする必要がある。現在形は現在の習慣を表し、ここでは、習慣的に批判しているという意味ではないからである。

➲state「国家、国」　significant「重要な」　summit「首脳会談、サミット」

505. were → had been

「あちらで私が話をしていたその男性は、私たちがもっと早くここに着いていればよかったと思っている。というのは、私たちが彼を助けることができたからだと言う」

どこまで読めば答えが分かる？：　earlier

wish の that節は必ず仮定法になるので、現在の話は過去形、過去の話は過去完了形を使う。ここでは、もうすでに到着しているので過去の話である。よって、過去完了形にする。

506. didn't make → hadn't made

「もし私の同僚がそのようなおろかな間違いをしていなければ、私は今ごろ冷たいビールを楽しみながら、バーで座っていただろう」

どこまで読めば答えが分かる？：　mistake で疑問に感じ、would be sitting で確信

文の意味から考えて仮定法の文章である。主節の時制は now から考えて現在であるが、if節の時制は内容から考えて過去。よって、仮定法で過去の話は過去完了を使うので、didn't make を hadn't made に直す必要がある。この問題では、if節と主節の時制が異なることがポイント。if節と主節の時制をそれぞれに考えることなしに、「主節が would＋V だから、if節は過去形」とか「if節が過去完了形だから、主節は助動詞過去＋have＋過去分詞」などと決めつけないようにしよう（Point 44 参照）。

◯colleague「同僚」

507. attend → are going to attend

「あなたが来週の月曜、午後2時の会議に出席するのかどうか聞くために、お電話しています」

どこまで読めば答えが分かる？：　attend

if を見たときに考えなければならないのは、「もし」という意味で使われているのか、それとも「〜かどうか」の意味なのかである。ここでは、「もし」ではなく「〜かどうか」である。「もし」という意味なら接続詞として使っているので、if 以下を文頭に出してもさしつかえないはず。ところが、この文章でそれをやると、

　　× If you attend the meeting, I'm calling to ask you.

になってしまい意味不明である。ということは、この if は「もし」ではなく「〜かどうか」ということになる。if が「〜かどうか」の意味を持つときは if節には通常どおりの時制を使う。ここでは、未来の話なので are going to attend になる。

508. does → did

「この地域のホームレス問題について取り組むため、政府が何かをする時期である」

Chapter 6 　仮定法

どこまで読めば答えが分かる？：　does
It's (high) time が that節をとると、その中は仮定法になる。つまり、現在・未来の話は過去形を使い、過去の話は過去完了形を使う。It's time 〜というのは「もう〜する時期である」という意味であるから、その動作が行われるのは未来の話。よって、過去形が正解。
◯address「(仕事などに) 本気で取りかかる」

509.　are → were

「もし仮に少年たちが家でときどき母親の手伝いをしていれば、彼女は今それほどのストレスは負っていなかっただろう」

どこまで読めば答えが分かる？：　wouldn't be suffering
主節が wouldn't be suffering になっているのと内容から仮定法だと分かる。よって、were to help に直す。were to は「仮に」という意味だが、普通の仮定法と同じと考えてもよい。
◯from time to time「ときどき」

510.　would have → had

「もし私が現在よりももっと多くのお金を持っていれば、私は土地を買って家を建てるのに」

どこまで読めば答えが分かる？：　if節の would であやしいと思い内容から確定
if節には原則として will/would は使えない。使えるのは intend の意味があるときだけである。よって、had に直す。

Test 2
（穴埋め）

511.　（C）　直説法における主節の形

「もしその学校のサッカーチームにケガが一切なければ、トーナメントに勝つチャンスは高い」

if節が現在形を使用しているので、ありえる話（直説法）であると分かる。したがって、仮定法である（B）（D）ははずれる。（A）は主語が it なので不可。

512.　（C）　「〜かどうか」を表す if

「学校に来年度の新しい教科書を購入する余裕があるのかどうか、我々にはまだ分からない」

if が使われているが、この if の意味は「もし」ではなく「〜かどうか」である。したがって、時制はまったく通常のものが使用される。よって、未来の話をしているので will be が正答。

513. （B） 仮定法における時制の混合

「もし火事が起こった日に天候がそれほど乾燥していなければ、私たちの家は未だに建っていただろう」

主節が現在の話をしているにもかかわらず、would＋V であることと文脈から、仮定法が使われていると考えられる。そして、if節の時制は the day of the fire という言葉から考えて、過去の話をしていると分かる。仮定法で過去の話をするときは過去完了を使うのだから、（B）が正答。主節の would be doing につられて weren't を選択しないよう注意。

514. （B） if を使った慣用表現

「身内であるというコネがなかったら、あなたはそのようなうまい仕事に就くことはなかっただろう」

主節が would＋have＋過去分詞だから、if節は過去完了形だと決めつけていた人には難しかったかもしれない。これまでにも言ってきたように、時制はクロスすることがあるので、if節が現在の話で、主節が過去の話、または if節が過去の話で主節が現在の話ということもありえる。よって、主節・if節のそれぞれについて時制を検証する必要がある。
さて、ここでは、would have done が一体いつの話かを考えよう。would have done という形を見るとすぐに「仮定法の過去の話だ」と考える人がいるが、実はそれだけではなく、完了形の仮定法であるとも考えられるのである。つまり、you **would not have landed** such a cushy job は you **landed** such a cushy job の反対を表す仮定法だけではなく、you **have landed** such a cushy job の反対を表す仮定法とも考えられるのである。そして、もし現在完了の仮定法であれば、文全体で現在の話をしていることになるから、if節に were not という現在を表す仮定法の形を使ってもさしつかえないことになる。

 If it **were not** for your family connections, you **would not have landed** such a cushy job.
 → You **have** your family connections, so you **have landed** such a cushy job.

他の例を見てみよう。
 If he **weren't** hardworking, he **wouldn't have finished** the report now.
 → But he **is** hardworking and he **has finished** the report now.
これもやはり、現在の彼の性格を述べていて、現在の完了した動作を述べている。
◐land「（〜を）ものにする、獲得する」 cushy「(仕事など) 楽な、楽しい」

Chapter 6 仮定法

515. （C） 仮定法の時制

「もし我々の大学のクォーターバックがもっとよいプレーヤーだったら、彼は今ごろ大学のためにプレーしていなかっただろう」

if節の主語が三人称単数の quarterback にもかかわらず be動詞が were になっているから、仮定法が使われている。よって、主節には助動詞過去形が必要となるので、この時点で（A）（B）は不可。（C）（D）は意味から考える。（C）は現在進行形の仮定法バージョンで「今、大学のためにプレーしている最中ではなかっただろう」、（D）は現在形・未来形の仮定法バージョンで「今、大学のためにプレーするだろう」となる。これだけ見ると、（D）でもいけるような気がするが、he は our college quarterback、つまりすでに大学のチームのクォーターバックである。それが、大学のためにプレーするのは当たり前だから、ここでは不自然である。よって、（C）が正答。

516. （B） 直説法の had better do

「もしあなたが、スケジュールどおりにそのプロジェクトを完了させるのに十分な時間がないなら、あと数人のスタッフを頼んだほうがよい」

if節が現在形を使用しているので、ありえる話（直説法）であると分かる。したがって、仮定法である（A）（C）（D）ははずれる。注意しなければならないのは（B）had better 「〜したほうがよい」が had という過去形を使っているものの、ただのイディオムであり、直説法でも使えるということである。

517. （A） 「万が一」の should

「来週あなたがその工場を訪れたときに、もしクリストファーに会ったら、彼に後日私たちに電話をくれるよう伝えてください」

（B）は仮定法なので、「会わないのだが、もし会ったと仮定すると」という意味になるが、それだと主節が命令文であるという説明がつかない。「もし彼に会ったら、伝えてくれ」と言っている以上、話し手は「you が彼に会う可能性はある」と思っているはずだからである。（C）は if節に will は使えないので不可。（D）は happen to なら正答。よって、正答は（A）となるが、この should は「〜すべき」ではなく「万が一」という意味である。

518. （A） I wish としての if only

「私がカメラを持ってきてさえいればなあ。景色は実に壮大なのに」

if only S＋V は I wish S＋V と同じような意味で、使い方も同じ仮定法をとる。よって、現在・未来の話には過去形を使い、過去の話には過去完了を使う。

❷scenery「風景、景色」 spectacular「壮観な」

519. （D） 仮定法の時制

「もし私が昨年と同程度のボーナスをもらっていれば、新しい車を買いに行っていただろう」
主節が would have ＋過去分詞なので仮定法で、過去を表すと考えられる。そして、内容的に考えると if 節も過去の話だから、過去完了を使う。

520. （B） 仮定法における時制の混合と比較級を強める表現

「もし私の友人が別のキャリアを選んでいれば、現在よりはるかに裕福だっただろうに」
if 節が過去完了形であることと文脈から、仮定法であることが分かる。そして時制を考えると、if 節は過去完了だからあのときの話をしており、主節は現在の話である。したがって、if 節で過去完了が使われていようと、現在の話をしている限り主節は would have ＋過去分詞ではなく would ＋V である。よって（B）が正答となる。また、very は比較級を強めることができないので（D）は不可。
○path「進路、コース、道」

521. （D） if を使った慣用表現

「彼の仕事の質を見ると、まるで彼はクビになりたがっているかのようである」
as if は「まるで〜かのように」の意味を持つ表現。また、仮定法でも直説法でもとれる。この文は仮定法を使っているので、「彼がクビになりたがっている」可能性がないと話し手が考えていることを示唆する。（C）は as if と like の混同をねらった選択肢。

522. （C） 仮定法における時制の混合

「もし私の友だちがあれほどチェスが得意でなければ、彼はチェスの本を今執筆してはいなかっただろう」
内容から考えて仮定法なのだが、主節の時制は now から考えて現在の話である。よって、仮定法で主節が現在形の場合は、助動詞過去＋V を使うので（C）が正答。

523. （A） 「〜かどうか」を表す if

「あなたの友だちが明日、駅まであなたを送ってくれるのかどうか聞いてみてもいいと思うよ」
if を見たときに最初に考えるべきことは、「仮定法か直説法か」ではなく、「『もし』なのか『〜かどうか』なのか」である。この場合の if は文の内容から考えて「〜かどうか」である。あとは、意味から考えれば（A）が答えだと分かるだろう。主節の could は仮定法ではなく、「〜することもできますよ」という提案の意味を持つ could。

Chapter 6　仮定法

●lift「人を車に乗せること」

524. （D）　仮定法の時制

「もし私の下の弟がそんなに賢くなければ、彼は今、弁護士ではなかっただろう」

if 節の主語が単数形にもかかわらず were を使用しているので、起こりえない話（仮定法）であると分かる。そして、仮定法の場合、現在・未来の話に過去形を使う。ここでは、内容から現在の話であると分かるので（D）が正答である。

525. （B）　直説法と仮定法の区別

「もしあなたがセールスのプレゼンテーションに私と同行しないなら、インパクトがそれほど強くないものになるだろう」

主節が won't を使用しているので、ありえる話（直説法）であると分かる。そして、ここでは主節の意味から考えて、ついてくる意志がないということを仮定しているのではなく、実際についてくるかどうかを問題にしている。したがって、（A）ははずれる。

間違い探し

526. （A）→ remains

「もし天候が、生長期の残りもこれぐらいよいままだったら、今年我々にはたくさんのりんごの収穫があるはずだ」

どこまで読めば答えが分かる？：　should get

主節の should に注意。この should は「〜すべき」ではなく「〜するはずだ」である。この should は起こる可能性がある未来の推測を表すものであるから、通常は直説法に使われる。よって、仮定法である were to remain を remains に直す。

●crop「収穫高」

527. （A）→ What if

「地方共同体が廃棄物処理施設の建設に反対すると決定したらどうなるのだろう？」

どこまで読めば答えが分かる？：　文末まで

このままでは、if＋S＋V で文章が完結していることになりおかしい。文脈とクエスチョンマークがあることから、what if S＋V「もし S が V したらどうなるだろう？」ではないかと考える。local community は可算名詞の単数形。

●waste「廃棄物」 disposal「(廃物などの)処理」

528. (A)→ hadn't been

「もし昨日の天気があれほど悪くなければ、私は今、洪水を防ぐために外で砂袋を積んでいなかっただろう」

どこまで読めば答えが分かる？： wouldn't be
現在の話なのに主節で would が使われていることと文の意味から考えて仮定法の文章である。if節の時制は yesterday があるから過去の話である。よって、過去の話は過去完了にする必要がある。
●pile up「積み重ねる」

529. (C)→ will

「親友は私と一緒に休暇旅行に行く時間があるのかどうかまだ分からない」

どこまで読めば答えが分かる？： 文末まで
親友が何を知らないのかといえば、私と旅行に行く時間があるかどうか。つまり、行けるか行けないかという0％か100％かを知りたがっていて、それを知らないという意味であるはず。0％か100％かなので、その中間の可能性を表す should「はずだ」や may「かもしれない」などでは文意に合わないことになる。よって、should を will に直す。また、have time というのは時間が自分に存在するということを表しており、時間を使うという意味ではない。よって、should を「べきだ」という意味ではとれない。have の代わりに take なら should のままでも可能。

530. (A)→ get up

「もしあなたが早起きして、その山の最初の小屋まで登ったら、あなたはすばらしい日の出の写真をとることができるはずだ」

どこまで読めば答えが分かる？： 文末まで
日本語では「もし朝早く起きたなら」と過去形を使うが、英語の過去形はあくまでも今より以前の話に使う。ここでは内容から未来の話だから got ではなく get にする必要がある（Point 8 参照）。これは、and のあとの climb が現在形になっていることからも分かる。ちなみに、主節に使われている should は「～すべき」ではなく「～するはずだ」である。
●hut「小屋」 spectacular「壮観な」 shot「スナップ（写真）」

Chapter 6　仮定法

間違い探し（下線なし）

531.　increases → increased または were to increase

「原料価格がこれ以上あがるようなら、私たちは年末までに廃業してしまうだろう。見通しがよくてほっとしたよ」

どこまで読めば答えが分かる？：　would be
if節に現在形を使っていて、主節が would be になっているので、直説法と仮定法を混同していることは、would be まで読めば分かる。何に直すかは第2文を読む。prospects are good「見通しはよい」と言っているので、原料の値上がりとそれに伴う廃業がないと、話し手が考えていると推測できる。よって、would be を will be にするのではなく、increase を仮定法にし、increased か were to increase に直すのが正答である。

このように、直説法／仮定法を問う問題では、単に動詞の形からだけではなく、話し手がどのように思っているのかを考える必要がある。
➲raw material「原料」

532.　would be → would have been

「もしその党が選挙運動のためにもっと多くの資金を調達できていたら、先週もっと成功していただろう」

どこまで読めば答えが分かる？：　文末まで
if節の動詞が過去完了であることと文の内容から考えて、仮定法であると分かる。この文の主節は過去の話だから、助動詞過去形＋have＋過去分詞にしなければならないので、would be を would have been に直す。
➲fund「（複数形で）（手元）資金」

533.　wouldn't have → hadn't

「その男の子2人は、今では隣の人に水をかけなければよかったと思っている。なぜなら共に外出禁止にされたからである」

どこまで読めば答えが分かる？：　wouldn't
wish の that節には仮定法を使うのだが、その形は仮定法で言えば、if節と同じ形である。つまり、単なる未来を表す will の過去形として would は使わないのである。
➲ground「（人を罰して）外出禁止にする」

534. that → as if または like

「話しぶりからすると、彼は転勤の話を受けるしか道がなかったように聞こえる」

どこまで読めば答えが分かる？： that
sound という動詞は that節をとらずに、as if や like を使う。
◯transfer「移転、転任」

535. 間違いなし

「もし４Ａのクラスの子供たちがそんなに手に負えない子供たちでなかったら、教室は本来のきちんとした状態だっただろうに」

「had not been が過去完了だから、主節も would have been にしなければならない」とか、「主節が would be だから、if節は were でなければならない」などと考えた人は要注意。仮定法の if節で過去完了が使われている場合、過去の話をしている場合だけではなく、現在完了の話をしていることもある。この問題もそれが当てはまる。つまり、the children in class 4A **has been** unruly「今までずっと unruly だった」という継続を表す現在完了の仮定法バージョンである。そして、主節では現在の話をしているのだから、if節に過去完了、主節に would be で全く問題がない。
◯unruly「言うことをきかない、手に負えない」 pristine「初期の、本来の」

536. if only → if

「嵐の雲が頭上にたちこめてきたため、登山者らは登りつづけることがいい考えだったのかどうか自問した」

どこまで読めば答えが分かる？： if only
内容から考えて、この if は「〜かどうか」のはず。よって、if only ではなく if を使う。

537. were → had been

「もしあなたが、誰をそのパーティに招待するかについてもっと注意していれば、そんなに多くの言い争いは起こらなかっただろうに」

どこまで読めば答えが分かる？： wouldn't have been
内容から考えて、すでに行われたパーティの話である。よって、実際には起こらなかったことを起こったとして仮定しているから仮定法を使う。仮定法の if節の動詞は、現在・未来の話は過去形、過去の話は過去完了形となる。設問の if節も「あのときもっと注意していれば」という意味なので、過去の話。したがって、過去完了形を使う。

Chapter 6 仮定法

538. is → were/was

「こんな天気だったら、夏休みならビーチに行くのに」

どこまで読めば答えが分かる？： summer vacation

主節の動詞が would go になっているので仮定法であると分かる。したがって、if節の動詞も現在の話のときは過去形にする。is をそのままにして would を will に直すのは、文法的にはOKに見えるが、意味的に難しい。というのは、if it is the summer vacation にすると、直説法を使っていることになるが、そうなると、話し手は「今が夏休みの可能性がある」と考えて話していることになる。ということは、この人物は現在、自分が夏休みかどうか自分では分からないということになってしまうのである。このように、直説法・仮定法は可能性に対する話し手の考え方を含んでしまうので、意味的にどちらかが不可能になる場合がある。

- ○ if the new secretary **is** a woman ...「もし、新しい秘書が女性なら」
  → 話し手はまだ新しい秘書が女性かどうか分からない。または、女性である可能性があると考えている。
- ○ if the new secretary **were** a woman ...「もし、新しい秘書が女性だったら」
  → 話し手は秘書が女性である可能性がないと考えている。おそらく、男性であるとすでに知っている。
- × if Tom **is** a woman ...「もし、トムが女性なら」
  → 話し手はトムの性別がどちらか分からないことになり、不自然。

539. lose → will lose

「経費を削減する必要があるのは分かるが、万一にでも製品の品質が損なわれることがあれば一夜にして客を失うだろう」

どこまで読めば答えが分かる？： lose

lose が現在形になっているが、これだと現在の習慣になってしまう。客を失うのはこれから先のことなのだから will lose にしなければならない。また、suffer に should が使われているが、これは「万が一」という意味の should である。

⊃cut「(費用などを) 切り詰める」 cost「(しばしば複数形で) 経費、コスト」

540. were → is

「もしそのショーがあなたが言うぐらいすばらしいのだったら、必要な大観衆を集めることに何ら支障はないだろう」

どこまで読めば答えが分かる？： should have no trouble

should は実際に起こる可能性がある出来事を指して「〜するはずだ」という推測を表す助動詞なので、通常、直説法で使う。よって、were を is に直す。

Chapter 7

Interrogatives
疑問詞

Test 1

Point 46　疑問詞の基本

疑問詞を使った疑問文は、その疑問詞が主語のときと主語でないときとで作り方が異なる。

　　主語の場合 … 疑問詞＋V
　　Who loves you ?　　　「誰**が**あなた**を**愛していますか？」
　　 S　　V

　　主語でない場合 … 疑問詞＋通常の疑問文
　　Who do you love ?　　「誰**を**あなた**は**愛していますか？」
　　 O　　S　V
よって、文章の構造に注意すること。

　　　　　　　　　　穴埋め

541.　（D）　基本的な疑問詞の使い方

「あなたの部屋で声が聞こえました。誰と話していたのですか？」

意味的に（A）（B）ははずせると思うが、（C）は「どのように話していたのか？」という意味になり正答であるような気がするかもしれない。しかし、文末に to があることに注目する。ここに前置詞 to がある以上、その目的語が文中に必要であるが、how は名詞ではないので不適切。したがって、（D）が正答である。

Chapter 7　疑問詞

542.（A）　間接疑問文の作り方

「その10代の若者たちは、実生活が本当はどのようなものなのか知ってもいいころだ」

間接疑問文なので、疑問文の順番にはならない。したがって、(B)(D)は不可。また、動詞が含まれていなければならないので、(C)も入らない。

Point 47　間接疑問文

間接疑問文は、疑問文を名詞の固まりにする構文。その方法は、疑問詞が主語のときとそうでないとき、そして疑問詞を使わないときによって異なる。

疑問文を名詞にする
- 疑問詞が主語　　　そのまま
- 疑問詞が主語以外　疑問詞＋S＋V
- 疑問詞がないとき　if/whether S＋V

Do you know
+ **Who broke** the window? ＝ Do you know **who broke** the window?
　　S　　V　　　　　　　　　　　　　　　変更なし
+ **When** did **it** happen? ＝ Do you know **when it happened**?
　主語以外　S　　　　　　　　　　　疑問詞＋S＋Vに変わる
+ Does he love Mary? ＝ Do you know **if/whether he loves** Mary?
　→疑問詞なし　　　　　　　　　　if/whether をつけて S＋V の順番

543.（D）　前置詞が必要な疑問文

「私たちだけではその研究を仕上げるための十分な資金がない。どの会社と協力するべきだろうか？」

疑問文に対する答えを考えてみよう。たとえば、that company「あの会社」と答えると仮定して、答えの文をフルセンテンスで考えると、

　　We should collaborate **with** that company.

のように、with が必要であると分かる。which company は that company を置き換えただけなので、疑問文にも with が残ったままになる必要がある。(A)(B)(C)の場合は次のような関係になってしまう。

　　we should collaborate { to / for / from } that company

よって、(A)(B)(C)は不可。

◯collaborate「共同で行う、協力しあう」

Point 48　前置詞＋疑問詞

> 疑問詞を使った文では、疑問詞の前に前置詞が必要な場合がある。
> 「誰からその本を借りたのですか？」
> 　　**From** whom did you borrow the book?
> これは肯定文を考えれば分かる。
> 　　I borrowed the book from **Ken**.
> 　　　　　　　　　　　→ これが分からないので whom に直す。
> from Ken で1つのパーツだと考えれば、from whom を文頭に持っていくことになるし、疑問詞を文頭に出すという原則どおりに作れば、Who(m) did you borrow the book from? というふうに from が文末に残ることになる。

544.（C）　疑問詞を使った慣用表現

「親しみやすい環境でやりがいのある仕事を探していますか？　われわれ経営コンサルタントチームに加わりませんか？」

空欄のあとが join という動詞の原形であることに注意。(A) How about は意味的には通じるが、about が前置詞であるので、後ろには名詞をとる。よって、動詞を持ってきたいなら ing 形でなければならない。(B) How come は why と同じ意味であるので、意味的にも合わないうえ、S＋V をとるので不可。(D) は why don't you なら正答となりうる。why not ＋原形で「～してはどうですか」となる。

◯challenging「やりがいのある」

545.（A）　基本的な疑問詞の使い方

「新製品の売り上げ増加のための君のアイデアに、上司はどう反応しましたか？」

did 以下の文章だけでも、完結した1つの疑問文になりうるので、目的語や主語または補語を問う疑問詞を問うているのではないと分かる。したがって、(A) が正答。(B)(C)(D) が名詞を尋ねる疑問詞であるのに対し、(A) は副詞を尋ねる疑問詞。ある文章から名詞を削除すると構造が変わるが、副詞を削除してもさしつかえはない。

546.（C）　2種類の間接疑問文

「その2つの解決策の中で、どちらがもっともうまくいくとあなたは思いますか？」

間接疑問文には2つのパターンがあり、

Do you know **where** he lives?「彼がどこに住んでいるか知っていますか？」
Where do you think he lives?「彼はどこに住んでいると思いますか？」

に分かれる。どちらのパターンになるかは使う動詞によって決まるが、簡単に見分けるためには Yes/No で答えられるのかどうかを考える。「彼がどこに住んでいるか知っていますか？」というのは Yes/No で答える質問なので、do から始め、「彼はどこに住んでいると思いますか？」というのは場所を答えるから where から始める。（A）は do you know which なら正答。（B）は疑問文の体裁をなしていないので不可。（D）は which do you believe なら正答である。

Point 49 もう1つの間接疑問文

Do you know＋Where does he live? は
　Do you know where he lives?「彼がどこに住んでいるか知っていますか？」
となり、
Do you think＋Where does he live? は
　Where do you think he lives?「彼はどこに住んでいると思いますか？」
となるので注意。
なぜ、語順が違うかというと、内容が違うから。「彼がどこに住んでいるか知っていますか？」という質問には Yes/No で答えられる。よって、疑問詞で文を始めることはできない。逆に、「彼はどこに住んでいると思いますか？」の場合は、Yes/No で答えることはできない。場所を尋ねているのだから、疑問詞が文頭にこなければならないからである。

547.（A）　疑問文が主語になるときのルール

「新入社員のうちのどの人がもっとも有能な管理職の人材になりそうですか？」
（C）は from the employees が意味不明なので選べない。（B）は which new employees が複数形になるため動詞は are でなければならない。（D）は one のあとは単数形でなければならない。
この文の make は「〜になる素質・能力がある」という意味で、S＋V＋C の文型をとる。
　ex. He will make a good father.「彼はよいお父さんになるだろう」
また、material は「人材」という意味もある。

548.（A）　2種類の間接疑問文

「あなたの誕生日に、お父さんはどんなバイクを買ってくれると思いますか？」
what から始まる疑問文なので、Yes/No で答えられない意味になるはず。しかし、（D）だ

と「お父さんはどんなバイクを買ってくれるか知っていますか？」となり、Yes/No で答えられることになる。したがって、（D）は不可。（B）は that節をとらないので不可。（C） wish の that節は仮定法になるので不可。間接疑問文には2種類あるので注意すること。詳細はPoint 49を参照。

549.（B）　前置詞が必要な疑問文

「すてきなドレスが実にたくさんありますよ。どれを買うつもりですか？」

日本語に訳して考えている限り、正答にはたどり着けない。

　　（A）Which one are you interested?
　　　　I'm interested **in this one**.
　　（B）Which one are you going to buy?
　　　　I'm going to buy **this one**.
　　（C）Which one are you satisfied?
　　　　I'm satisfied **with this one**.
　　（D）Which one are you going to choose from?
　　　　I'm going to choose from **this one**.

以上のように、（A）（C）は前置詞が不足しているので不可。そして、（D）は文法的にはOKだが、「この1着のドレスから選びます」というのは意味的に不可能。Which ones なら2着以上あることになるので、正答となりうる。

550.（A）　疑問詞の基本的な使い方

「新しい倉庫施設に人員を配置するのに、どのくらい新入社員を募集する必要がありますか？」

（B）の How much は数えられない名詞の量を聞くために使うので不可。（C）は What type of なら正答となりうるが、of なしでは使えない。（D）は Which of the new employees なら可能。some/many/most などと同じように、which も of をとるなら、特定されているグループのうちのどの部分かを指すのだから、そのあとの名詞には限定詞が必要（Point 54 参照）。限定詞をつけないのなら of は不要で、Which new employees になる。man は動詞で「人員を配置する」の意味。

●employee「従業員」　warehouse「倉庫、貯蔵庫」

551.（B）　「〜かどうか」の whether

「申し訳ありませんが、そのコースを続けたいのかどうかあなたが決めなければいけません。私はおすすめしませんが」

選択肢（A）〜（D）のすべてが、文法的には空欄に当てはまる。ということは、内容から

判断しなければならないということ。第2文の I recommend against it. 「私はおすすめしない」という文がなぜここにあるのか考える。そのように考えると、(A) いつ継続するのか、(C) どのように継続するのか、(D) なぜ継続するのか、を決めるのではなく「継続するべきかどうか」を決めなければならないと言っていることが分かるだろう。

552. (B) 基本的な間接疑問文

「なぜ昨日、彼女はその会議について私に言ってくれなかったのか、どうしても分からない」
文法的に言えば、どの選択肢を入れても入れられないことはない。よって、意味から考える。

昨日、その会議について彼女が {(A) 何を / (B) どうして / (C) どれぐらい / (D) どのように} 私に言わなかったのか理解できない。

このように考えると (B) why が一番当てはまることが分かるだろう。
◯for the life of one 「どうしても」

553. (D) 主語になる疑問詞

「都市美術館で新しい展示会がありますが、誰がその記事を書きに行けばいいですか？」
空欄のあとには疑問文があるのではなく、通常の語順となっている。つまり、空欄には主語となる語が必要であると分かる。よって、(D) が正答。
◯article「記事、論説」

554. (C) 疑問詞の慣用表現

「仕事でそんなに忙しいのなら、どうして毎晩出かけては楽しんでいるのですか？」
how come を問う問題。how come は why の意味だが、後ろは疑問文の語順にならず、肯定文の順番になる。

555. (D) 基本的な間接疑問文

「1年生は、誰が学長なのかまだ知らない」
間接疑問文の場合、疑問詞を使った疑問文は S+V の順番に戻す。よって、who is the President は who the President is にしなければならない。
◯President「(大学の) 学長、総長」

間違い探し

556. (A) → When/Where/How

「あなたは息子さんがグループからいなくなっていることに、いつ(どこで/どうして)気がつきましたか？」

どこまで読めば答えが分かる？： realize のあとに目的語があると分かったところ
what は単体で使う場合は名詞として使う。しかし、ここでは、主語も目的語もすでに文中にあるので what を使うことができない。内容から考えて When/Where/How などが入るだろう。
◯missing「(人が)行方不明で」

557. (B) → whether/if

「その学校の教師らは、その少年に大学の奨学金を受ける資格があるのかどうか、まったく分からなかった」

どこまで読めば答えが分かる？： 文末まで
what が whether または if になるということが分からなくても、少なくとも what ではいけないことは分かる必要がある。what は単体で使われるときは名詞となる。よって、what が使われている疑問文では what は主語・目的語・補語のいずれかになっているはずである。

What is in the box? → **A book** is in the box. の a book に当たる
What did you eat? → I ate **some bread.** の some bread に当たる
What do you call the flower in English? → We call the flower **a tulip.** の tulip に当たる

ところが、設問の、
　... what the boy was eligible for a university scholarship.
では、名詞の挿入できるところがない。つまり、what ではいけないということである。ここでは「資格があるのかどうか」という内容から考えて、whether または if にする。
◯be eligible for「～を受ける資格がある」

558. (D) → go to または visit

「今週末、あなたは遊園地へ行きたいと言ったでしょう。どれに行きたいの？」

どこまで読めば答えが分かる？： 文末まで
日本語で英語を考えている人には解けない問題。which one は名詞である。疑問詞が苦手な

Chapter 7 疑問詞

場合は、答えの文をフルセンテンスで考えてみよう。たとえば、設問の疑問文に対し「あの遊園地に行きたい」と答えるとする。

I want to visit **that** amusement park.
　　　　　　　　↑この部分が聞きたいから which に直す
　　　　　　　　→ which amusement park

すると、このような文になる。そして、このうちどの部分が聞きたくて疑問文を作っているのかを考える。この場合は、that amusement park なのか this amusement park なのか分からないから、that/this の部分を which にしていると考える。そして、which amusement park で 1 つのまとまりだから、それを文頭に出して疑問文を作ると、

Which amusement park do you want to visit?

となる。それと同じように、go を使って考えてみると、

I want to go to **that amusement park**.
　　　　　　　　　→ which amusement park

このように、that 以下の部分を which amusement park に直すだけだから、go to はそのまま残ることになる。したがって、

Which amusement park do you want to go **to**?

にしなければならない。ここで、to を省略してしまうと、
　× You wanted to go this amusement park.
が成り立つことになってしまい、おかしい。よって、(D) を go to とするか visit としなければならないのである。

これとは異なり、where を考えてみよう。

I want to go **to that amusement park**.
　　　　　　　　→where

実は、where は here/there と同じ副詞である。つまり、in/to/at/on ＋名詞の働きをする。したがって、**to** that amusement park を where で置き換えることになるので、これをもとにした疑問文は、

Where do you want to go?

のように、to は必要ない。

207

559. （A）→ come

「他の国民が賃金カットに直面しているときに、どうして政府は政治家の給料を上げているのだろうか？」

どこまで読めば答えが分かる？：　the government is
How about「〜はどうですか」では意味的に合わないし、how about は名詞をとり S+V はとらないから、ここでは不適切。why と同じ意味の How come にする。（B）の politicians' は、politician の 複数形 politicians の所有格。ここでは複数の政治家の話をしているので、このままでよい。
◯pay「給料、賃金」

560. （A）→ From whom

「そのような短期間で、こんな大金を私たちは誰から借りるのですか？」

どこまで読めば答えが分かる？：　文末まで
文章が長いので、文の構造を考えにくいかもしれない。そこで、よけいな飾りを取って、時制も文が短くてすむ現在形にして書き換えてみると、設問の文は、

　　Who do we borrow money?

となる。答えを考えると、We borrow money **from** him. というように from を足さなければ答えられないことに気がつく。したがって、From whom にするか、money のあとに from を足す必要がある。
◯space「(時の) 間、時間」

間違い探し（下線なし）

561. is を文末に置く

「我々にはその地震で起きた被害の大きさがどれほどなのか知るすべがない」

どこまで読めば答えが分かる？：　is
疑問詞のある疑問文だけ取り出して考えると、

　　what is the full extent ...

だと考えられる。この疑問文の構造は、the full extent が主語であり、is が動詞である。間接疑問文（疑問文を名詞にする）では語順を疑問詞＋S+V にしなければならない。よって、is を文末に置く必要がある。
◯extent「程度、範囲」

562. know → think

「私たちは、旅行に小遣いをどれくらい持っていく必要があると思いますか？」

どこまで読めば答えが分かる？： know
know を使うと、意味的に「どれくらい持っていく必要があるか知っていますか？」となるのだが、この質問には Yes/No で答えられる。ということは、疑問詞で文章を始めてはいけないのである。疑問詞で文章を始めた場合は Yes/No で答えられない。よって、know ではなく think にする。

◯spending money「小遣い、現金」

563. How → What

「あなたは今年のお祭りパレードのテーマについて、何を提案するつもりですか？」

どこまで読めば答えが分かる？： suggest に目的語がないことに気づくところまで
how「どのように」自体には問題がないが、ここで how を使うと suggest に目的語がないことになってしまう。よって、what を使う。

564. at when → when または (at) what time

「本当に私の干渉すべきことではないと分かっていますが、今朝はいつ起きましたか？」

どこまで読めば答えが分かる？： at when
when は副詞である。つまり here/there などと同じように、前置詞の働きがすでに含まれていると考える。よって、新たに前置詞を付け加える必要はない。

Did you get up **at 7 o'clock**? →when	when は at と 7 o'clock 2つ分の働きをするので改めて at をつける必要はない
Did you get up at **7 o'clock**? →at what time	what time は 7 o'clock の分の働きしかしないので、at が疑問文に残ってもかまわない

したがって、設問の場合は at を削除する。もしくは、when を what time に直してもよい。この場合、what time は文法的には上記のとおり at が必要だが、at what time の at は省略してもかまわないことになっている。

565. What kind of → How many

「運転を始めてから何台の車を所有してきましたか？」「きっと5台ぐらいでしょう」
どこまで読めば答えが分かる？： 第2文の文末まで

第1文自体には何の問題もないが、このままだと第2文の「きっと5台ぐらいだ」とかみ合わない。台数を答えているのだから、台数を聞くべき。よって How many に直す。

566. you don't → don't you

「忙しすぎて家事ができないのだから、お手伝いさんを雇って代わりにしてもらったらどう？」

どこまで読めば答えが分かる？： you don't
why 以下は疑問文の形なので、why don't you に直す。この場合の why don't you は「〜してはどうですか」の意味。
➡given that S＋V「S が V するということを考えると」

567. Who → To whom、または第2文の文末に to を置く

「あそこの切符販売機のそばにいるのはアリソンじゃない？ 彼女は誰と話しているのかしら？」

どこまで読めば答えが分かる？： 文末まで
日本語で考えている人には難しい問題。なぜなら、このまま日本語に訳しても完璧な訳がつけられるからである。しかし、実際は、

この部分が分からないから who に直し、文頭にまわす

She is talking to **a man**.
　　　　　　　　　→ who

このように、to は疑問文の中に残っている必要がある。逆に言えば、×Who is she talking? が成り立つなら、×She is talking him. が成り立つことになってしまう。

568. do you expect which → which do you expect

「その2つのデザインの中で、社長は明日の会議でどちらを選ぶと思いますか？」

どこまで読めば答えが分かる？： which
文の意味を考えると、「どちらを選ぶと思いますか？」になるはず。そして、この疑問文には Yes/No では答えられない。ということは、疑問詞が文頭にくる疑問文であるはずだから、whichを前に出し、which do you expect にする。
➡alternative「どれか1つの、どれか1つを選ぶべき」

Chapter 7 疑問詞

569. come → coming

「夏休みに何も計画がないのなら、あなた方全員、私たちと南海岸でスキューバダイビングしに来ませんか？」

どこまで読めば答えが分かる？： all of you come
what about「〜はどうですか？」のあとには名詞がくることになっており、S＋V は置けない。come が原形・現在形のどちらであっても成り立たない。ここでは動名詞 coming が必要。動名詞の主語は所有格で表していたが、主語が長い場合や口語では目的格＋〜ing も使われる。

570. encountered → did you encounter

「昨日、山を下りながら、あなたはどれくらいの登山者に出会いましたか？」

どこまで読めば答えが分かる？： encountered に目的語がないと気づくところまで
このままでは、How many climbers が主語で encountered が動詞になってしまい、「何人の登山者が出会ったか？」となる。それ自体は文法的に間違ってはいないが、encounter は「出会う」という意味で目的語がないと使えない。よって、How many climbers が目的語ではないかと考える。
◐encounter「遭遇する」

Test 2

穴埋め

571. （B） 基本的な疑問詞の使い分け

「なぜその研究チームは、調査結果をまだ提出していないのですか？」

本文の中に主語も目的語もあるので（C）（D）は入れることができない。あとは（A）（B）で悩むことになるのだが、（A）は手段を問うことになるので意味的に合わない。
◐investigation「調査、研究」

572. （B） 基本的な疑問詞の使い分け

「ビルにカギをかけるとき何をしなければならないのか、新しい秘書があなたに教えてもらいたいそうです」

she has to do と疑問詞の関係を考える。how は「彼女がどのようにしなければならないか」となり、日本語で考えていると正答のような気がするが、実際は「何を」するのか言及する

必要があるので不可。(C)(D)は空欄に入れても意味不明。

573. (D) 主語の判断と疑問文の作り方

「もしそのような事態が起こったら、どんな緊急措置を政府はとるのでしょうか？」

(B)(C)については疑問文の体裁をなしていないので不可。あとは、What emergency measures が主語か目的語かを考える。主語なら「どんな緊急措置が」という意味になり、次に動詞がくるから(A)が正答となるし、目的語だと思えば「どんな緊急措置を」となり、次にくるのは普通の疑問文だから(D)が正答となるが、(A)は緊急措置が政府をとることになってしまうので、(D)が正答であると分かる。

◯emergency measures「緊急処置、応急対策」 arise「起こる」

574. (B) 疑問詞の慣用表現

「政府が景気後退について何かしなければならないことは分かっているが、これから先の世代の税負担についてはどうするのか？」

(A) how come は「なぜ」という意味で合わないうえに、後ろには S+V をとることになっているので、構造的にも合わない。(C)は「何のための」という目的を問う表現だが、ここでは文の内容から考えて次の世代の負担が何のためかを問うているのではない。ここは what about「〜はどうなったのか？」が正答となる。

◯recession「景気後退」 tax burden「税負担」

575. (A) 前置詞の必要な疑問文

「その情報が機密扱いであるのは承知しています。我々はそのことについて組織の誰となら話してもよいのですか？」

疑問詞を問われて、わけが分からなくなったら、フルセンテンスで答えを考えてみよう。そうすると、設問は、

　　　　　　　　　┌─ この部分が分からないから which に直し、文頭にまわす
　　　　　　　　　▼
　We can talk about it **to those** members of the organization.
　　　　　　　　　→ which

そうすると、to が疑問文に入っていなければならないことになる。しかし、to whom は選ぶことができない。なぜなら、whom は名詞の代わりにしか使えず、ここで必要なものは member を説明する形容詞の働きをするものだからである。よって、to which が正答。

◯classified「機密の」

Chapter 7　疑問詞

576.　(D)　2種類の間接疑問文

「家全体の内と外の両方を塗装するのに、どれくらいの費用がかかると思いますか？」

疑問文の形になっていない(A)は不可。あとは、「いくらかかるか？」と「知っていますか？」「思いますか？」をどのように組み合わせるか。「いくらかかるか？」＋「知っていますか？」の場合は「いくらかかるか知っていますか？」になるから、Yes/No で答えられる疑問文のはず。よって、疑問詞で文章を始めてはいけないことになる。逆に、「いくらかかるか？」＋「思いますか？」の場合は「いくらかかると思いますか？」なので、Yes/No で答えられないから疑問詞で文章を始める必要がある。そして、この組み合わせが正しいのは、(D)だけである。

577.　(D)　主語になる疑問詞

「あなたが昨日ジムに行ったとき、誰がエアロビクスのクラスを教えていましたか？」

選択肢の中に1つだけ他とは種類が異なるものがあるのだがお気づきだろうか？ who だけが名詞で(A)(B)(C)は副詞である。そこで、この空欄に必要なのは名詞なのか副詞なのかを考える。文章を読むと空欄には主語が必要であると分かる。つまり、名詞となるものである。よって(D)が正答。

578.　(C)　疑問詞の特殊な使い方

「現在のレベルで給水を維持するためには、どれぐらい大きなダムが建設される必要があるのだろうか？」

(B) How much は数えられない名詞の量を尋ねるときに使うので不可。(D)は How many＋可算名詞の複数形となるので不可。あとは、(A)(C)で悩むことになるのだが、これも他の疑問詞の疑問文と同様、どんな答えになるのかフルセンテンスを考えてみる。

(A)(C)ともに意味的には、「どれぐらい大きなダムが建築される必要があるか？」なので、それに対して「とても大きなダム」を使って答えを考えてみる。

　　　　　┌─この部分が分からないために、どの程度大きいのか how を使って尋ねる─┐
　A **very** big dam needs to be constructed.
　　→ very を how に置き換える

もともと、**very** big なのか **not very** big なのかを聞きたいのだから、この部分を how に置き換えて疑問文を作るわけである。ここから分かるように、冠詞の a がどこかに残っている必要がある。よって、(C)が正答。

213

さて、冠詞の a の位置に疑問を感じると思うが、疑問詞は先頭にくるというルールと、疑問詞のあとは形容詞／副詞がくるというルールがある。よって、how が先頭にきて、さらに how のあとには big がこなければならないために、a が後回しになったということである。
◗current「今の、現在の」

579. （B） 疑問詞の慣用表現

「人を助けるために何かしたいと本当に思っているなら、赤十字での仕事に応募してみてはどうですか？」

（A）how come＝why だから、「なぜ赤十字での仕事に応募するのですか？」となるが、前半と意味が合わないし、apply が現在形になってしまうので、習慣的に「参加する」という意味になってしまう。（C）は後ろに動詞がくるべきなので不可。

580. （D） 「～かどうか」の if

「お父さんがあなたの帰宅が遅くなるのかどうか知りたがっているので、必ず電話してね」

（C）は whether との混同をつく引っかけ問題。中級者でも weather「天気」と whether「～かどうか」のスペルの区別がつかないことがあるので注意しよう。
◗make sure (to do)「必ず（～するように）する」

581. （C） 2種類の間接疑問文

「どういった理由で校長は今日、われわれをオフィスに呼んだのだと思いますか？」

（A）（B）は疑問文の体裁をなしていないから不可。do you think/know になっている必要がある。（C）（D）については Yes/No で答えられるかどうかを考える。for what reason という疑問詞を使った疑問文だから、意味的に Yes/No で答えられない質問になっているはず。「どんな理由で呼び出したのか知っていますか？」だと、Yes/No で答えられてしまう。
◗principal「校長」

582. （D） 基本的な疑問詞の使い分け

「あなたはかなり長い間、ここで働いていますね。今でどのくらいですか？」

（A）は数えられる名詞に much を使っているので不可。（B）は year が複数形になっていないので不可。How many years なら正答。（C）はどれぐらい古いかを問う疑問詞なのでここには適さない。
◗quite「かなり、なかなか」

Chapter 7　疑問詞

583.（C）「～かどうか」の if

「月曜の朝一番にこの休暇中の課題を提出しなければならないかどうか、あなたは知っていますか？」

（A）は first thing on Monday morning「月曜日の朝一番に」と言っているので「いつ」と尋ねるのはおかしい。（B）（D）は間接疑問文の中に主語も目的語もあり、これ以上名詞を入れる所がないので不可。
◐assignment「宿題、研究課題」

584.（C）　基本的な疑問詞の使い分け

「2つの味から選べます。どちらがよろしいですか？」

文法的には（A）～（D）のいずれも入る。よって、答えは意味から考える必要がある。ここでは、「2つの味から選べます」という前の文章の意味から考えて「どちら」を尋ねているはずなので Which one が正答。

585.（C）　前置詞の必要な疑問文

「これは機密に関わる問題です。誰に話しましたか？」

意味から考えれば、「誰に」が必要であるので、物を指す（B）は不適当。あとは、この問いにフルセンテンスで答えたときにどういう文になるのかを考える。「誰にそれを話しましたか」と聞かれたら、たとえば「彼にそれを話しました」という答えになる。それを英文で考えると、I mentioned it **to him**. になる。そして、もとの疑問文では him が分からなかったのだから、him を whom にしているはず。よって to は文中に残っていなければならないので、To whom が正解である。
◐sensitive「機密である」

間違い探し

586.（C）→ Which

「新築の家をたくさん見てきましたね。どれを購入しますか？」

どこまで読めば答えが分かる？：　文末まで
what は具体的に選択肢の提示があった場合には使わない。ここでは、「たくさん見た新築の家の中から」という選択肢の提示があるので、which を使う。

587. （B）→ how

「当局はどれぐらい多くの人々が汚染された食物を食べて具合が悪くなったのかはっきりとは分かっていないが、多数に上ることは分かっている」

どこまで読めば答えが分かる？：　文末まで
文法的には問題がないので、意味的に考える。このままだと、「多くの人々が具合が悪くなったかどうかは定かではない」と言っているのに、そのあとの文で「しかし、多数であることは知っている」となる。だが、それでは意味が合わない。そこで、「多数であると分かっていても、何が分からないのか」を考えると、具体的な数ではないかと思いつく。よって、if を how に直して how many people「どれぐらいの数の人々」とするのが正解。exactly「正確に」もヒントになるだろう。
●taint「汚す、汚染する」

588. （C）→ How long

「新しい家にちょうど移ってきたところですね。駅まで歩いて、どれぐらいかかりますか？」

どこまで読めば答えが分かる？：　does it take
内容的には、how far「どれぐらい（距離）」でも how long「どれぐらい（時間）」でもさしつかえなさそうだが、take は「（時間が）かかる」の意味である。よって、How far ではなく How long を使う。日本語で考えていると気がつかないので注意。

589. （D）→ about

「あの会議は非常に長かった。みんな何の問題について議論していたのですか？」

どこまで読めば答えが分かる？：　文末まで
このままだと、
　Everyone was arguing **with** what issue.
という関係が成り立つが、argue with A は「A さんと議論する」であるので、ここでは不適切。what issue が「どんな問題」という意味であることから、with でなく about でなければならない。
●last「（時間的に）続く、持続する」

590. （C）→ about

「社長は会社の士気を高めるために何かすべきだと考えている。パーティをしてはどうだろう？」

どこまで読めば答えが分かる？：　throwing
how come は why と同じ意味。しかも、意味が合わないうえに how come のあとは S＋V

Chapter 7　疑問詞

がくるべき。よって、このままでは文法的にも不可。ここでは、意味から考えて how about にする。
◯morale「士気」(moral「モラル」との混同に注意)

間違い探し（下線なし）

591.　How much → How many

「パーティは30人程になる予定だが、どれくらいピザが必要になるだろう？」「Lサイズが8枚ぐらいです」

どこまで読めば答えが分かる？：　pizzas
how much は量を聞く疑問詞で、数えられない名詞に対して使用する。ここでは、pizza に s がついているので pizza が数えられる名詞として使われていると分かる。よって、How many に直す。可算名詞・不可算名詞については、Point 55 を参照。

592.　when → whether/if

「あなた様の財務状態がローンを支えるのに適切であるかどうか見るため、担当の銀行アドバイザーに連絡をおとりください」

どこまで読めば答えが分かる？：　文末まで
文法的には問題がないので意味的に考える。多少知らない単語があっても問題はない。

|前半|
あなたの personal banking advisor にご連絡ください
|後半|
いつ、あなたの financial position が loan を support するのに十分なほど adequate であるかを確認するために

このように、文の構造だけを考えて単語は放置しておいても、おおよその意味がとれるはずである。意味が理解できれば、when ではなく whether/if ではないかという想像がつく。銀行のアドバイザーにローンのことで相談するのは「借りられるかどうかを確認するため」であって、「いつ adequate であるのかを確認するため」ではない。注意する点は、when 以下の S＋V の動詞が is という現在形であるということである。つまり、未来形ではないから、今後いつ財務状況がよくなるかではなく、一般的にどの時期に自分の財務状況がよいのかを確認するという意味になってしまう。
◯adequate「適切な、相応な」

593. you を削除

「どれだけの人がすでにその会合の招待状に返事をしてきましたか?」

どこまで読めば答えが分かる?：　文末まで

この文章のどこがまずいのかは、この疑問文の答えを考えれば分かる。How many people と聞かれているので、たとえば30人と答えるとして、フルセンテンスで答えを書こうとしても、書けない。30 people を入れる場所が文中にないからである。したがって、you を削除。reply は通常、目的語をとらず、前置詞の to などが必要。

594. what had the leak caused → what had caused the leak

「その配管工は、台所の床を水浸しにした水漏れが、何が原因で起こったのか発見することができなかった」

どこまで読めば答えが分かる?：　caused

間接疑問文なのに、what 以下が疑問文の順番になっているから、ここがおかしいことが分かる。しかし、どのように直すべきなのかは、文章の意味が分かっていなければならない。ここでは文章のとり方は3つ考えられる。

① what が目的語で the leak が主語→「the leak が何を had caused したか」
discover **what** [the leak that had flooded the kitchen floor] had caused
　　　　　O　　　　　　　　S　　　　　　　　　　　　　　　　　V

② what が主語で the leak が目的語→「何が the leak を had caused したか」
discover **what** had caused [the leak that had flooded the kitchen floor]
　　　　　S　　　　V

③ what が主語で、使役動詞 had＋目的語＋過去分詞
　　　　　　　　　　　　　→「何が the leak を caused の状態にさせたか」
discover **what** had [the leak that had flooded the kitchen floor] caused
　　　　　S　使役動詞　　　＋目的語　　　　　　　　　　　　　　＋過去分詞

③は意味不明なのではずれるが、①と②で迷うかもしれない。しかし、よく考えてみると、①「キッチンを水浸しにした水漏れが何を引き起こしたかを水道屋が見つけられなかった」というのは意味的に不自然である。水漏れが何を引き起こしたのかというと「キッチンを水浸しにした」ことであり、それはすでに関係詞節で述べられているからである。よって、②の形に直すのが一番自然であろう。

⬤plumber「配管工、水道屋」

Chapter 7　疑問詞

595.　can your sister attract → your sister can attract

「金曜日から始まる妹さんのモダンアート展で、どのくらいの人を彼女は魅了すると思いますか?」

どこまで読めば答えが分かる?：　can your sister
do you think がなければ、How many people can your sister attract ... となり正しい文章といえるが、do you think が入っているときは一種の間接疑問文であると考え、そのあとの順番は疑問文の順番ではなく S+V に戻す。

596.　Whom → Who

「クラスの誰が、カリキュラムの内容について抗議しに校長室へ行く覚悟があるのだ?」

どこまで読めば答えが分かる?：　is prepared
is prepared が動詞である以上、疑問詞が主語になるしかない。しかし、whom では主語になれないので who に直す。
●principal「(学校・大学などの) 校長、学長」　contents「内容、中身」

597.　how much → whether/if または or not を削除

「政府は所得税の基本税率を引き上げる意向なのかどうか、まだ示していない」

どこまで読めば答えが分かる?：　文末まで
or not があるので、how much ではなく whether/if でなければならないことが分かる。または、逆に or not を削除して「どれくらい引き上げるか」としても可。
●indicate「示す、表す」　income tax「所得税」

598.　When → Where/How

「夏休みをどこで (どのように) 過ごすつもりですか?」「私たちはイタリアへ行きます」

どこまで読めば答えが分かる?：　第2文の文末まで
第2文に We're going to Italy! があるので、when ではおかしい。ここでは、where/how が入るだろう。

599.　can the company best increase → the company can best increase

「このような難しい経済状況で、会社はどうしたら売り上げを一番伸ばすことができるのかグールドさんに説明していただきたい」

どこまで読めば答えが分かる?：　can
間接疑問文で疑問詞が主語でない場合は、疑問詞+S+V となる。よって、the company

can best increase となる。
◯climate「情勢」

600.　know → think

「この実験の結果が、宇宙の本質について何を明らかにするとその教授は考えていますか？」
どこまで読めば答えが分かる？：　the outcome
the outcome という名詞を見たところでこれ以上目的語は不要であることが分かるので、この時点で What の場所がなくなることに気づくべき。
センテンスの意味は、「この実験の結果が何を明らかにするとその教授は考えているか？」である。know ではなく think を使う。
◯nature「本質、特徴」　universe「宇宙」

Chapter 8

Nouns & Pronouns
名詞・代名詞

Test 1
穴埋め

601. （C） 特殊な複数形の名詞

「私が少年のころは、家によくネズミがいた。それらは何でも食べたものだった」

空欄には冠詞がついていないので単数形は不可能。そして、mouse の複数形は mice である。mice ですでに複数形の状態なので、さらに s をつける必要はない。したがって、（D）は不可。

Point 50　特殊な複数形を持つ名詞

通常、複数形は s をつけて作るのだが、例外がいくつかあるのでまとめて覚えておこう。

まったく別の形
mouse → mice ネズミ　　　child → children 子供　　　tooth → teeth 歯
foot → feet 足　　　　　　woman → women 女性　　　man → men 男性

単数形と複数形が同じ形
sheep ヒツジ　　deer シカ　　moose ヘラジカ　　fish 魚　　aircraft 航空機
★ただし fish は、種類をいう場合には複数形となる

602. （A） 時を表す it

「幕があがるまでどのくらいありますか。バーで飲み物を買う時間はあるでしょうか？」

時間を指しているので、主語には it を使う。（B）だと幕が開く前に劇がどれぐらいあるのかという意味になって不適切。（D）は minute が単数形である限り１分間を指し、How long を使う必要がない。

603. （A） 名詞の種類と数え方

「学校が一晩に課すことのできる宿題の量に制限を作ってくれたらなあ」

homework が可算かどうかを問われている。しかし、数えられるにせよ数えられないにせよ、(B)(C) は選べない。the number of は個数を指すから数えられるものに対して使用し、the amount of は量を表すので数えられない名詞に使うからである。homework は数えられないので（A）が正答。

ちなみに、wish のあとに would が使われているが、これは Point 2 でも述べたように意志を表す will/would であり、単純な未来の出来事に使う will ではない。

Point 51 よく使われる不可算名詞

> TOEICによく出る不可算名詞は以下のとおり。きちんと覚えておこう。
> equipment 設備、備品　　furniture 家具　　　　information 情報
> advice アドバイス　　　　knowledge 知識　　　　homework 宿題
> work 仕事　　　　　　　news ニュース
> ★ work は、「作品」の意味では可算名詞

604. （D） 代名詞の使い方

「私が到着したとき友人の多くはピザを食べていて、私に少しほしいかどうか聞いた」

either は否定文を受けて「〜もまた〜しない」となるので、肯定文のときには too と同じ意味では使えない。（B）both は何を指して両方といっているのか分からないので不可。また、意味から考えて、一切いらないと聞くのは不自然なので、ここでは（D）を選ぶべき。

605. （B） 可算名詞の数え方

「大学における教育水準は以前とは変わったが、多くの生徒は依然として入学しようと志願している」

（A）a great deal of は数えられないものに対して使うので不可。（C）は a great many なら「多くの」という表現があるのでOKだが、the ではだめ。（D）any はゼロを含め任意のどんな数でも指しうるが、ここでは、一定の数の学生について述べているはずだから不自然。（A）を選んだ人はなぜ（B）をはずしたのかきちんと考えただろうか。

➲standard 「基準」

Chapter 8 名詞・代名詞

606.（D） 天候を表す it

「今朝、家を出たときとても晴れていたので、わざわざ傘を持っていかなかったのだ」

天候の話をしているので主語は it。（B）（C）を選ぶのが一番まずい。（B）は副詞だから、これを入れると主節に主語がなくなってしまうし、（C）は疑問詞と考えても関係詞と考えても、後ろの動詞とセットになって、長い名詞を作るのだから、what was really sunny が長い名詞になってしまう。（B）（C）を選んだ人は文章の構造にあまり気をつけていないことになるので注意しよう。

607.（D） 無冠詞で名詞を使うとき

「近ごろ、ほとんどの人は規則正しく教会へ通ってはいないが、クリスマスが来ると国中の人が教会へ行く」

どこか特定の教会や、地図上の建物としての教会を指しているのではなく、「礼拝に行く」という意味で使われているのだから、church に冠詞は不要。よって（D）が正答。（B）は go がダイレクトに目的語をとることができないので to なしでは使えないから不可。（A）（C）は特定の地図上の場所を表すことになるが、単なる礼拝としての場所の話をしている主旨とは合わないし、the をつけてしまうと、どこか特定の1ヵ所の神社や教会に行くことになるが、主語が people nationwide「国中の人々」なのだから、それは地理的・人数的に考えられない。よって、（A）（C）は不可。
come＋時を表す名詞で、「～が来ると」の意味になる。
●churchgoer「教会に行く人」

Point 52　冠詞をつけないで使う名詞

通常、可算名詞の単数形は限定詞なしでは使えないが、例外がある。

食事の名前
eat breakfast/lunch/dinner/supper
★ただし、形容詞がつく場合は限定詞が必要
　→ I had a Japanese breakfast.

建物をその本来の目的で使う場合
go to school → 勉強するために学校へ行く
go to bed → 寝るためにベッドに行く
in prison → 受刑者として刑務所にいる
be taken to hospital → 患者として病院へ連れて行かれる
go to church → 礼拝のために教会へ行く

608. （A） 特殊な複数形の名詞

「雨が降ったあと、その農夫は牧草地の見回りに出かけ、3頭のヒツジの毛が濡れてしまったので立ち上がるのを手伝った」

sheep は単数・複数が同形なので（B）は不可。（C）の deer も単数形と複数形が同じなので、答えの可能性はある。よって、（A）（C）（D）は文法的に正しいことになるから意味から考える。fleece の意味が分かっていないと解けないと思った人は、要注意。単語から文章の意味を推測する傾向にある。

　　「雨が降ったあと、その農夫は牧草地に行き、fleece がずぶぬれになっている×××が立ち上がるのを助けた」

この文章から考えると、fleece がずぶ濡れになって立ち上がれなくなる動物は何かを考えればよいことが分かる。ということは、fleece が「毛」で、かっこに入るのがヒツジではないかという想像がつく。
◯fleece「ヒツジの毛」

609. （A） 名詞の数え方

「今までのところその本をあまり読んでいないが、よい本のようだ」

but 以下をきちんと読んでいるかどうかがポイント。（B）は much は数えられないものに対して使用し、book は数えられるのだから文法的に不可。（C）（D）は文法的に可能だが、but 以下をよく見ると、it/a good read というように単数を指すはず。したがって、ともに不可である。（A）は book の個数を数えているわけではなく、ある本の内容量を指している。つまりどの程度読んだか。

610. （C） 「もう1つ」の区別

「あなたかそのクラブの残りのメンバーの1人が、その部屋を損傷させたことについての説明を、校長に報告しに行かなければならない」

another は an＋other からできている単語なので、数詞＋複数名詞以外は複数名詞はとらない（Q656 参照）。the others は名詞の複数形だから、members とつながらない。one of のあとには限定詞が必要なので（D）は不可（Point 54 参照）。
◯principal「校長」

Chapter 8　名詞・代名詞

611.　（C）　advice は不可算名詞

「ローンに関するさらに詳しいアドバイスは、最寄りの支店までご相談ください」

advice は不可算名詞。したがって、（A）（D）は不可。（B）は little に a がついていないので「ほとんど～ない」の意味になり、ここでは不適切。advice が数えられなくて suggestion が数えられるというのは日本人にはとうてい理解できない感覚なので、暗記したほうが楽だろう。

●concerning「～に関して（は）」

612.　（A）　名詞の数え方

「その会社は新卒者をたくさん雇うが、ほとんどの者があまり長くはいない」

（B）（D）はともに数えられない名詞に対して使うので、ここでは不適切。（C）は the ではなく a なら正答。a large number of の a を the とするのは、a lot of「たくさんの」を the lot of と言わないのと同じこと。

Point 53　数量表現

数量表現にはいくつかあり、可算名詞と不可算名詞で区別をつけなければならないことがある。

可算名詞用
a large number of　多数の　　　　several　数個の
many　多数の　　　　　　　　　　a few　いくつかの

不可算名詞用
a great deal of　多量の　　　　　　much　たくさんの
a large amount of　多量の　　　　a little　少しの

両方使用可
a lot of　多くの　　plenty of　多くの　　some　いくつかの　　any　少しでも

613.　（B）　「それぞれの」の使い方

「その老人は、それぞれの子供に何でも気に入ったものに使うよう、10ドル与えた」

（A）は複数いるうちのそれぞれという意味だから each of the **children** でなければならない。（C）も同じ。（D）は一瞬引っかかりそうだが、文章を最後まで見ると子供を they で

受けていることが分かる。したがって、his child では単数なので当てはまらないことが分かる。each child は文法的には単数形だが、意味的には複数を指すので they で受けてもよいことになっている。
◯please「好む、気に入る」

614. (B) 〜of＋限定詞

「多くの競争相手と異なり、私どもはどこの支社ででもあらゆるサービスをすべてご提供できます」

(A)は意味的にもおかしいが、それよりも文法的に不可。none of のあとは限定詞（the／指示形容詞 these, those, this, that …／所有形容詞 my, your, his …）が必要。(C)は branches でなければならない。(D)は almost が副詞で、nearly という意味だからここでは不自然。
◯competitor「競争者（競争相手）」 range「範囲」 branch「支店、支社」

Point 54 〜of＋限定詞

> some/any/many/several/all/none/one などは、〜of＋名詞という形をとる場合、名詞には限定詞をつける必要がある。
> some of **my** friends/many of **these** books/one of **the** people
>
> また、none 以外は直接、名詞につけることもできる。
> **some** books/**several** people/**one** car
>
> 限定詞＝「どの」名詞かを限定する働きをもつ語。冠詞や this/that/those など「これ・あれ」に関わる指示形容詞、my/your/their など所有を表す所有形容詞がある。

615. (C) that節を受ける形式主語 it

「5万人ほどの人々が、今年の夏に行われる野外コンサートに参加すると予測されている」

文章の構造をきちんと考えれば解ける問題。(A) There は is までは正しく見えても、There is のあとは主語がくるはずなので直後に anticipated that 〜 がくるのはおかしい。(B) What は次の構造を考えれば動詞が足りないことに気がつくだろう。

Chapter 8　名詞・代名詞

| what you said | was | unforgivable |

| what is anticipated that around 50,000 people will attend the open-air concert this summer | ? |

❍anticipate「予想する」 open-air「戸外の、野外の」

間違い探し

616.　(D) → shelves

「去年スイスで私はグリュイエールを訪れ、そこで長い棚に積み重ねられたチーズを見た」
どこまで読めば答えが分かる？：　文末まで
shelf は可算名詞だが、無冠詞＋単数形で使われているのでおかしい。cheese は通常不可算名詞だが、種類を言う場合などは可算になる。shelf の複数形は shelves。
❍pile「積み重ねる」　shelf「棚」

Point 55　不可算名詞 ⟷ 可算名詞が変わる場合

普段は不可算名詞として使う名詞を、可算名詞として使ったり、可算名詞を不可算名詞として使う場合がある。

不可算名詞 → 可算名詞扱い
サイズや量など規格が同じものを数える場合は可算になる。
They ordered **two coffees**. → レストランではコーヒーは同じ規格で同じ量だから
I always take **3 sugars** in my tea. → 角砂糖やスプーンなど、単位が分かっている場合
I saw a lot of **cheeses** on the shelf. → 同じ規格のチーズ製品を指す場合や、種類を言う場合

可算名詞 → 不可算名詞扱い
個数で数えるのではなく、量で数える場合。特に食料などがこのケースに当てはまることが多い。

I ate **some chicken** for dinner. → a chicken にすると鶏を1羽まるごと食べたことになる
I put **some apple** on the cake. →リンゴをすり下ろしたものなど、もとの形をとどめておらず、量で量るもの

617. （A）→ Some/Many

「政府機関のいくつか（多く）の部局は、来春の構造改革の結果、なくなるだろう」

どこまで読めば答えが分かる？： 文末まで
any は肯定文のときには「どんな〜でも」という意味で、ゼロを含め任意の数を指しうるので、このままでは不自然である。よって、some/many などと入れ替える必要がある。または、数値でもよい。
◯cease「（事を）やめる」 restructuring「構造改革、リストラ」

618. （A）→ information

「さらに情報をお求めの方はカウンターにお越しくだされば、職員がお手伝いします」

どこまで読めば答えが分かる？： informations
information は不可算名詞。TOEIC では定番となった文法項目なので、きちんと覚えておこう。よく使われる不可算名詞については Point 51 を参照。

619. （A）→ a

「コンピュータの能力が足りないということが分かったので、新しいのを買わなくてはならない。どのタイプを買ったらいいのだろう？」

どこまで読めば答えが分かる？： 文末まで
第2文まできちんと読んでいないと答えられない。第2文で「どのタイプを買ったらいいのだろう？」と聞いていることから、まだどれを買うのか決まっていないはず。ということは、computer はまだ限定できていないので the をつけることはできない。

620. （D）→ of the other または other

「1機の飛行機が着陸時に滑走路を行き過ぎてしまったので、他の多くの便が遅れた。幸いにも負傷者はなかった」

どこまで読めば答えが分かる？： another
another＋数えられる名詞の場合は、another＋数詞＋複数形以外は単数形を使う（Q656 参照）。しかし、ここではたくさんの他のフライトを指すので another では不可。

Chapter 8　名詞・代名詞

○overshoot「止まらずに走り過ぎる」 runway「滑走路」

Point 56　another と the other

another/the other の両方に「もう1つ」という意味があるので混同されやすいが、両者は意味が違うので注意すること。

another は an＋other からできているということから分かるように、「もう1つ」が限定できない場合に使う。なぜ限定できないかというと、まだ複数残っていると分かっているから、またはいくつ残っているのか分からないからである。

これに対して、the other は限定されていることを表す the がついている。これは、「最後の1つである」ので the がついていると考える。

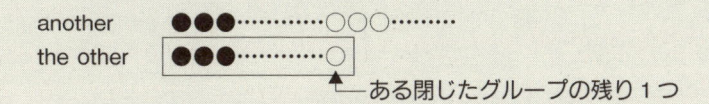

```
                このうちのもう1つ
                  ┌──┴──┐
another    ●●●………○○○………
the other  ●●●………○
                    └──ある閉じたグループの残り1つ
```

When I broke my right arm, I had to use **the other** arm to eat.
→ another にすると手が3本以上あるというニュアンスになる
The team leader couldn't come so **another** member came.
→ the other にすると、そのチームには2人しかいないことになる

間違い探し（下線なし）

621.　That's → It's

「誰もベルの音を聞かなかったの？　とっくに12時を過ぎていますよ。昼食を買いに行きなさい。2時から再開します」

どこまで読めば答えが分かる？：　12 o'clock
時を表すときは主語に it を使う。文中の well は past を修飾していて、「うまく」という意味ではなく past を強調する語句。**well** behind schedule「スケジュールよりかなり遅れてい

る」や **well** over the budget「予算をはるかに超えている」などにも使われる。

622. of governments → the governments

「3年後にその議定書は調印されたが、世界中の政府はそれを履行することを回避しつづけた」

どこまで読めば答えが分かる？：　around the world
all of のあとは限定詞＋名詞となるから、governments には the が必要である（Point 54 参照）。
●protocol「議定書」

623. 間違いなし

「長時間にわたるつらいトレーニングで1日を過ごし、私はとても疲れたので自室のベッドに行き、寝た」

通常、go to bed が「寝る」という意味のときには the は不要だが、単に go to＋場所としてのベッドの場合には限定詞が必要になる。ここでは、went to the bed は「寝た」ではなく、「自室のベッドに行った」なので bed には the が必要。逆に、settled down for the night が「寝た」という意味なので、went to bed にすると「寝た」がダブってしまうので不可。
●settle down for the night「寝る」

624. have → has

「現在そのコースに登録している人はすべて、今週末までに専攻の希望を知らせなければならない」

どこまで読めば答えが分かる？：　have
any person は単数扱いなので have を has にする。もし、any person が単数形であると最初から知っていて、この問題が解けなかったり、やたら時間がかかったりしたのなら、それは読み方が非常に悪いことになる。というのは、動詞を見たときに動詞の意味を考えるだけではなく、主語の確認も同時に行う必要があるからである。長文の1センテンスを読む場合は、意味が理解できればそれでいいのだが、文法問題は意味が分かっているだけではなく文法的に検証する必要がある。意味をとることに固執してその検証を忘れないようにしよう。
●enroll「(講座などに) 登録する、出席の登録をする」

625. by my bicycle → by bicycle または on my bicycle

「毎日、私は8時57分の電車に乗るため、自転車で駅に行きます。そして、だいたいは同じ電車に乗る友人としゃべっています」

Chapter 8　名詞・代名詞

どこまで読めば答えが分かる？：　by my bicycle
「by＋交通機関」には限定詞を使うことができない。よって、限定詞を使いたければ in/on を使う。設問の場合は、on my bicycle となる。

I went there **by** car.「私は車でそこに行った」
I went there **in** **his** car.「私は彼の車でそこに行った」

Point 57　by＋交通機関

Q625の解説にも書いたように、by＋交通機関はあくまで無冠詞で使う。よって、何らかの限定詞や形容詞を使いたい場合は、in/on を使うのが普通である。基本的には、taxi と car は in で、それ以外の乗り物は on である。同じ車両でも bus は in ではなく on を使うので注意すること。

I went there
- **by** taxi/bus/ship/plane. → by＋無冠詞＋交通機関
- **in** Tom's car/the taxi. → in＋限定詞＋車両（バスは除く）
- **on** the ship/that bus. → on＋限定詞＋その他の交通機関

626.　wifes → wives

「大使館職員とその妻全員が、退職する大使の名誉をたたえるレセプションに来た」

どこまで読めば答えが分かる？：　wifes
wife の複数形は wives なので、wifes を wives に直す。all of＋名詞の場合の of は省略可能なので、All the embassy officials … でよい。
→embassy「大使館」　ambassador「大使」

627.　toasts → slices of toast

「毎朝、新聞を読んでいる間にその男性はトースト2切れと、カップ1杯のコーヒーを飲んだものだった」

どこまで読めば答えが分かる？：　toasts
toast も bread と同じく不可算名詞。よって、数えるときは two toasts とするのではなく、two slices of toast とする。また、本文中の would は過去の習慣を表す would なので、このままでよい。

628. none → neither

「彼の母親か父親のどちらかがPTA会議に出席するだろうと思われていたが、どちらとも来そうにない」

どこまで読めば答えが分かる？： none of them
none は 3 つ以上の否定に使われる。ここでは母親と父親の 2 人を指すのだから、none ではなく neither を使わなければならない。ちなみに neither は文法的には単数だが、口語では複数としても使うので、are を is にする必要はない。

629. None → All

「全生徒が 9 月に行われるストリートパレードに参加する予定なので、どの生徒も山車を組み立てるのに忙しい」

どこまで読めば答えが分かる？： 文末まで
none は no+one だから「none of のあとは必ず複数形である」と誤解している学習者が多いが、none of のあとには単数名詞も可能で、「いかなる部分・分量も〜ない」という意味でも使える。
　None of my assignment has been done.
よって、設問は文法上間違いがない。したがって、あとは意味から考える。so 以下の文が「どの生徒たちも山車を組み立てるのに忙しい」なのだから、none ではなく all が必要だと分かるはず。たとえ float「山車」の意味が分かっていなくても、文章の構造から、「9 月に行われるパレードにその学校の生徒は誰も参加しないので、生徒たちは float を組み立てるのに忙しい」というのは違和感があるはず。
➔float「山車」

630. a banana → some banana

「赤ん坊の娘が床に吐き出したバナナを踏んで、私はすべって腕を折った」

どこまで読めば答えが分かる？： 文末まで
a banana はバナナ 1 本まるごとを指す。しかし、赤ちゃんが吐き出したときに、バナナ 1 本の姿をしているはずがない。よって、個数ではなく量で数える不可算名詞扱いになる（Point 55 参照）。
➔spit out「吐き出す」

Chapter 8　名詞・代名詞

Test 2

> 穴埋め

631.（D）名詞の複数形

「その民族グループからたくさんの人が、自分たちの文化的アイデンティティを強めようと集まった」

person は数えられる名詞なので（B）は不可。people はすでに「人々」という意味なので s は不要（国民という意味では、数ヵ国の国民がいる場合は s がつく）。（A）は設問中の together と合わないので不可。
➡reinforce「強める、強化する」

632.（C）～ of ＋限定詞

「生徒のほとんどが、なぜこの教科を勉強しているのか分からないと言うのは、もっともなことであろう」

almost は not completely の意味だから、ここでは不自然。（B）none は many, much, some などとは異なり、形容詞としての使い方はないのでダイレクトに名詞をとることはできない。あとは（C）（D）で悩むことになるのだが、この2つは意味が異なるのはもちろんのこと、ある文法的性格も異なるのだが、お分かりだろうか？　そして、その文法的性格のために、どちらかが正答となり、どちらかが誤答となる。ヒントは設問中にある。それは、neither が否定語だということである。設問の have のあとに no という否定語がすでにあるので、空欄にさらに別の否定語を入れることはできない。
➡subject「学科、科目」

633.（D）information は不可算名詞

「その女性は二、三の情報を得ようと、シティホールに電話した」

a couple of「二、三の」と言っている以上、そのあとには数えられる名詞の複数形がくる。よって、（A）は不可。また、information は不可算名詞であり複数形にはならないので（B）も不可。（C）は number と言っているのだから個数を指すはず。ところが、information は個数で数えられないので（C）も誤答。不可算名詞を数えるときは、（D）のように単位を数えて、不可算名詞を複数形にしたりしない。

634. （D） 不可算名詞の数え方

「駅の近くにある、あそこの問屋は信じられないような低い価格で多くの商品を売っている」

（A）plenty は plenty of という形で使用するので不可。ちなみに plenty は「豊富な数・量」という意味の名詞。よって、plenty of は数えられる名詞・数えられない名詞の両方に使う。（B）a large number of は数えられる名詞の個数を言う場合に使うが、merchandise が不可算名詞であるから不可。たとえ、merchandise が可算名詞か不可算名詞か知らなくても、複数形になっていないことから推測できるはず。（C）は a large amount of なら正答。ここでは（D）が正答だが、a great deal of は不可算名詞の量を言う場合に使われる。

➡warehouse store「問屋」 merchandise「商品」

635. （A） 時を表す主語 it

「明日から夏休みが始まるので、みんなは学校の掃除を手伝わなければいけません」

「明日は〜である」という日付の話をしているので、it を使う。Tomorrow is Sunday.＝It's Sunday tomorrow. であることに注意。文中に tomorrow がなければ、（C）（D）ともに正答になりうるが、日付の話をしていることにはならず、具体的な出来事・物を指すことになる。

➡tidy up「きれいにする」

636. （C） 交通機関を表す前置詞

「数年前に私はサザンプトンからニューヨークに、大きな船で行った。それは最高だった」

（A）with a ship は「船と一緒に」という意味であり、「船で」にはならないので不可。また、「by＋交通手段」という表現を使う場合、交通手段は無冠詞でなければならない。よって、（B）（D）は不可。交通手段に冠詞などの限定詞をつけたい場合は、on/in を使う。詳しくは Point 57 を参照。

637. （A） 「残りの人」を表す代名詞

「ある男性が、山を登っていて転落し足の骨を折ったが、グループの他の人々が避難所に彼を運ぶことができた」

but 以下の動詞が were なので単数扱いのものは主語にはならない。したがって、（C）（D）は不可。（B）most は、ほとんどの人々＝most people と同じ意味なので、ここでは入らない。

➡safety「避難所、シェルター」

638. (D) 可算・不可算の区別

「その社員が自分の席に着いたとき、その日に仕上げなければならない仕事が3つ書かれているメモが目に入った」

(A) task は可算名詞なので a few tasks となるはず。仮に task が可算名詞であると知らなくても、a few は可算名詞を数えるのに使われる形容詞だから、あとにくる名詞は複数形にする必要がある。(B) job は可算名詞なので、the pieces of a job なら可能。(C) work は「作品」という意味なら可算名詞だが、「仕事」という意味では不可算名詞。よって、(D) が正答となる。

➲outline「大まかに述べる、略述する」

639. (D) none の使い方

「今朝、高速道路で7台の車が関係する事故があったが、奇跡的にも重傷を負ったドライバーはいなかった」

(A) は動詞が単数形の was だから不可。(B) は was が単数の主語を指していることと、but 以下の文章の意味からはずれる。あとは、(C)(D) で悩むのだが、7台の車の事故と言っている以上、3人以上のドライバーが関係しているはずである。それを neither で受けることはできない。よって、(D) が正答。none は all の否定語と考える。

➲miraculously「奇跡的に」

640. (D) 時を表す it

「さて、みなさん。新入生全員は校長に会いに行く時間です。彼はメインホールにいます」

it is time for + 人 + to do「（人）が～する時間だ」の構文。ちなみに、it is time が that 節をとると、that 節の S+V は仮定法になる。(A) は the time なら可。

➲principal「校長、学長」

641. (C) either の使い方

「その小さな小学校の子供たちは、どちらの先生にもやめてほしくはなかったのだが、人数が減ったので他にどうしようもなかった」

teacher が単数形なので、(A)(D) は不可。あとは、文章が否定文なので否定語の neither は使えない。

642.（D） 無冠詞の食事

「それはきつい会議だったが、終わったあとで私たちはみんなで昼食を食べに出かけた」

breakfast/lunch/dinner/supper は普通、無冠詞で使用する。ただし、形容詞がついた場合は a がつく。
　eat breakfast/lunch/dinner/supper
　eat **a** Japanese breakfast/**a** wonderful dinner
（C）も文法的にはおかしくないが「私の昼食を食べに、みんなで外出する」というのはきわめて不自然であり、これを正答にすると、（D）を誤答にしてしまうことになる。
➦tough「骨の折れる、困難な、つらい」　afterwards「のちに、あとで、その後」

643.（B） 不可算名詞の数え方

「その老夫婦は退職前になんとかたくさんのお金を貯めたので、生活を楽しむことができた」

they could enjoy life があるので、否定的な意味を持つ（A）little「ほとんど～ない」は意味的に不自然。（C）は a large amount of なら正答。（D）の any money だと「いかなるお金も」という意味になり、意味的に不自然。
➦prior to「～の前に、～に先だって」

644.（B） 2人を指す代名詞

「私たち3人でこのオフィスを共用しているが、幸いにも他の2人もタバコを吸わない」

自分を入れた3人でオフィスを共同使用していて、自分以外の人間がタバコを吸わないと言っているのだが、自分以外の人間は2人しかいないので neither で受ける必要がある。

645.（D） 無冠詞のスポーツ

「私はバレーボールをするのがとても楽しかったが、何度も足首を捻挫したのでやめなければならなかった」

（A）は the が不要。スポーツは無冠詞で使う。（B）バグパイプは楽器だから、play the bagpipes は正しい。ただし、ここでは後半の文章とは合わない。（C）の sackbut は楽器の名前なので the が必要。よって、（D）が正答。（C）sackbut を知らなくて悩んだ人がいるかもしれないが、（C）か（D）のどちらが正答かで悩むのではなく、（C）と（D）の誤答である確率を考えよう。（C）を選んだ人は（D）が誤答である理由が考えつくだろうか。
➦sprain「捻挫する」

Chapter 8　名詞・代名詞

間違い探し

646. (B)→ tights

「あらいやだ。タイツを伝線させてしまったわ。おまけにパーティの前に買いに行く時間もないし」

どこまで読めば答えが分かる？： tight
tights は trousers と同じように足が2本あるので複数形にする必要がある。
⊃put a run in「～を伝線させる」

647. (D)→ things

「彼はアレルギーのために食べられないものがあったが、大丈夫なものもまだあった」

どこまで読めば答えが分かる？： 文末まで
「some は肯定文用であり、any は否定文・疑問文専用である」と信じている学習者が多いが、必ずしもそうとは限らないので過信は禁物である。

　I haven't read **some** of these books.　「これらの本のいくつかはまだ読んでいない」
　I haven't read **any** of these books.　「これらの本の一冊もまだ読んでいない」

ここでも、否定文だからといって (A) を any に変えると、アレルギーのためにいかなる食物も食べられないことになってしまい、but 以下の文とは合わなくなる。よって、(A) は訂正する必要がない。ここでは、(D) が誤りである。文中の there were や that were OK はどちらも thing が複数形で使われていることを示唆する。よって、things に直す。something は1語で単数形だが、some things は2語で複数形である。
⊃allergy「アレルギー」

648. (D)→ a traditional

「起きたとき天気が最悪だったので、私たちはゆっくりして、イギリスの伝統的な朝食を取ることにした」

どこまで読めば答えが分かる？： 文末まで
breakfast/lunch/dinner/supper は単独で使われる場合は冠詞は不要だが、形容詞がついた場合は冠詞が必要になる（Point 52 参照）。

649. （A）→ It

「先週の金曜にやった会議はたいへんうまくいきましたね。皆の態度がとても前向きだった」

どこまで読めば答えが分かる？　wasn't it

意味的に「先週の金曜日にやった会議が**あった**」というのは不自然だし、なによりも付加疑問文が wasn't it？ になっているので、There ではいけないことが分かる。

650. （C）→ teeth

「彼はとても衛生にうるさい。毎朝起きては歯をきっかり 2 分半磨く」

どこまで読めば答えが分かる？　tooth

tooth は単数形だから、このままでは歯を 1 本だけ磨くことになる。複数形は teeth。
◯fussy「(〜のことに) うるさくて」 hygiene「衛生」

　　　　　　　間違い探し（下線なし）

---

651. the other → another

「その研究チームのリーダーは予定していた発表をすることができなかったので、その大グループの他のメンバーが代わりに来た」

どこまで読めば答えが分かる？　his large group

the other は言及されたグループ内の最後の 1 人を指す。ここでは、その研究チームのメンバーはリーダーしか言及されていない。にもかかわらず the other を使っているということは、チームには 2 人しかいなかったことになる。よって、another に直す。

652. equipments → equipment

「設備にもっと投資することをしないで、世界市場で競争できる見込みは全くないであろう」

どこまで読めば答えが分かる？　文末まで

equipment は不可算名詞。この語も TOEIC にはよく出題されるので覚えておこう。TOEIC によく出題される不可算名詞については、Point 51 を参照。
◯marketplace「市場」

Chapter 8　名詞・代名詞

653. most → none、または has → haven't

「残念ながら、この総選挙で戦っている政治家は、誰も自分の政策を表明する努力を少しもしていない」

どこまで読めば答えが分かる？：　any effort

動詞が has になっているのだから、単数形として使える主語が必要である。また、何に直すかについては effort に any が使われているのと、文頭の Unfortunately から、否定文ではないかという想像がつく。よって、most → none、または has → haven't とする。

◯general election「総選挙」

654. both → one

「そのサッカークラブはいかなる不正行為も否定したが、プレーヤーの1人が取り調べのためにこう留された」

どこまで読めば答えが分かる？：　was taken

意味だけ考えている人には難しかったかもしれない。間違い探しの問題に限らず、どんな英文を読むときでも動詞を見たときに最初にしなければならないのは「主語の確認」である。was を見たときに主語が both だと思い出すという正しい読み方で読んでいた人は、was taken 以降を読む必要はなかっただろう。was を were にしても文法的には正しくなるが、そのサッカークラブには全員で2人のプレーヤーしかいないことになるので不自然である。

◯wrongdoing「悪事、不正行為」　take＋人＋into custody「人をこう留する」
　questioning「尋問」

655.　間違いなし

「土砂降りだったので、建設作業員たちは今日、新しい体育館の作業をするために、学校には行かなかった」

go to school の school に the がつかないのは、生徒が勉強しに行くときと、先生が教えに行くときだけ。それ以外のときには、学校の建物を表すことになるので、冠詞が必要。よって、ここでは間違いなし。もし、Construction workers didn't go to school today ... に直すと、「建設作業員は今日、勉強しに行かなかった」ことになり不自然である。

◯torrential rain「土砂降り」

656. the other → another

「さあ、みんな、私たちは一日中ここにいることはできないのです。頂上まであと4時間だし、暗くなる前に戻らなくてはいけないのですよ」

どこまで読めば答えが分かる？：　summit

文脈から考えて「あと4時間」という意味だが、この場合 the other ではなく another を使い、another 4 hours という。これは 4 more hours と同じである。この場合は another のあとに複数名詞を使う。the other と another の違いについては Point 56を参照。
◯summit「(山の) 頂上」

657. This → It

「私にとって、英語とフランス語を話すのを切り替えるのはけっこう簡単だが、他の言語に関しては少し長く時間がかかる」

どこまで読めば答えが分かる？：　to switch
this は形式主語の働きがないから、設問のように This を使うと本当に「これ」になってしまう。そうすると、to 以下が in order to と同じ意味の目的を表す不定詞としてしか考えられなくなるのだが、それだと文章が意味不明になる。内容から考えて、この文章の主語は to switch 以下なのだから、it に直す。It is 〜 to do の構文だと気がつけば簡単だろう。
◯fairly「まあまあ、かなり、けっこう」

658. All → Some

「その製品のいくつかは電圧の違いでこの国では動かないが、その他の製品については大丈夫なはずである」

どこまで読めば答えが分かる？：　文末まで
最後に but the others should be OK と言っている以上、すべての電気製品が使えないわけではないはず。some と (the) others はよく「〜するものもあるが、他は〜する」という意味でセットで使われるので覚えておこう。
◯voltage「電圧」

659. Almost → All または Almost all または Most of

「政府のすべての（ほとんどの）省が予算の取り分を維持しようと裏で働きかけている」

どこまで読めば答えが分かる？：　the government departments
almost は副詞で、not completely の意味だから、ここでは不適切。「すべての」という意味なら all を使い、「ほとんど」という意味にしたければ almost all または most of を使う。
◯lobby「ロビー活動をする、議員に働きかける」　allocation「割り当て」

240

Chapter 8　名詞・代名詞

660.　many furnitures → much furniture

「自分たちで家を引っ越すつもりだったが、家具がたくさんありすぎたので業者を呼んだ」

どこまで読めば答えが分かる？：　many furnitures
furniture は不可算名詞。よって、複数形の s をつけることはできないし、数えられる名詞に使う many も使えない。

➲furniture「家具」

Chapter 9

Adjectives, Adverbs & Comparison
形容詞・副詞・比較

Test 1
穴埋め

661. （A） 原級比較の否定文

「山脈地帯のこの辺りの山々は、他の所の山ほど高くない」

as＋原級＋as の基本的な形を問う問題。not＋as＋原級＋as で「～ほど～でない」の意味。（D）は so high as なら正答となりうる。否定文のときに限り not＋so＋原級＋as というふうに最初の as を so にすることもできる。

▶range「山脈」

662. （B） 比較級＋品詞の区別

「この大学の留学生らは、地元の学生よりずっと熱心に勉強するようだ」

Testing Point を考えると、①原級比較か比較級か ②副詞か形容詞かを問われていることが分かる。①の観点から考えると、（C）は空欄の直前が much であることから入らないことが分かる。また、（D）は than がついているにもかかわらず、industriously に more がついていないので比較の形ではないから不可。②の観点から考えると、ここに入るのは副詞でなければならないので、（A）は不可である。この場合の much については Point 61 を参照。

▶dedicated「打ち込んだ、献身的な」 diligently「一生懸命に、こつこつと」
industriously「勤勉な」

663. （C） 最上級＋that＋S＋完了形

「これは私がかなり長い間で見た中で、もっともおもしろいドキュメンタリー番組である」

日本語で「これは私が長い期間の間に見た×××番組だ」に入るのは次のどれだろう、と聞かれて、
　　（A）とてもおもしろい　　　（C）一番おもしろい
　　（B）もっとおもしろい　　　（D）ものすごくおもしろい
の中から（C）を選べるにもかかわらず、この問題を間違えた人は文章の流れを考えていない。文脈をとることを考えよう。

Chapter 9　形容詞・副詞・比較

664.（D）　品詞の区別と ed/ing形の形容詞

「去年、私たちが行った遊園地の新しいジェットコースターは、本当に興奮するものだった」

空欄に入る形容詞が何を説明することになるのかよく考えていないと間違える。ここでは、is の主語が The new roller coaster であるのだから、これを説明するはずである。（B）（C）は不可。これらを入れると、the new roller coaster の気持ちを説明することになってしまう。（A）は unbelievable が形容詞であり、good を説明することができないので不可。unbelievably なら正答。「形容詞を2つ並べてあるのを見たことがある」と考えて（A）を選んだ方もいるかもしれないが、形容詞を2つ並べてかまわないのは、そのあとに名詞がくるときだけである。

○ This is a **beautiful small house**.　　　× This house is **beautiful small**.
　　　　　　　　　　　名詞

よって、いずれにしても（A）は不可。

665.（B）　形容詞の位置

「子供のころからずっと、その若者は自分が何か危険なことをするのではないかと、常に感じていた」

（A）は thing が可算名詞だから a をつけるか複数形にしないとだめ。（C）は danger が名詞だから something とくっつけることはできない。（D）は something が形容詞を後ろにとる名詞なので不可。

666.（C）　late/lately の区別

「社長が最近ずっと多忙のため、君の言う問題にずっと対処できないでいるのは事実だ」

lately「近ごろ」と late「遅い、遅く」の混同に注意すること。late を挿入すると、何が遅く行われるのか分からないことになり不可。has been が過去から現在までの継続を指すので、（B）later「のちほど」は不可。（D）of lately は of が前置詞だから副詞をとることができないので誤答。ただし、of late「近ごろ＝lately」なら正答。この場合の late は名詞である。

Point 58　ly をつけると意味が変わる形容詞

通常、形容詞に ly をつけると副詞になるが、hard と late は ly をつけると全く異なる意味になるので注意。hard/late はそれぞれ形容詞と副詞の使い方を持つ。

He studies English **hard**.　「一生懸命に」
He **hardly** studies English.　「ほとんど〜しない」

243

He got home **late** yesterday. 「遅くに」
He's been getting home by 7 **lately**. 「最近」

667. (A) 比較級の慣用句

「私はその会社で臨時の仕事をすることもあるが、そこではもうフルタイムでは働いていない」

(B) を入れると前半と後半の文がつながらなくなる。(C) let alone は「まして〜ではない」の意味であり、ある否定文を受けて使われるので、最初に否定文が必要。(A) no longer は「もはや〜していない」の意味。

◐occasional「臨時の」 full time「フルタイムの、全日制の」

668. (C) 比較で使われる単語の品詞

「私は足のケガのために、望んだほどしっかりとトレーニングできないでいる」

consistent/consistently は more/most をつけて活用させる。したがって、(D) は不可。あとは品詞を考えていたかどうか。空欄には形容詞ではなく train という動詞を説明する副詞が必要。したがって、(C) が正しい。

◐consistently「首尾一貫して」 consistent「首尾一貫した」

669. (C) ed/ing形の形容詞

「その老人が恐ろしい幽霊の話をしている間、子供たちは口を開けてそこに座っていた」

空欄に入る語は ghost story という名詞を説明するはず。よって、副詞である (D) は不可。また、ed形の形容詞は説明されている名詞自体の気持ちを表すので (A)(B) は不可。(A)(B) を入れると、story が frightened/scared という感情を持つことになる。

◐open-mouthed「(驚きなどで)口が開いている」 recount「物語る、順を追って話す」

Point 59　ed/ing形の形容詞の区別

ed/ing形の形容詞は混同しやすいので注意。ed/ing形の形容詞は、ed や ing がついていることから分かるように、もともとは動詞である。そして、いずれも「〜させる」という意味の動詞であるという共通点がある。よって、受け身で ed をつけたほうが「〜する」という能動態の意味で、ing が「〜させるような」の意味になる。

Chapter 9 形容詞・副詞・比較

tire 疲れさせる	tired 疲れている tiring 疲れさせるような	He is tired. 疲れている He is tiring. 疲れるやつだ
surprise 驚かせる	surprised 驚いている surprising 驚かされるような	He is surprised. 驚いている He is surprising. 驚くべきやつだ

ing の形を見て「〜している」と早合点しないように注意。

670. （A） the＋形容詞＝形容詞＋people

「この町にあるすべての慈善事業団体の中で、この団体はホームレスの人々を助けるためにもっとも力をつくしている」

（B）the homelessness は確かに名詞だが、「住むところがないことを助ける」というのは意味的に合わない。（D）homeless は形容詞なので不可。（C）homelessly は副詞だから文法的に可能だが、ここでは help を修飾し、どのように help するのかを表すことになる。「家がないような状態で助ける」というのは意味不明。よって、（A）が正答。the＋形容詞については Point 60 を参照。
○charity「慈善、チャリティー」 homeless「家のない、ホームレスの」

Point 60　the＋形容詞＝形容詞＋people

the＋形容詞で、その形容詞が表す人々を指すことがある。
　the poor＝poor people　　　　the rich＝rich people
　the young＝young people　　　the old＝old people
people という意味を内包しているので通常は複数形だが、the deceased「故人」などは単数形にもなる。

671. （C） 原級を使った慣用表現

「その若い起業家は、キャデラックだけでなくロールスロイス・シルバーシャドウも所有している」

as well as「〜と同様に」を問う問題。
○entrepreneur「実業家、起業家」

672. （A） 比較級を強める表現

「その水族館のショーでは、アシカがはるかにアザラシより人気がある」

本文中に than があるから最上級は選べない。（B）ははずれる。（C）（D）は比較級になっていないので不可。（C）は popular の語尾の発音がちょうど比較級の er がついたような音になるので、すでに比較級になっているかのような錯覚に陥りやすいので注意。比較級の強調の仕方については Point 61 を参照。

◯sea lion「アシカ」 seal「アザラシ」

Point 61 比較の強調

通常、形容詞・副詞を強調する場合には very がよく使われるが、very は比較級・最上級には使われない。その代わりに、比較級には a lot/far/much が使われ、最上級には by far が使われる。

very small	a lot		
とても小さい	**far** smaller →	**by far** the smallest	
	much	断トツで一番小さい	
	もっともっと小さい		

673. （D） less を使った比較

「その会社の役員らは、見せかけているほど売り上げの低下について心配していない」

less は more と同じように比較級を作るが、意味が正反対である。つまり、more ～は、～である度合いがより大きいと言っているのに対し、less ～は、～である度合いがより少ないと言っているのである。いずれにしても比較級を作るので、（B）は不可。（C）は関係代名詞だが、これだと company executives pretend to be sales という関係が成り立つことになってしまいおかしい。

◯executive「（企業の）役員、重役」

674. （A） 形容詞の位置

「ここに住んでいる子供たちは 5 時以降はバスがないので、いつも放課後に残ることができるというわけではない」

living here は 2 語で 1 つの形容詞を作っているので、説明したい名詞の後ろに置く。また、children here live ではなく children live here の関係であるはずだから（C）は不可。

Chapter 9 形容詞・副詞・比較

675. (A) the＋形容詞＝形容詞＋people

「その新しい福祉サービス評価制度が、お年寄りをとても不安にさせている」

elderly は語尾が ly だが形容詞である。elder は主に兄弟・姉妹の中で年が上であることを示す形容詞で、しかも比較の対象がないうえ、年上であると言っているだけだから、ここでは使えない。the＋形容詞で人々を表し、the elderly で「高齢者」。
⇒assessment「評価、査定」 concern「不安、関心」

間違い探し

676. (C)→ those

「その町の失業率は、隣接している２つの郡のそれぞれの失業率と同じくらい悪かった」

どこまで読めば答えが分かる？：　文末まで

that は当然 rate を指すことになるのだが、そうすると、郡は２つあるのに、失業率が１つしか存在しないことになり不自然である。respectively という言葉があるように、その２つの郡のそれぞれの失業率を比べているのだから、失業率は２つあると考えられる。よって、that ではなく複数形の those にする必要があるのである。
⇒unemployment rate「失業率」 neighboring「隣接している」 county「郡」
　respectively「それぞれ、めいめい」

677. (A)→ employee

「皆がうわさしているその新入社員は、私が思っていたよりもばかだった」

どこまで読めば答えが分かる？：　was

通常２語以上で１つの形容詞を作っている場合は、名詞の後ろにまとめて置かれる。これは通常の形容詞だけではなく、形容詞的な働きをするものはすべて当てはまる。ここでも、関係代名詞 that から of までが１つの長い形容詞となり、どのような新入社員かを後ろから説明している。さて、ここで気をつけていただきたいのは、長い形容詞が名詞のあとにきている場合、それに惑わされて主語を忘れてしまうということである。
たとえば、
　× The new employees was stupider ...
となっていたら、それほど迷うことなく employees を単数形にしなければならないと気がついていたはず。しかし、この問題のように that everyone has been talking of という長い形容詞がついていると、was と the employees が同時に目に入らなくなるために、いつまでたっても気がつかないということになる。よって、名詞に長い形容詞のパートが付属して

いる場合は、特に構造に気をつけるようにしたい。

678. （B）→ less

「学校に暴力をふるう生徒がいる場合、学校側はかつてのように警察にすぐ電話することをためらうべきではないと言う人もいる」

どこまで読めば答えが分かる？： than
than を見た瞬間に比較級の文章だと分かるが、それまでに比較級が出てこないので、どこかに比較級を表す表現を入れなければならないことが分かる。ここでは、内容から考えて not を less にする。less は more の反対で、程度がより低いことを表し、「〜ほど〜ではない」の意味になる。
◯reluctant to do「（〜するのを）しぶって、気が進まなくて」

679. （A）→ surprised

「母はたくさんの注目を受けて驚いた。しかし、その日は彼女の誕生日だったのだ」

どこまで読めば答えが分かる？： receiving
ed/ing形の形容詞の区別は、ed形が本人の気持ちを表し、ing形が周りから見たその人に対する感想を表す。このままでは、「私の母は驚くべき人だ」の意味になってしまいおかしい。また、by という前置詞もあるので、surprised にする。

680. （D）→ the nation's poor

「今の政府は、国の貧しい人々の面倒を見る責任を怠っている」

どこまで読めば答えが分かる？： 文末まで
形容詞に the をつけると、その形容詞＋people と同じ意味になる。それ以外に形容詞を名詞としては使えないので、nation's poor を the nation's poor「その国の貧しい人々」にする。
◯neglect「（義務・仕事などを）怠る、おろそかにする」 poor「貧しい」

Chapter 9 形容詞・副詞・比較

間違い探し（下線なし）

681. that を削除、または that → that is

「明日のプレゼン用にそこのテーブルにあるオーバーヘッドプロジェクターを持っていってもいいですよ」

どこまで読めば答えが分かる？： 文末まで

that は関係代名詞として使われていると考えられるが、関係代名詞は S＋V を形容詞として使うためにある。ところが、設問の that のあとには動詞が見当たらない。前置詞＋名詞はこれだけで形容詞として名詞を説明できるので that を削除する。または、that is としてもよい。

682. serious → seriously

「もし適切な解決策を見つけようとするなら、我々がこの問題に真剣に取り組むことがもっとも重要である」

どこまで読めば答えが分かる？： serious

serious は意味から考えて、address にかかると考えられる。動詞を説明するのは副詞の役割だから、seriously にする。また、of＋名詞は形容詞として使われ、of importance は important と同じである。
◉utmost「この上ない、最大の」 address「本気で取りかかる」

683. can't no longer → can no longer

「政府はもはや、このようないい加減な会計処理に対して寛容になれないので、国税庁は企業を厳しく取り締まっている最中である」

どこまで読めば答えが分かる？： no longer

no longer は否定語であるから、can に not をつける必要はない。よって、can no longer に直す。can't を見た瞬間に「否定語である」という認識が出来ているかどうかがポイント。
◉tolerate「大目に見る、寛大に取り扱う」 sloppy「（仕事など）いい加減な」
 accounting「会計、経理」 the National Tax Agency「国税庁」
 crack down (on 〜)「（〜を）厳しく取り締まる」

684. confusing → confused

「その若者のスピーチが支離滅裂なことから判断して、彼の考えはとても混乱しているに違いない」

どこまで読めば答えが分かる？： 文末まで
ed/ing形の形容詞は、もとは共通して「〜させる」という動詞である。つまり、confused は受け身だから「混乱させられる」→「混乱する」であり、confusing は「混乱させる」→「周りを混乱させるような」となる。

▶incoherence「支離滅裂なこと、矛盾」 thought「考え」

685. heavy as → as heavy as

「先週末に行われたボクシングトーナメントで、勝者は私の３／４の体重だった」

どこまで読めば答えが分かる？： 文末まで
as が後半にあることから分かるように、as 〜 asを使った倍数表現である。よって、heavy の前に as が必要。three quarters は３／４。英語で分数を言うとき、分子を基数（one, two, three ...）で表し、分母を序数（first, second, third ...）で表す。ただし、分母が２と４のときは half/quarter と言うことが多い。注意しなければならないのは、分子が２以上のときは分母を複数形にすること。たとえば、１／４は one quarter だが、３／４は three quarters になる。これは、１／４が３つあると考えるから。

686. much → by far

「ウエストコーストマリーンランドは、世界で断トツで一番多くの捕獲した海洋哺乳動物を保有している」

どこまで読めば答えが分かる？： much the largest
much は比較級を強める働きを持つが、例外を除き、最上級を強めるのには使われない。よって、最上級を強める by far に直す。

★なお、文法書の中には、「much＋最上級」を紹介しているものもあるが、実際には不自然だと感じるネイティブスピーカーもいることに注意しよう。

▶captive「捕獲された」 mammal「哺乳類」

687. fainthearted → the fainthearted

「このハイキングルートは、50cmの幅の小さな道を通って岩壁を横切るのだが、気の弱い人人には向いていない」

Chapter 9　形容詞・副詞・比較

どこまで読めば答えが分かる？：　文末まで
fainthearted「勇気のない」の意味が理解できていなくても、hearted と ed がついているから形容詞であり、さらに for のあとには名詞がこなくてはいけないので、この箇所が間違っていることぐらいは理解しよう。ここでは、意味から考えて「臆病な人」を表すはずなので、the fainthearted にする。the＋形容詞で人々を表す。
➲rock face「岩壁」　fainthearted「気の弱い」

688. the Grandfather left me dog → the dog Grandfather left me

「天候が悪くても、私は祖父が残してくれた犬を今でも毎日、散歩に連れて行く」

どこまで読めば答えが分かる？：　left が過去形であると分かった時点
このままだと、walk と left という２つの動詞が存在することになりおかしい。内容から考えて、「祖父が私に残した犬」となるはずだから、dog を the の後ろに置く。この場合の walk は「散歩させる」なので、このままでよい。
➲surrounding「環境、周囲」

689. you are possible → you can または possible

「あとの走者のために、第１区間をできる限り速く走るようにすることが重要である」

どこまで読めば答えが分かる？：　possible
as 〜 as you can と as 〜 as possible の混同をねらった問題。なぜこのままではいけないかというと、you are possible がだめだから。実は形容詞には人に対して使うと意味を間違えやすいものがいくつかある。

たとえば、「彼は英語を話すことが難しい」という文を ×He is difficult to speak English. などとはできない。He is difficult. は「扱いにくいヤツだ」という意味だからである。

　× Are you convenient on Sunday?　→　○ Is Sunday convenient for you?
　You are convenient. は「あなたは便利なヤツだ」

possible も同じことになる。
　×He is possible to eat.
これは「彼は食べることができる」ではなく、「彼は食べられる（食用である）」である。よって、you are possible ではなく、you can か possible のみにしなければならない。
➲leg「１区間、受け持ちの区間」

690. late → lately

「地方自治体が近ごろ公害について議論していないので、多くの人はそれはもはや問題ではないと思うようになった」

どこまで読めば答えが分かる？： late
確かに late には副詞の使い方があるので、動詞のあとに置くことは可能だが、その場合は「遅く」という意味になってしまう。
　I got up late.　「私は遅く起きた」
ここでは、意味が合わないから「最近」という意味の lately に直す。
➲local government「地方自治体」

Test 2
穴埋め

691. （D）　比較級と品詞

「財務部で働くメアリーは、以前よりも愛想よく見える」

選択肢を読めば Testing Point は①形容詞か副詞か、② before の前に than が必要かどうかを問われていることが分かる。①の観点から考えると、look という動詞が S＋V＋C の文型をとることと、空欄に入る語はどんなふうに look するのかを述べているのではなく、Mary がどんなふうに見えるのかを説明していることから、形容詞が必要であることが分かる。この時点で（B）ははずれる。（B）だと「優雅に look するという動作を行う」という意味になるからである。また②の観点から考えた場合、一見すると（A）（D）の両方が文章としてはOKのように見えるが、（A）を入れると、before が直接 look を説明することになるため、look は過去形でなければならないことになる。（C）は less が比較級だから as と合わない。
➲gracefully「優美に、優雅に」

692. （B）　ed/ing形の形容詞

「私はだいたいその話題に興味があるのだが、今朝のプレゼンテーションにはまったくついていけなかった」

自分自身が興味深いヤツだと言っているのではなく、興味があると言っているので interesting ではなく interested を使う。
➲follow「ついていく」

Chapter 9　形容詞・副詞・比較

693.（B）　the＋形容詞＝形容詞＋people

「残念なことに、困窮している人々がどのようなサービスを必要としているのかを判断するのは、たいてい裕福な人々である」

空欄のあとに関係代名詞 who があることから、空欄には人を表す名詞が入ることが分かる。選択肢の中で、形容詞の（C）（D）は不可。（A）は名詞だが「富」という意味なので不可。よって、（B）が正答。the＋形容詞で「人々」を表すということは、要暗記。

694.（A）　形容詞の働きをする to 不定詞

「すみませんが、あなたの質問に詳しく答えるための情報がありません」

to answer が形容詞として information を説明している。（B）は answer に三単現の s がついていないので不可。（C）だと answers と your question 以下がつながらない。（D）は for が前置詞なので次に動詞を置く場合は ing 形にする必要がある。
◯in detail「詳細に、詳しく」

695.（B）　形容詞・副詞の位置

「私は 3 日前に買った、仕上がりの悪い服を返しにお店へもう一度行った」

badly は finished を説明していると考えられるので、bad という形容詞にしてはいけない。形容詞は名詞を説明するからである。通常、2 語以上で 1 つの形容詞を作る場合は、名詞の後ろにまとめて置かれるが、例外として副詞＋形容詞の場合は名詞の前に置かれる。

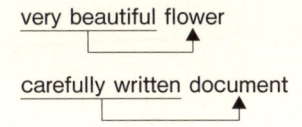

very beautiful flower

carefully written document

よって、（B）が正答。確かに、I finish badly. という言い方ができるので、（A）を考える人もいるかもしれないが、ここでは article を説明しているので、finished は動詞ではなく形容詞として使われている。したがって、副詞＋形容詞の順番になる。
◯article「品物、物品、品目」

696.（B）　比較級を使った慣用表現

「残念ながら、私はその若い女性の考えを理解することができない。まして、その母親の考えを理解できるわけがない」

much less A「ましてAは〜ではない」を問う問題。同じ意味の表現として、let alone A も暗記しておこう。

ex. I can't buy a bike, let alone a car.
「私はバイクを買えない、まして車は買えない」

697. (B)　最上級＋that＋S＋完了形

「それはたいへんけっこうなステーキで、ここのところ食べた中でもっとも柔らかいものであると言わざるをえなかった」

「私が食べた中で＿＿＿ステーキだった」に当てはまりそうなのが、形容詞の原級なのか、比較級なのか、最上級なのかを考える。そうすれば、「一番柔らかい」というのが当てはまると分かるだろう。ちなみに、one のあとには that が省略されている。
◯succulent「ジューシィな、けっこうな」　tender「柔らかい」

698. (D)　形容詞の働きをする関係詞節

「私が昨年の今ごろ働いていた劇場は閉鎖され、50人以上の人が職を失った」

日本語なら「私が働いていた劇場」となり、「私が働いていた」が「劇場」の前にくるが、英語では I was working theater にはならない。2語以上で1つの形容詞をなしている場合は名詞の後ろに置かれるからである。よって、(A) は不可。(B) は the theater is worked の関係になり不可。(C) は where が使われているが、関係詞は S+V を形容詞として使うために使われるので working だけでは不可。
◯unemployed「失業中の、仕事のない」

699. (D)　原級を使った慣用表現

「角にある小さな旅行代理店は、通常のパック旅行だけでなく電車の割引チケットも販売している」

as well as「〜と同様に」を問う問題。(C) の as good as「〜も同然である」も要暗記。
◯package holiday　「パック旅行」

700. (D)　品詞とing/ed形の形容詞

「全く、破綻した民間企業を救済するという政府の決定には驚かされる」

(C) は anger が名詞なので不可。(A) を入れると「私は驚くべき人間だ」ということになるので不可。(B) は angry with なら可。
◯I must say「ほんとに、全く」　bail out「(財政的に) 救済する」

Chapter 9 形容詞・副詞・比較

701. （A） 副詞の位置と hard/hardly の区別

「その若い運動選手はよい選手で、レースに勝つために懸命に闘った」

hardly は「ほとんど～しない」である。内容から考えて hard「懸命に」が入るはず。また、hard が副詞として使われる場合、動詞のあとに置かれるので（D）は不可。
◯athlete「スポーツマン、運動選手」

702. （A） 形容詞の働きをする関係詞節

「ハワイでの会議で会った女性は、マーケティングの方法について我々のところへ話し合いに来る予定である」

日本語なら「私が出会った女性」となり、「私が出会った」が「女性」の前に置かれるが、これを英語でやって the I met woman などとはできない。よって、（A）が正答。

703. （D） 比較級を強める表現

「試験結果に基づくとここはいい学校だが、道路を上がったところの別の学校はもっともっと人気がある」

far が比較級を強めるための語であると知らなければ難しいが、popular の活用が more/most をつけると知っていれば、少なくとも（B）（C）ははずせるはず。

704. （B） less を使った比較

「ここの近くの動物園はかなり大きいが、市立動物園ほど多種にわたる動物はいない」

range は数えられるので、（A）は不可。原形だと冠詞に注意を払うのに、比較級になると冠詞を忘れがちなので注意。ときどき、「比較級の場合は冠詞がいらない」と勘違いしている学習者がいるが、もとの形容詞・副詞を比較級にしようが、最上級に変えようが品詞が変わるわけではないので、冠詞がいらないということにはならない。

　　He is a **good** student.
　　He is a **better** student.

また、問題文にある than から考えて、比較級を使った文であると考えられるから、（C）（D）は不可。よって（B）が正答。less は more と正反対の意味で同じ使い方、つまり比較級を作るために使い、「より～の程度が低い」という意味になる。
◯range「種類」 impressive「感動的な、見事な」

705. （A） 倍数表現を使った比較

「プロのチェスの試合は、アマチュアの試合の約4倍の時間がかかる」

「Aの〜倍の〜である」は、〜 times as 〜 as A であると習うのだが、「〜倍」に times という単語を使う場合は、〜 times ＋比較級＋than A ということもできる。

This room is 3 times { as big as / bigger than } mine.
This room is twice as big as mine.
　　　　　　　　　　→ bigger than は不可

間違い探し

706. （B）→ tiring

「孫の面倒を見るのはとても疲れるが、その老婦人は孫と一緒に過ごすのが大好きだった」

どこまで読めば答えが分かる？：　tired
tired など ed 形で終わる形容詞は、説明されている名詞の気持ちを表す。この場合は、looking after の気持ちを表すことになってしまうが、looking after は人ではないので感情を持たないから ed 形の形容詞を使って説明できない（S＋V＋C の C は S を説明していると考える）。よって、tiring が正答。

707. （D）→ as

「今年は去年の３倍もの多くの人々が、その支援コンサートに参加した」

どこまで読めば答えが分かる？：　than
three times as とあるので、後ろも原級にする必要がある。よって、than を as に直す。倍数比較「Aの〜倍の〜である」は必ずしも、〜 times as 〜 as A を使わなければならないことはなく、〜times＋比較級＋than A も可能である。

708. （C）→ unemployed

「財界のリーダーらは、その地域の失業者を仕事にもどすために自分たちに何ができるのかを考えるために、週末に会う予定である」

どこまで読めば答えが分かる？：　文末まで
put＋A＋back to work「Aを再び仕事に就かせる」は、意味から考えて A は人でなければならない。このままでは「その地域の失業」となってしまうので、the area's unemployed とし、人を表すようにする（Point 60 参照）。

Chapter 9 形容詞・副詞・比較

709. (B)→ friendliest

「彼女は今まで私が出会った中で、飛びぬけてフレンドリーな人だ。仲よくなれるはずだよ」

どこまで読めば答えが分かる？：　most friendliest
最上級の作り方は、
　①estをつける　　　　　　tall → the tallest
　②mostをつける　　　　　difficult → the most difficult
　③不規則に変化する　　　good → best
のいずれかである。ところが、問題文では most をつけてさらに est をつけるというように、①と②を重複して使っている。friendly は①の使い方をするので、most をとるのが正答。
◯get on well with 「～とうまくやっていく」

710. (C)→ as well as

「1世紀前に創立されたその会社は、製品の価格と同様、サービスの質でも知られている」

どこまで読めば答えが分かる？：　文末まで
as good as は「～と同じぐらいよい」という本来の意味の他に、イディオムとして「～も同然である」という意味がある。
　ex. He is as good as dead. 「彼は死んだも同然だ」
しかし、ここではどちらの意味にしても文意に合わない。よって、as well as 「～と同様に」というイディオムに置き換える。
◯found 「設立する、創立する」

間違い探し(下線なし)

711. frightened children → children frightened

「雷雨におびえる子供たちは、先生がなだめて引っ張り出すまで、机の下に隠れていた」

どこまで読めば答えが分かる？：　hid
frightened と by the thunderstorm は別々の形容詞ではなく、同じまとまりのはず。よって、1つにまとめて children の後ろに置かなければならない。the children frightened by the thunderstorm となる。

なぜ、バラバラにしてはいけないかというと、理由がある。複数の語で1つの形容詞ができている場合、まとめて名詞の後ろに置くという規則がある。ということは、名詞の前と後ろにバラバラに置いた場合、この前と後ろに置かれたものはお互いに別の形容詞であることになる。よって、その場合はどちらかが削除されても単語としては成り立つはずなのである。次の例を見てみよう。

the **beautiful** woman in the room

beautiful と in the room はお互いに関係のない独立した形容詞である。それぞれ別々に woman を説明している。したがって、どちらを削除しようと単語としては成り立つ。

 the beautiful woman … OK
 the woman in the room … OK

ところが、これを先ほどの the frightened children by the thunderstorm でやると困ったことになる。

 the frightened children … OK
 the children by the thunderstorm … ????

よって、frightened と by the thunderstorm はまとめて置く必要があるのである。

⊃coax「説き伏せる、なだめすかす」

712. well→good

「その10代の若者はテニスがとても上手なのだが、プレッシャーにつぶされてしまい、ほとんど勝つことがない」

どこまで読めば答えが分かる？ tennis

形容詞は名詞を説明し、副詞は動詞・形容詞・副詞を説明する。ここでは、well が何を説明しているのか考える。tennis を説明しているはずなので、good にする。または、plays tennis very well としてもよい。ちなみに、well は「うまく」という副詞の他に「元気である」という形容詞もある。

⊃crack「弱る、くじける、だめになる」

713. hardly → hard

「その若い選手らはきついトレーニングを気にしなかったが、そのために家族との生活は完全に失ってしまった」

どこまで読めば答えが分かる？： hardly

一般に、形容詞に ly をつけると副詞になる。ところが、hard はそのままで形容詞だけではなく、副詞としても使用できるので、改めて ly をつける必要はない。それどころか、hardly にすると「ほとんど〜ない」という意味になってしまう。また、hardly は否定語だから重複

Chapter 9　形容詞・副詞・比較

して否定文には使えない。

714.　surprising → surprised

「その少女の驚いた表情は、みんながパーティを秘密にすることに成功したことを示していた」

どこまで読めば答えが分かる？：　文末まで
このままでは look が人々を surprise させるようなという意味になってしまう。意味から考えて、少女がびっくりしたような顔つきだったということだから、surprised look にする。ed形の形容詞は普通、ものを説明するのには使われないが、この場合は she is surprised を表しているので問題はない。

715.　faith → faithful

「毎朝その修道院の鐘は、信心深い人々に教会へ礼拝しに来るよう鳴りひびく」

どこまで読めば答えが分かる？：　文末まで
知らない単語が出てきてもパニックにならず、文章の構造を考える。
　「the faith が教会に来て worship するように、the monastery の鐘が summon する」という構造が分かれば、意味は推測できないだろうか？　ここで一番難しいのは、to come と worship の主語が bells ではないと気がつくこと。鐘が自分で動いてやってくるなんて動作はしないということに気がつけば、「じゃあ、come の主語はだれ？」ということになり、「もしかして、the faith では？」と気がつくことになる。そこで、to come は「来るために」という目的を表すのではなく、ask A to do のような構文になっているのではないかと推測できる。そうすれば、「bells は the faith が来るように summon する」という訳が成り立つ。ここで、faith の意味が「信心」という意味であるとはっきり知らなくても、「人を表す名詞ではない」ということにさえ気がつけば、to come の主語にはならないということが分かるので、the faith がおかしいと気がつく。

ここでは、答えは the faithful である。faithful は形容詞だが、the＋形容詞＝形容詞＋people という意味があるので、faithful people「信仰心のある人々」と同じ意味になる。
●monastery「修道院」　summon「呼び出す」　faithful「信心深い」
　worship「お参りする、礼拝に行く」

716.　as → than

「閣僚は党内の党利党略に今ほどに関心を持つべきではない」

どこまで読めば答えが分かる？：　文末まで
less concerned「より関心を持たない」が比較級なので、as ではなく than が必要。less を

見たらすぐに「比較級だ」という認識を持たないと、この手の問題に答えるのに時間がかかったり、いつまでも気がつかなかったりする。ちなみに less の活用は little - less - least である。
◯minister「大臣」 internal「内部の」

717. 間違いなし

「その少年はせんさく好きだった。そして、とても知りたがりやでいることで、面倒なことに巻き込まれた」

「most の前には必ず the をつける」と固く信じていた人は引っかかったかもしれない。実は、most には最上級の意味の他に、very と同じで「とても」という意味がある。よって、ここでも、a very inquisitive boy の very と同じ意味で使われていると考えれば、わざわざ the をつけて most を最上級扱いする必要はない。
◯nosey「せんさく好きな」 inquisitive「知りたがりな、せんさく好きな」

718. to address issues → issues to address

「取り組まなければならない問題があといくつかあるので、今日の会議はかなり長くなるだろう。実のところ、あと4項目の議題がある」

どこまで読めば答えが分かる？： 第2文の文末まで
第2文がなぜ書かれているのかを考えよう。この文を読めば会議が長くなる理由が、取り組むべき問題があと少しあるからであると分かる。つまり、a few more は issues を説明していることになる。よって、a few more issues to address に直す。address には「(問題に)取り組む」という意味があることに注意。
◯lengthy「とても長い」 address「取り組む、検討する」 agenda「協議事項」

719. independent → independently

「会社はその仕事をしてもらうためにあの技師を選んだ。なぜならほかの人たちよりも、はるかに自分の力で仕事ができるからである」

どこまで読めば答えが分かる？： independent
work は S+V+C の文型をとらないから、こんなところに independent を置くことはできない。この単語は work を説明しているはずだから、副詞の independently に直す。
◯independently「自立して、依存しないで」

Chapter 9 形容詞・副詞・比較

720. 間違いなし

「お客様の滞在が忘れられないものになるよう、皆ができる限りたくさん努力することが重要である」

as big an effort as というのを見て、間違いだと感じた人も多いかもしれない。しかし、実はこれはOKである。次の例を見てみよう。

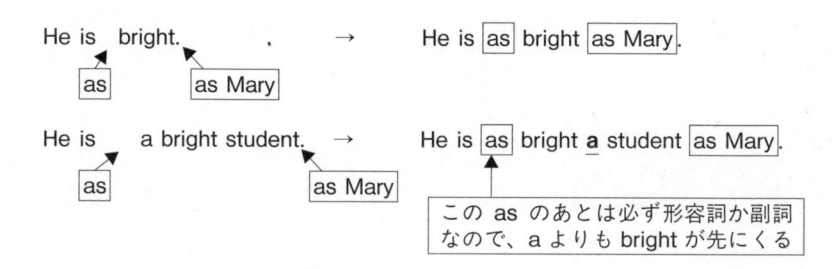

He is bright. → He is as bright as Mary.
 as   as Mary

He is a bright student. → He is as bright **a** student as Mary.
 as   as Mary

この as のあとは必ず形容詞か副詞なので、a よりも bright が先にくる

このように、as 〜 as を使った比較の場合、1つ目の as のあとには必ず形容詞か副詞がくるというルールがあり、それを守るために bright が a の前に飛び出すという状態になっている。よって、この設問では間違いなしが答えとなる。

➔memorable「記憶すべき、忘れられない」

Chapter 10

Conjunctions & Prepositions
接続詞・前置詞

Test 1
穴埋め

721. （C） 名詞のまとまりを作る that 節

「人々はその薬草に、ある種の不思議な力があると信じていたので、小さな束をベルトにつけていた」

believed が V なので、(A)「いつ〜したか」、(B)「何を〜したか」、(D)「〜したかどうか」を「信じていた」となるが、意味的に合わない。(B) の what は関係詞としても使えるが、ここでは不可能。なぜなら関係詞の what は the thing which に置き換えられるため、直後に S+V がきた場合、その V のあとに入れてもさしつかえない関係になっているはずだからである。

　　what he did ＝ the thing which he did （意味的に the thing は did の目的語）
　　　　→ did のあとに the thing を置き、he did the thing としても成り立つ関係

しかし、設問の場合、had のあとにはすでに目的語として powers がある。よって、the thing の置き場がないため (B) は不可ということになる。
◯herb「ハーブ、薬草」 bunch「束」

722. （B） 副詞・形容詞として使える late

「マーガレットは友だち数名と先週の金曜日の晩に外出し、土曜日の遅くに帰ってきた」

Saturday は曜日を表す名詞なので「土曜日に」を表すには前置詞の on を使う。よって、(A)(D) ははずれる。あとは (B)(C) で悩むことになるが、late が at 2 o'clock とか at midnight の代わりに使われていると気がつけば、late と on Saturday が別パートになるべきであると推測できる。したがって、late on Saturday が正答。

Chapter 10 接続詞・前置詞

723.（D） 時を表す接続詞

「この仕事を終えたら、私は新しい学年度の時間割りの作業を始める」

after はここでは前置詞ではなく接続詞として使われているが、どちらにしても主語を省略して動詞を原形にすることはできないので、（A）は不可能。また、after は時を表す接続詞なので、S＋V には will は使えないという決まりがあり、たとえ未来のことでも現在時制を使う。よって、（D）が正答。時を表す接続詞については Point 8 を参照。

724.（C）「～しながら」を表す with

「その男性は、ペットの犬をバスケットに座らせて、自転車に乗ってその道を上がった」

（A）は his pet dog 以下が S＋V の構造になっていないので選べない。and his pet dog was sitting ... となっていればOK。（B）は彼の犬が座るという手段で自転車に乗っているのではないので不可。（D）は副詞であり、文と文を連結したり、名詞と名詞をつないだりする働きがないので、空欄に入れてしまうと前後がつながらなくなる。

with は with A＋状態（形容詞的な働きをするもの）で「A が～の状態で」という付帯的な情報を付け加えるのに使われる。ここでは、「his pet dog が sitting in the basket の状態で」という意味になる。

725.（C） 接続詞 because

「今年は春の期間の天候が悪かったので、作物はあまりよくないだろう」

文章の構造を考えているかどうかがポイント。because は接続詞なので、後ろには S＋V がくるはず。よって、空欄には S＋V の入った選択肢しか入らないから（C）が正答となる。because を見たら「『なぜなら』という意味である」と思い出すのと同時に、「後ろには S＋V がくる」と予測していれば、正答に気がつくのは簡単だったはず。逆に、すぐに正答に気がつかなかった人は、構造を考えずに英文を読んでいることになる（Q775 の解説参照）。ちなみに、because of なら（A）（D）が正答となる。
◯crop「作物、収穫高」 lousy「悪い、ろくでもない」

726.（D） 接続詞と前置詞の区別

「経済情勢が良好である間に、その企業は工場の近代化をはかるべきだ」

空欄以下の構造が S＋V となっているので、空欄には接続詞が入ることになる。そして、選択肢の中で接続詞は（D）のみ。（A）（B）（C）はいずれも前置詞扱いで、後ろには名詞のパートがくることになっている（Q775 の解説参照）。
◯economic climate「経済情勢」 favorable「良好な、有利な」

727.（B） 条件を表す接続詞

「もし貴社が期限どおりに委託業務を完了できない場合は、違約金の支払いの対象になります」

時や条件を表す接続詞に付属する S+V には単純な未来を表す will は使えない。したがって、（C）（D）は誤答。また、your company が三人称単数なので（A）も不可。時と条件を表す接続詞については Point 8 を参照。

●contract「契約、委託業務」 be subject to「～を受けることから逃れられない、～を受ける」

728.（B） 前置詞のいらない動詞

「その会社の重役たちは、社の財政問題について、かなり夜中になるまで議論した」

discuss は前置詞なしでダイレクトに目的語をとる動詞である。したがって、（B）が正答となる。discuss = have a discussion about と覚えておこう。

Point 62　前置詞が必要そうに見えて必要ではない動詞

日本語で考えると、to や in などの前置詞が必要な感じがするが、実際はダイレクトに目的語をとり、S+V+O の文型で使う動詞がいくつかある。

enter the room → in や into は不要
reach the city → to は不要
discuss the problem → about は不要

marry the man → with/to は不要
approach the building → to は不要
mention the matter → about は不要

729.（D） such ～ that 構文

「警察はとても難しい仕事をしているので、時々間違いが起こることは予期しなければならないという人もいる」

so ～ that と such ～ that はともに「とても～なので～である」の意味。ただし、so のあとには形容詞・副詞が入り、such のあとには形容詞＋名詞が入る。

The man is so kind that everyone likes him.
　　　　　　　形容詞

He is such a kind man that everyone likes him.
　　　　　形容詞＋名詞

730. （B） 適切な前置詞

「ごめん、今話せないんだ。明日までに新しい製品のプレゼンテーションの用意をしなければならないんだ」

on には about のような「〜に関する」という意味がある。

Point 63 「〜の」を表す前置詞に注意

「AのB」という日本語を英語に直すとき、すぐに of を思い浮かべて "B of A" としてしまう学習者が多いが要注意である。

　　the President **of** the United States　　合衆国の大統領
　　the boy **with** blue eyes　　青い目の少年
　　people **in** the town　　その街の人々
　　a book **on** economy　　経済の本
　　a rumor **about** the man　　その男のうわさ

このように、日本語で「〜の」が必ずしも英語で of になるわけではない。

731. （B） 時を表す接続詞

「フレッドが地元に帰ると毎回、他の友人らは彼を飲みに連れて行く」

every time S＋V は時を表す副詞節なので、every time の節には will は使えない。よって、（A）は不可。また、日本語では「地元に帰ったとき」のように過去形でもかまわないが、英語ではあくまで現在を起点にして過去か未来かを考える。ここでは、ある特定の過去の機会を指して、「帰ったとき」と言っているのではなく、現在も習慣的に起こる話をしているのだから、（C）（D）は不可。よって、goes が正答。時を表す副詞節の中では未来の話でも will は使えないことに注意。詳細は Point 8 を参照。

732. （C） 接続詞・前置詞の区別

「忙しい時期には、その会社のチーフエンジニアは夜中の12時前に帰宅することがほとんどない」

文章の構造を考えてみると、the company's chief engineer が主語で gets が動詞である。つまり、空欄から始まるパートは busy periods までということになる。busy periods が名詞だから、結局、空欄には接続詞ではなく前置詞が必要であることが分かる。よって、接続詞である（A）（B）は不可。また、（D）を入れると名詞の固まりができることになってしま

う。S＋V の前に全く別の名詞を入れると浮いてしまうので不適切である。
◯seldom「めったに〜（し）ない」 whilst＝while「〜する間に」 duration「持続、期間」

733. （C） so that S＋V構文

「皆がその試験でおろかな間違いをしないように、先生は基本的な教材を復習することにした」

so that S＋V は「S が V するように」の意味で、ほとんどの場合、S＋will/can＋V という形になる。（A）は単体で使う場合、関係代名詞か I think that の that という使い方があるが、ここではどちらでもないので不可。（B）in order to のあとには動詞の原形が入るので不可。in order that なら正答になりうる。（D）は接続詞ではないので、2つの文章を1つにつなげることはできない。
◯review「復習する」 silly「おろかな、ばかな」

734. （B） 基本的な接続詞の使い分け

「最悪の事態は過ぎたと思っているかもしれないが、それはまさに今から起ころうとしているのは間違いないよ」

（C）は前置詞なので S＋V はとれない。（D）は no matter＋疑問詞のパターンで使うので不可。あとは（A）（B）で悩むことになるのだが、ここで気をつけなければならないのは、may の存在である。If you may think ... の直訳は、「もしあなたが考える可能性があるのなら」である。そうすると、後半の文章とは合わなくなる。考える可能性があるかどうかを論じているのではなく、実際に考えているという前提で主節が話されているからである。したがって、（B）が正答。

735. （D） 前置詞のいらない動詞

「ニュージーランドに滞在している間に、私は自分が想像すらできなかったような英語のレベルに到達した」

reach はダイレクトに目的語をとる動詞。したがって、（D）が正答。「〜に達する」という日本語につられて、to をつけてしまいやすいので注意（Point 62 参照）。reach ＝ get **to** のように、reach にはすでに to が含まれていると覚えておこう。
◯fluency「流暢（さ）」

Chapter 10 接続詞・前置詞

間違い探し

736. （A）→ that

「その城の所有権に関する書類は、ロンドン大火災のときに焼失したと考えられている」

どこまで読めば答えが分かる？：　whether 以下が It の中身であると気づいたとき
It is believed whether S＋V だと、「S が V する**かどうか**信じられている」という意味で、「かどうか」と「信じられている」の部分が合わず意味不明。内容的には「S が V すると信じられている」になると推測できるので、that に置き換える。
◯ownership「所有権」　the Great Fire (of London)「ロンドン大火災」

737. （C）→ in June

「その会社が1975年6月に本社をニューヨークに移して以来、業績は好調である」

どこまで読めば答えが分かる？：　1975
基本的に、年・月など2日以上を指す時間に対して使う前置詞は on ではなく in である。on は1日を表す単語とともに使う。

　in the past week/month/winter → 2日以上
　on my birthday/the 25th of June/Friday/Christmas day → 1日

738. （A）→削除

「今晩あなたが私の兄に会うとき、彼がまだ私の車を持っていることを思い出させていただけますか？」

どこまで読めば答えが分かる？：　will
when が「S が V するとき」という、時を表す接続詞として使われている場合、未来のことでも will は使えず、現在時制を使う。したがって、will を削除し meet を現在形として使用する。時と条件を表す接続詞については Point 8 を参照。

739. （B）→ about または on

「そのジャーナリストは、その惨事について質問したいことが1つか2つあると言った」

どこまで読めば答えが分かる？：　disaster
このままだと「惨事のための質問」となり意味不明。「～についての」は about/on を使う。
◯disaster「大惨事」

740. （A）→ Unless

「請負業者がその粗雑な仕事について満足のいく説明をしてくれない限り、私たちは二度と彼らを使わない。だから私は、彼らの報告書を金曜日までに見たい」

どこまで読めば答えが分かる？：　文全体の意味から

as long as 〜 は「〜する限り」で、if と同じような意味を持つ。しかし内容から考えて、「説明してくれなければ、彼らを使わない」となっているはずなので、前半部分を否定文にする必要がある。そこで Unless を使う。unless は「もし〜しないなら」という意味で、否定語を内包している。

▶shoddy「質の悪い」

間違い探し（下線なし）

741. enter hastily in → hastily enter

「その女性は、午前10時半ぐらいに妙な男が急いでビルディングに入ったのを見たと警察に言った」

どこまで読めば答えが分かる？：　in the building

enter は S+V+O の文型をとる動詞なので前置詞は不要である。よって、in を削除しなければならないが、このまま削除すると enter hastily the building となってしまい、V+O の間に副詞が入ることになってしまう。V+O の間に副詞を入れることはないので、hastily を enter の前に移動させるか、the building のあとに置いてもよい。

▶hastily「あわただしく、急いで」

742. nor → or

「私たちはこちらの請負業者かもう片方の業者か、どちらか選ぶことができる。質や費用に関してもあまり違わないだろう」

どこまで読めば答えが分かる？：　文末まで

either と nor は一緒には使えないので、either A or B か neither A nor B の形にする必要がある。しかし、ここでは and 以下の文章の意味から考えて、「どちらでも選べる」という肯定文が必要になるはずだから、either A or B が使われていると推測できる。よって、either を neither に直すのではなく、nor を or にする。

▶in terms of「〜に関して」

Chapter 10 接続詞・前置詞

743. 6 o'clock → at 6 o'clock

「妻はたいてい6時に起きるが、私はたいていさらにもう2時間ベッドにいる」

どこまで読めば答えが分かる？： 6 o'clock
「6時に」となるはずだから、at が必要。in bed の bed には冠詞はいらないので、このままでよい。また、「もう〜」という場合は another＋数詞＋複数名詞となるので、another two hours「もう2時間」もこのままでよい。

744. will come → comes

「ジョーンズ氏がギリシャでの休暇から戻ってくるまで、このプロジェクトにかかっていなければならないよ」

どこまで読めば答えが分かる？： will come
until は時を表す接続詞なので、付属の S＋V には未来形は使わない。よって、will come を comes という現在形に直す。work on は「〜にとりかかる」なので、on でも問題はない。

745. while → during

「その地域に住む子供たちは、近くの公園で朝の体操をするために夏休みの間早起きをする」

どこまで読めば答えが分かる？： while 以下が S＋V になっていないと気づいたところ
while も during も日本語では「〜の間」だが、品詞が異なる。while を接続詞として使う場合には後ろに S＋V が必要。よって、ここでは前置詞の during に直す。
⊃nearby「近くの」

746. such → so

「特にこの教授の講義はとてもおもしろいので、いつも満員である」

どこまで読めば答えが分かる？： that（interesting のあとに名詞がないと分かったとき）
so 〜 that と such 〜 that はともに「とても〜なので〜である」という意味だが、such は形容詞＋名詞に対して使い、so は副詞または形容詞に対して使う。

 He is so **kind** that everyone likes him.
 He is such **a kind man** that everyone likes him.

ここでは interesting が単体で使われており、名詞が存在しないので such ではなく so を使わなければならない。

747. discussing on → discussing

「かなりの長時間その問題について討論したにもかかわらず、技術者たちは実際的な解決策を考え出すことはできなかった」

どこまで読めば答えが分かる？：　on the problem
discuss はダイレクトに目的語をとる動詞なので、前置詞は不要。ただし、discussion になると、名詞だから about/on が必要である。discuss ＝ have a discussion about のように、about まで含まれていると考えよう。
◯come up with「提案する、思いつく」 practical「実際的な」

748. realized → I realized

「彼らの結婚式に参加できないことに気がついて、私はビデオによるメッセージを見てもらえるように準備した」

どこまで読めば答えが分かる？：　realized のあとに that節があると分かったとき
since は接続詞として使う場合と、前置詞として使う場合がある。しかし、どちらにしても直後に過去形を置くことはできないので、realized がおかしいことが分かる。接続詞の場合は、その節の主語がメインの S と同じで、なおかつ be動詞が使われていれば、S＋be動詞を省略できることもある。

　　Since promoted to manager, he has been working hard.
　　　he was が省略

しかし、このように考えても realized が受動態であるとは考えられないので、いずれにしても realized を訂正する必要があると分かる。

749. by → until

「その請負業務を終わらせる締め切りがその月の末まで延期されたが、その会社は早く終わらせることができた」

どこまで読めば答えが分かる？：　by the end of the month
by はある期間までに動作が完了するということを表し、until の場合はその時期まで継続して行われるということを表す。このままだと、延期するという動作がその月の終わりまでに行われたということになってしまい、文脈と合わない。ここでは、締め切りがその月の末まで延期された状態が継続するという意味になるはずなので、by を until に直す必要がある。
◯deadline「締め切り」 contract「請負業務、契約」

Chapter 10 接続詞・前置詞

750. attend to → attend

「フランスの田舎に滞在していたとき、私は幸運にも伝統的な結婚式に参加することができた」

どこまで読めば答えが分かる？：　attend to
attend は「出席する」という意味の場合、ダイレクトに目的語をとる動詞なので、前置詞は不要である。

Test 2
穴埋め

751. （C）　S＋V をとる that 節

「その警備員は不法侵入が行われた夜も、いつものようにドアのすべてにカギをかけたということに間違いないと確信している」

certain that ときているので、この that は that 節の that であると考える。したがって、そのあとには S＋V がきているはず。そして、空欄以下には長い名詞と副詞の固まりしかないので、空欄の中に S＋V が必要であることが分かる。よって、（C）が正答。
●break-in「不法侵入、押し入り」

752. （B）　道具を表す with

「彼はカギを使ってドアを開けることができなかったが、ドライバーでなんとか開けることができた」

by は非常に混同されやすいのだが、「道具を使って」という意味では使えない。その場合は、with を使う。
●screwdriver「ドライバー（ネジまわし）」

753. （D）　now that S＋V 構文

「その陸上選手はもう完全に回復したのだから、彼はオリンピックに出場できる確率がかなり高い」

now that S＋V「今や S は V するのだから」を問う問題。（A）As for「〜に関しては」は前置詞扱いなので S＋V はとれない。（B）は that S＋V で名詞の固まりを作るのだが、設問ではあとに S＋V がくることになるのだから、その名詞の固まりが浮いてしまい不可。（C）For は確かに because の意味があるが、because とは異なり文頭に For S＋V を持ってくる

271

ことはできない。
◯stand a chance of ～「～する可能性がある」　qualify「資格がある」

754．（C）　while/during の使い分け

「妻と私は昨年、スイスでの休暇中にたくさんの新しい友だちを作った」

our vacation in Switzerland が1つの長い名詞の固まりだから、空欄には前置詞が必要である。（D）は vacation とセットにならないので不可。（A）（B）は whilst = while で両方とも接続詞。よって、（C）が正答となる。while/during ともに日本語では「～の間に」と訳せるので混同しないように。

755．（B）　not A but B の構文

「何を言っているんだ？　セルマ・シスルウェイトはTVタレントじゃなくて、マンガのキャラクターだよ」

（A）は not only ～ but also でセットとなるので不可。（C）（D）は neither A nor B/either A or Bという形になるのだが、空欄に当てはめると、nor/or の位置に入れることになりおかしい。not A ＿＿＿ B に入る選択肢は（B）のみ。not A but B「AではなくB」は要暗記。
◯personality「タレント、有名人」　cartoon「マンガ」

756．（D）　前置詞のいらない動詞

「先週、私は未来の電気通信技術に関する会議に出席した」

（A）（C）ともに went to でなければならない。また、attend はダイレクトに目的語をとる動詞。したがって、（D）が正答。
◯telecommunication「電気通信、遠距離通信」

757．（A）　about と同じ意味の on

「日本経済の将来についての、そのエコノミストの演説で、多くの人々が将来に不安を感じた」

意味的には「将来についての演説」となるはずだから、（B）（D）ははずれる。（C）は後ろに with が必要。または concerning なら単独でもOK。意外な話だが、concerned は形容詞だが、concerning は前置詞である。よって、concerning はダイレクトに名詞を目的語にとる。（A）on には about のような「～に関する」という意味がある。
◯apprehensive「不安な」

Chapter 10 接続詞・前置詞

758. （C）「SがVするとき」を表すas

「彼は道を歩きながら、足がだんだんと冷たくなるのを、しだいに感じ始めた」

空欄の後ろはS+Vなので前置詞である（B）と（D）は入らない。（A）forも前置詞として使うことが多いが、becauseの意味を持つ接続詞として使うことは可能。しかし、その場合は文頭にこないという性質を持つ。よって、（A）も不可。（C）asは「〜のように、〜につれて、〜するとき、〜するので」という接続詞の使い方と「〜として」という前置詞の使い方がある。

759. （A） 条件を表す接続詞

「もし明日雨が降らなければ、アルプスでのピクニックに家族を連れて行く」

時や条件を表す接続詞に付属するS+Vには単純な未来を表すwillは使えない。したがって、（B）（D）は不可。また、主語が三人称単数なので（C）も不可である。

760. （C） 前置詞のいらない動詞

「当初、彼女はその男性と結婚したくなかったが、後に彼はすばらしい夫であることが分かった」

marryはダイレクトに目的語をとる動詞。したがって、（C）が正答。ちなみに、形容詞のmarriedはwithではなくtoをとる。I'm married **to** a man.
➲turn out（+ to be）「結局（〜であることが）わかる」

761. （B） 条件を表す接続詞

「政府が構造改革の努力を続けている限り、経済は回復するはずだ」

時や条件を表す接続詞に付属するS+Vには単純な未来を表すwillは使えない。そして、as longas「〜する限り」もifと同様の意味だと考えられる。したがって、（C）（D）は不可。また、governmentは単数扱いでも複数扱いでもかまわないので、（A）（B）のどちらもgovernmentに合うが、ここでは空欄のあとにitsという単数を表す語があるので、（A）は不自然。
➲restructuring「構造改革」

762. （A） 動作主を表すby

「母がステーキを焼いている最中の台所からの煙で、火災報知器が作動した」

（C）は後ろにtoが必要。（A）（B）で悩むと思うが、能動態で考えれば分かる。byならSmoke activated the fire alarm. となり、withならSomeone activated the fire alarm with

smoke. となる。「誰かが煙を使って作動させた」というのは故意に作動させたというニュアンスが含まれるため、この文脈には合わない。
➲activate「作動させる」 fry「油でいためる、揚げる」

763.（B） 締め切りを表す by

「年次総会の前に重役たちが検討する時間をもてるように、そのレポートは来週の金曜日までに用意できていなければならない」

Friday が日を表すので（C）（D）は不可。（A）（B）で悩むと思うが、until＋日時はそのときまで「やり続ける」、by＋日時はそのときまでに「やり終える」という意味である。したがって、（B）が正答。
➲annual「年1回の」

764.（D） 副詞である there

「ハーバードはとてもよい大学なので、私はいとこがなぜそこに行きたくなかったのか理解できない」

there/here はともに副詞で、in/to/at がすでに含まれている。したがって、（A）（B）は不可。あとは、here か there かということになるが、go は現在いる場所から別の場所に移動することを指すので、here に向かうというのは矛盾がある。別の場所から現在いる場所に移動するという意味の単語は come である。よって、（D）が正答。

765.（C） 基本的な接続詞の使い分け

「たとえ天候が悪くなっても、我々は山を登りつづけるしかない」

the weather turns bad は現在形を使っているので、このままでは「習慣的に天気が悪くなる」という意味になってしまう。それ自体は何もさしつかえないが、このままでは主節の文と意味的に合わなくなる。そして、文章全体の意味を考えつつ、選択肢を当てはめて考えてみると Even if が適切であると分かる。これなら、if を使っているため未来のことでも現在形になっていると考えられる。
➲option「選択」

Chapter 10 接続詞・前置詞

間違い探し

766. （B）→ so または in order

「警察は怪しい車に誰も近づけないよう、道路を立ち入り禁止にした」

どこまで読めば答えが分かる？： in order to that

in order to の to は前置詞ではなく to不定詞の一部。よって、後ろに動詞の原形がくるので、このままではおかしい。意味的には「～しないように」となるはずなので、so that を使う。so that S+V で「S が V するように」の意味。または、類義表現の in order that でもよい。
●seal off「（入り口・建物・地域などを）封鎖する、立ち入り禁止にする」
　approach「近づく、接近する」 suspect「怪しい、うさんくさい」

767. （C）→ by

「経験の少ない運転手によって運転されていた列車が赤信号で止まり損ねたため、その事故は起こった」

どこまで読めば答えが分かる？： driver

このままだと、誰かが運転手を道具として列車を運転していたことになり不自然。

　×The train was driven **with** a driver.
　○The door was opened **with** a key (by someone).

この2つを見比べれば、key と driver が同じように使われていることが分かる。

ここでは、driver が列車を運転しているという関係になるはずだから、受動態の行為者を表す by が必要である。
●inexperienced「経験の浅い」

768. （A）→ Although または Despite the fact that

「政府はインフレを抑制することに成功したが（成功したという事実にもかかわらず）、その福祉政策のせいで未だ幅広い層にわたって不人気である」

どこまで読めば答えが分かる？： has succeeded

despite は一見するとそうは見えないが、in や with などと同じ前置詞である。したがって、目的語に S+V をとることができない。よって、Although に直す。もしくは、Despite と this の間に the fact that を入れ、Despite **the fact that** this government has succeeded ...

275

「政府が成功したという事実にもかかわらず」としてもよい。

769．（B）→ that

「その若者は、チーム内で自分の地位を確保するのに充分なほど努力したと確信していた」

どこまで読めば答えが分かる？： whether

このままだと、「若者は努力したかどうか確信していた」となり意味不明。「～したかどうか」と「～を確信する」というのは合わない。内容から考えて「努力したことを確信していた」となるはずなので that を使う。

➲secure「獲得する、確保する」

770．（B）→ got

「その登山者一行は午後2時にようやく山頂にたどり着いた。しかし、彼らは暗くなる前に急いで出発しなければならなかった」

どこまで読めば答えが分かる？： to the summit

reach は S＋V＋O の文型をとる動詞なので前置詞は不要。to には下線がないので変更できないから、reached を got にする。get to も「たどり着く」の意味。

➲party「一行、グループ」 summit「（山の）頂上」

間違い探し（下線なし）

771．in abroad → abroad

「何年も海外に住んでいたので、その企業家は自分の故郷に帰るのがつらいと思った」

どこまで読めば答えが分かる？： in abroad

abroad は意味上 in/to などの前置詞を含んでおり、品詞は名詞ではなく副詞である。よって、前置詞は不要である。

　　go **to** a foreign country　　a foreign country は名詞なので to が必要
　　go abroad　　　　　　　　　abroad には to が含まれているので to は不要

なお、設問では find＋O＋C「O ＝ C であると思う」という文型が使われており、returning ～ hometown が O、difficult が C となっている。

Chapter 10 接続詞・前置詞

772. Nonetheless → Although

「経済の見通しは暗いが、現時点で賢明な決定が下されれば、すぐにその向きを変える可能性がある」

どこまで読めば答えが分かる？：　is bleak で怪しいと感じ、コンマのあとに S+V がきているとわかったところで確信する

nonetheless は副詞なので、2つの文を1つに連結する働きはない。nonetheless は前の文を受ける。

　The weather was bad. **Nonetheless** we went on a picnic.
　「天候は悪かった。それにもかかわらず、我々はピクニックに行った」

よって、ここでは、接続詞の although が必要。nonetheless も although も「～だけれども」という日本語訳がつき混同しやすいので要注意。

◯outlook「見通し、前途」　bleak「希望のない、荒涼とした」

773. During → While

「ここで作業する間は、けがを防止するためにこの保護服を着用しなければならない」

どこまで読めば答えが分かる？：　During you are working

during は一見すると分からないが、実は in や by と同じ仲間の前置詞である。よって、後ろに S+V をとることはできない。ここでは、During を While にする。while は接続詞なので後ろに S+V をとる。during/while ともに「～の間」という日本語訳がつき混同しやすいので、日本語訳から考えないようにしよう。

774. would be → were

「医者は患者たちに、検査の結果が出たらすぐに知らせると約束した」

どこまで読めば答えが分かる？：　they would be

as soon as は時を表す接続詞なので、付属の S+V には未来形は使わない。これは過去における未来でも同じことである。よって、would be を were にする。時を表す接続詞については、Point 8 を参照。

775. because of → because または as

「その飛行機の状態では飛行を続けるのは危険だったので、パイロットは向きを変え空港に戻ることを決めた」

どこまで読めば答えが分かる？：　because of の後ろに S+V があると分かったとき

because of はまとめて1つの前置詞として使うので、後ろに S+V を置くことはできない。よって、of を削除し because だけで使うか、as に直す。

277

注意しなければならないのは、前置詞と接続詞の使い分けである。
　　前置詞＋名詞
　　接続詞＋S＋V
という使い分けは分かっている人が多いが、実際には前置詞を接続詞と混同した文章を見ても間違いに気がつかないことが多い。これは、S＋V の S も結局は名詞であるということによる。

　　　　　　　　　　　　　　　名詞
　○ I will talk **about** the book which I bought at the shop.
　× I will talk **about** the book which I bought at the shop is interesting.
　　　　　　　　　　　　S（＝名詞）　　　　　　　　V

これを見れば分かるように、about の直後は両方とも名詞である。よって、前置詞が接続詞と混同されているかどうかを確かめるには、直後の名詞ではなくそのあとに動詞がきているかどうかに注意する必要があるのである。なお、設問では make＋O＋C「O ＝ Cにする」という文型が使われており、continuing が O で dangerous が C である。

776.　間違いなし

「このときが私にとって、そのような大規模な結婚式を司会として仕切る初めての機会だったので、私は自分の作法がすこし心配だった」

attend は「出席する」の意味では S＋V＋O の文型をとる動詞なので前置詞をつける必要はないが、attend にはその他の意味もある。そのうちの 1 つが **attend to ～**「世話をする、注意を払う、気を使う」である。よって、間違いはない。

●master of ceremony「司会＝MC, emcee」　apprehensive「心配して、不安な」

777.　who → what

「たとえこの試合の結果がどうなろうとも、チームは次の競技の出場資格があるはずである」

どこまで読めば答えが分かる？：　the outcome of this match is
このままだと who is the outcome の関係が成り立つことになってしまいおかしい。the outcome は人ではないので who は使えないはず。意味から考えて、what is the outcome の関係になっているはずなので、what に直す。

●outcome「結果」　qualify「資格を得る」

Chapter 10 接続詞・前置詞

778. on Easter → at Easter

「イースターに教会に行く人の数は減少している。しかし、クリスマスの場合は変化がないようだ」

どこまで読めば答えが分かる？：　is falling
Easter はある 1 日を表すだけではなく、そのお祭りの期間も指す。ちなみに、Christmas もクリスマス期間を指す場合は **at** Christmas だが、クリスマスの日を指すときは **on** Christmas Day となる。

779. go out → you go out または going out

「今晩出かける前に宿題を終わらせておきなさい。さもないと、する時間がないことになるよ」

どこまで読めば答えが分かる？：　Before go out
before は接続詞か前置詞として使う。接続詞として使うなら S+V が必要なので、you を主語として挿入しなければならない。before を前置詞として使うなら、前置詞のあとに動詞を置く場合は ing形にしなければならない。

780. 間違いなし

「少なくとも講義の75％に出席する限り、あなたはそのコースの単位をとることができる」

attend の後ろにある at を見て「これが間違いだ」と飛びついた人もいるかもしれないが、この at は at least「少なくとも」の一部である。よって、at を削除したりしてはいけない。間違い探しの問題は、間違っている箇所を発見するだけでなく、何に直すべきなのか、直したあとで正しい文章になっているのかの確認が必要である。

著者略歴
石井辰哉（いしいたつや）

1969年生まれ。滋賀県在住。関西学院大学文学部卒業。TOEIC・英検・TOEFL 専門校 TIPS English Qualifications を滋賀県に設立。半年間の英国留学中に TOEIC 500点強から900点まで一気に伸ばした経験を生かし、驚異的なスピードで受講生のスコアをアップさせている。日本各地から新幹線やマンスリーマンションを利用して通学する熱心な受講生もおり、受講生の半数以上が県外または通学時間90分以上。

TOEIC 自己最高点は3回連続満点の990点（全国1位）。

主な著書に『TOEIC®Test 900 点突破対策と問題』『TOEIC®Test 900 点突破必須英単語』『TOEIC®テスト実践勉強法』『英語力を上げる実践勉強法』（以上、ベレ出版）、『TOEIC®TEST 文法完全攻略』『TOEIC®TEST リーディング完全攻略』（以上、明日香出版社）などがある。

TIPS English Qualifications に興味のある方は下記のホームページをご覧ください。英語にまつわる面白いエピソードや穴埋め4択問題などを掲載。著者の監修した、単語・文法・リスニングの英語総合学習ソフト「Exam Master Pro」や通勤途中でも使えるPDA用英語ソフト「Pocket Tutor」のページにも飛べます。

＜ホームページのアドレス＞
http://www.biwa.ne.jp/~eigokan/

TOEIC® TEST 文法別問題集
——200点 up を狙う780問

2001年 9月13日	第 1 刷発行
2003年 1月28日	第10刷発行

著者	石井辰哉（いしいたつや）
ブックデザイン	有限会社トータス

©Tatsuya Ishii 2001, Printed in Japan
本書の無断複写（コピー）は著作権法上での例外を除き、禁じられています。

発行者	野間佐和子
発行所	株式会社講談社 東京都文京区音羽2丁目-12-21 郵便番号　112-8001 電話　編集　03-5395-3532 　　　販売　03-5395-3622 　　　業務　03-5395-3615
印刷所	慶昌堂印刷株式会社
製本所	大口製本印刷株式会社

落丁本・乱丁本は購入書店名を明記のうえ、小社書籍業務部あてにお送りください。送料小社負担にてお取り替えします。この本の内容についてのお問い合わせは生活文化第四出版部にお願いいたします。

ISBN4-06-210830-5　定価はカバーに表示してあります。

TOEIC TEST 文法別問題集

200点 up を狙う 780問

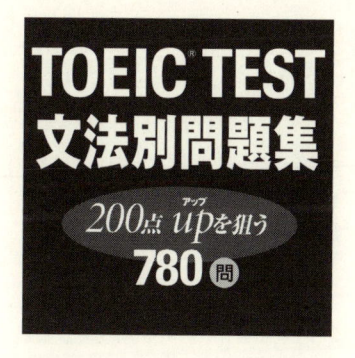

別冊問題集

TOEIC® TEST 全国1位・990点取得
石井 辰哉

講談社

CONTENTS ☆ TOEIC® TEST 文法別問題集──200点 up を狙う780問 別冊問題集

問題編

Chapter 1	Sentence patterns & Voice　文型と能動態／受動態 …………4
Chapter 2	Tenses　時制 ……………………………………………………13
Chapter 3	Modals　助動詞 …………………………………………………27
Chapter 4	Infinitives, Gerunds & Participles　不定詞・動名詞・分詞 …41
Chapter 5	Relatives　関係詞 ………………………………………………65
Chapter 6	Conditionals　仮定法 …………………………………………79
Chapter 7	Interrogatives　疑問詞 ………………………………………89
Chapter 8	Nouns & Pronouns　名詞・代名詞 …………………………98
Chapter 9	Adjectives, Adverbs & Comparison　形容詞・副詞・比較 …108
Chapter 10	Conjunctions & Prepositions　接続詞・前置詞 ……………118

問題編

Chapter 1

Sentence patterns & Voice
文型と能動態／受動態

Test 1

穴埋め

1. The national car manufacturing company _____ several years ago.
   - (A) went bankrupt
   - (B) stopped
   - (C) issued
   - (D) fired

2. The lively former president finally died _____.
   - (A) at the age of 95
   - (B) his wife yesterday
   - (C) his hair black
   - (D) heart failure

3. I was summoned to the boss' office because I hadn't been _____ my desk tidy.
   - (A) keeping
   - (B) continuing
   - (C) working at
   - (D) cleaning

4. This time last year, a new condominium _____ in an area that was not suitable for construction.
   - (A) was building
   - (B) was built
   - (C) has been built
   - (D) is built

5. The young man had always _____ and this resulted in a serious lack of self-esteem.
   - (A) looked down on
   - (B) been looked down on
   - (C) been looked down
   - (D) been looked

6. The young woman went _____ with worry when her husband failed to come home.
   - (A) home (B) to search him (C) out of her mind (D) crazily

4

Chapter 1 文型と能動態／受動態

7. Injuries of this kind _____ by a violent contraction of the muscles of the thigh.
   (A) is sometimes caused
   (B) can be caused
   (C) results
   (D) may be resulted

8. This part of the manufacturing process _____ to satisfy the regulations.
   (A) must be upgraded
   (B) expects to be upgraded
   (C) must upgrade
   (D) is expected to upgrade

9. When I visited the hospital yesterday, the doctor asked _____ my age.
   (A) me into (B) me of (C) me on (D) me

10. Much to everyone's surprise, the government _____ in the general election.
    (A) defeats (B) defeat (C) has defeated (D) was defeated

11. While sitting on the train, he _____ the time reading a newspaper.
    (A) had (B) continued (C) spent much of (D) past

12. Have the two guest speakers _____ to each other yet?
    (A) introduction
    (B) been introducing
    (C) been introduced
    (D) introduced

13. The company president had to admit that the young man's idea sounded _____.
    (A) naturally (B) interested (C) good (D) well

14. The employee's new sales idea _____ by the company and promoted to improve profits.
    (A) has already been taking up
    (B) should take up
    (C) will be taken up
    (D) was taking up

15. The management didn't give _____ to finish the job on time.
    (A) me enough staff
    (B) enough staff me
    (C) enough staffs to me
    (D) me staff enough

間違い探し

16. If the contractors won't start work again soon, the three-river dam won't
         (A)   (B)   (C)
    build in time.
    (D)

17. I must be honest and say that I make my coffee to be hot even in summer.
                              (A)   (B)   (C)   (D)

18. The end of the boy's finger bit off by an otter while he worked at a wildlife
        (A)   (B)   (C)   (D)
    park.

19. The rights of composers and musicians are violating by the illegal copying of
        (A)   (B)   (C)   (D)
    their material.

20. A little known scientific journal in America was published the professor's
    (A)   (B)   (C)
    research paper in January.
             (D)

間違い探し（下線なし）

21. The suspect's silence may interpret as an admission of guilt by some of the people in court.

22. The chameleon changed gray to match the color of the surrounding rocks.

23. The keys had been putting away in an extremely safe place, which invariably meant we couldn't find them again.

24. I don't know how I made my wife anger but she refused to cook for dinner that night.

Chapter 1 文型と能動態／受動態

25. The famous tune heard daily by millions of listeners all around the world.

26. The river smells terribly because of the flow of untreated sewage into it.

27. His loyalty was taking for granted for so long that when he quit it was a shock to everyone.

28. The long awaited soccer match between the teams didn't play due to bad weather.

29. The use of certain pesticides should prohibit next year to cut water pollution due to farm runoff.

30. He had to admit that his father had learned him everything he knew.

Test 2

穴埋め

31. The house at the end of the street _____ on so many occasions that an alarm was installed.
    - (A) into which was broken
    - (B) was broke
    - (C) is breaking in
    - (D) was broken into

32. The old man _____ the organization at a time when there was no competition.
    - (A) is found
    - (B) was found
    - (C) was founded
    - (D) founded

33. The rumors surrounding the current leader's past are spreading _____.
    - (A) rapid
    - (B) the country
    - (C) stories nationwide
    - (D) around the country

34. The player _____ immediately pending an official inquiry.
    - (A) is suspending
    - (B) suspends
    - (C) was suspended
    - (D) has been suspense

35. Despite the bad weather, the construction project is proceeding _____.
    (A) as planned   (C) quick
    (B) many other projects (D) as intending

36. A well-known actor _____ to speak at the society's next annual dinner.
    (A) should invite   (C) has invited
    (B) is inviting   (D) will be invited

37. The secretary reprimanded me because I left the conference room _____.
    (A) tidy (B) messy (C) in mess (D) untidily

38. The song, which _____ on the back of an envelope, was almost thrown away.
    (A) was writing down (C) wrote down
    (B) is writing down   (D) had been written down

39. The soldiers encountered _____ as they walked into the city.
    (A) too much   (C) eagerly
    (B) resisting   (D) very little resistance

40. My theory _____ by the following simple example.
    (A) have to be illustrated (C) illustrates
    (B) is illustrating   (D) can be illustrated

41. The teacher is sure that the student _____ the exam easily.
    (A) is going to succeed (C) will pass him
    (B) passes   (D) will get through

42. This newspaper _____ every weekday for over 20 years.
    (A) has published   (C) has been published
    (B) publishes   (D) has been publishing

43. The high school baseball team _____ a retired major league player right now.
    (A) is coaching   (C) is trained by
    (B) trains   (D) is being coached by

44. Despite Jane's protests, she started to _____ her holiday snaps.
    (A) distribute her   (C) show her
    (B) bore me   (D) display me

Chapter 1 文型と能動態／受動態

45. Officials at the Department of Agriculture have discovered that large quantities of seed _____ illegally.
   (A) has been imported
   (B) was imported
   (C) seem to have imported
   (D) have been imported

間違い探し

46. The runner's poor performance in the race can blame on insufficient nutrition
　　　　　　　　　　　　　(A)　　　　　　　　　　　(B)　　　　　　　(C)
during the previous week.
　　　　　　(D)

47. A police narcotics squad broke into a man's apartment and arrested immedi-
　(A)　　　　(B)　　　　　　　(C)　　　　　　　　　　　　　　　　(D)
ately.

48. The police suspect that the brakes on the car damaged on purpose.
　　　　　　　(A)　　　　　　　　　　　(B)　　　　　(C)　　　(D)

49. Although very young, the businessman has a very wealthy man.
　　　(A)　　　　　　　(B)　　　　　　　(C)　　　　(D)

50. Samples of river water taken from various locations downstream of the
　　　　　　　　　　　　　　(A)　　　　　　　　　　　　　　　　(B)
power plant have analyzed for traces of the chemical.
　(C)　　　　　(D)

間違い探し（下線なし）

51. Each of the workers remains ignorance of the financial problems facing the company.

52. Many passages within the text will cross out by the censors if you leave it as it is.

53. For many years I did all I could to encourage my mother happy, but finally I rebelled.

54. Sufficient tests have performed to rule out the possibility of this growth being cancerous.

55. A cousin whom I hadn't seen for many years wrote to me a letter last week.

56. The murder suspect has released because the police didn't have enough evidence to hold him any longer.

57. The kindergarten teacher instructed the children to sit down before telling the story for them.

58. The work that was assigned to me has completed according to schedule.

59. He is always sure to go home on time because his wife cooks excellent meals, and he enjoys very much.

60. The patient's knee has operated on so many times that it is covered with a latticework of scars.

Chapter 1　文型と能動態／受動態

ヒント

1)　several years ago は副詞なので文型には関係ない。よって、選択肢を入れて文章が完結するものでなければならない。
2)　die は「死ぬ」であり、「死なせる」という意味はない。また dye「染める」との混同に注意。
3)　tidy は形容詞なので、もし desk を説明しているのであれば my tidy desk になっているはず。つまり、desk と tidy は別パート。
4)　主語と動詞の関係をよく考えること。
5)　もともとどんな動詞を受動態にしようとしているのかを考えよう。
6)　実は、文法的にはすべて空欄に入れることができる。よって、意味から考えること。
7)　何が cause/result という動作を行うのか考えること。
8)　S＋V の関係を考える。これは to不定詞の場合も同じ。その動作を誰がやるのかという視点で動詞を見ること。
9)　ask がとれる文型を考える。これが分からない場合は、「あなたに質問していいですか？」を英訳してみよう。そこから ask の使い方が推測できるはず。
10)　defeat は「負かす」である。
11)　read がなぜ ing形になっているのか考えよう。
12)　"I introduce." が成り立つかどうかを考える。
13)　sound は S＋V＋C の文型をとる。S is C の関係になるのはどの選択肢？
14)　idea と take up の関係は受動態それとも能動態？
15)　Testing Point は enough の位置と、give がとる文型。
16)　どんな文でも動詞を見た瞬間に考えなければならないのは「主語は何？」。
17)　make は使役動詞であり、さらに S＋V＋O＋C の文型をとる。
18)　S＋V の関係を考えよう。
19)　S＋V の関係を考えよう。
20)　S＋V の関係を考えよう。
21)　どんな文でも動詞を見た瞬間に考えなければならないのは「主語は何？」。
22)　change は S＋V＋C の文型はとれない。では、change と同じ意味でこの文型をとれる単語は？
23)　S＋V の関係を考えよう。
24)　I am happiness. とは言わず、I am happy. と言う。
25)　まずは文の構造を考えよう。特に S＋V が大切。
26)　smell は S＋V＋C の文型をとる。あとは terribly は何を説明しているはずなのかを考える。
27)　take A for granted「A を当然のことと思う」。
28)　主語は match「試合」であると認識している？
29)　prohibit は「禁止する」。では、誰が禁止するのだろうか？

30) このままだと「彼を学ぶ」になってしまう。あとは文の意味から考える。
31) 能動態にもどして考えてみよう。
32) found は find の過去形・過去分詞形と found「設立する」の原形という形がある。
33) 主語は rumors「うわさ」。あとは S＋V の関係と、空欄の語が何を説明しているのかを考える。
34) suspend には「出場停止処分にする」という意味がある。
35) proceed は go と同じ。あとは空欄の語が何を説明しているのかを考える。
36) S＋V の関係を考えよう。
37) leave を S＋V＋O で使うときは「O の場所を出る」。S＋V＋O＋C で使うときは、「O＝C のままほうっておく」。
38) the song と write の関係を考えよう。
39) encounter は「遭遇する」。"I encounter." だけでは意味が通じない。よって、何が必要かを考える。
40) illustrate は explain と同じような意味。
41) 時制と文型を考えること。文型は動詞で決まる。
42) newspaper と publish の関係は？
43) right now は「ちょうど今」。では、時制は？
44) Testing Point は、「どれが S＋V＋O＋O の文型をとる動詞か」。
45) seed と import「輸入する」の関係は？
46) S＋V の関係を考えること。
47) この文章では言わないといけないことを言っていない。実は一語抜けている。
48) S＋V の関係を考えよう。これは that 節の S＋V も同じこと。
49) ビジネスマンは人買いではない。
50) analyzed の主語が理解できているか確認すること。
51) I am happiness. は不可。I am happy. でなければならない。
52) cross out は「削除する」。
53) encourage は S＋V＋O＋C の文型をとれない。
54) S＋V の関係を考えよう。
55) to me は wrote にかかる副詞であり、a letter は目的語である。
56) 誰が release という動作を行ったのか考えよう。
57) tell は何を話したかよりも、誰に言ったかを重要視する。
58) S＋V の関係を考えよう。
59) enjoy は S＋V の文型をとらない。
60) S＋V の関係を考えよう。

Chapter 2

Tenses
時制

Test 1

穴埋め

61. It's a well-known fact that the speed of sound _____ with the density of the medium.
    - (A) is varying
    - (B) has been varying
    - (C) varies
    - (D) has varied

62. Just look at the weather now! It _____ again!
    - (A) has been raining
    - (B) will be raining
    - (C) rains
    - (D) is raining

63. My supervisor _____ abroad twice in the past two months.
    - (A) have been
    - (B) has gone
    - (C) has ever been
    - (D) has never been

64. We _____ for Hawaii on the 16th; our tickets arrived today.
    - (A) will leave
    - (B) are leaving
    - (C) left
    - (D) are going

65. The class _____ the subject more clearly because the new teacher explained it thoroughly.
    - (A) is understanding
    - (B) understands
    - (C) are comprehending
    - (D) have been understanding

66. The pitcher _____ in the minor leagues for years before he got the chance to play in the majors.
    - (A) was playing
    - (B) is playing
    - (C) had been playing
    - (D) has been playing

67. I'm going jogging as soon as I _____ this report.
    (A) am completing
    (B) will complete
    (C) complete
    (D) completed

68. Jane and Glenda _____ a farewell party next Sunday at their place.
    (A) have thrown
    (B) is having
    (C) have
    (D) are throwing

69. When _____ processing all the job applications?
    (A) have you finished
    (B) did you finish
    (C) were you finished
    (D) have you been finished

70. The old man felt a little unwell so he _____ down on the sofa.
    (A) had lain
    (B) lied
    (C) was lying
    (D) lay

71. Before we fully understand what is happening, scientists _____ humans.
    (A) are cloning
    (B) will have been cloning
    (C) have cloned
    (D) will be cloning

72. Unemployment _____ for almost 5 years now and the increase shows no signs of abating.
    (A) rises
    (B) had been rising
    (C) has been rising
    (D) will have risen

73. While I _____ my speech about penguin migrations, the lights went out.
    (A) am delivering
    (B) delivered
    (C) was delivering
    (D) have delivered

74. He _____ to find a job since the day he was fired by the previous company.
    (A) wasn't able
    (B) has been unable
    (C) isn't able
    (D) can't

75. It was rainy today, but I think it _____ fine tomorrow.
    (A) will be
    (B) will have been
    (C) is being
    (D) is

Chapter 2 時制

間違い探し

76. Did the students never asked you to teach them something in particular?
    (A)   (B)   (C)   (D)

77. The station broadcast the President's address at some time later tonight.
        (A)   (B)   (C)   (D)

78. You see that red sedan over there. That is belonging to me now.
    (A)   (B)   (C)   (D)

79. You'll be halfway over the Pacific Ocean by the time I am getting back from
            (A)   (B) (C)   (D)
    New York.

80. I'm sunning myself on the beach this time next week.
        (A)   (B)   (C)   (D)

間違い探し（下線なし）

81. We considered the long-term consequences of this decision yet.

82. I didn't use to know this village very well before I moved here 10 years ago.

83. When I called, everyone had finished packing and they got excited at the prospect of going away on vacation.

84. "Would I speak with Mr. Jones?" "I'm sorry you just missed him. He stepped out ten minutes ago."

85. The builder has put the finishing touches on the building and he should be finished next week.

86. Don't you dare call at 9 tomorrow; I'm taking a bath.

87. Fortunately, I anticipated the problem and had taken evasive action to deal with the possible consequences.

88. These days, modern technology will allow writers to spend more time thinking about content.

89. My mother needs crutches since the accident three years ago.

90. I study in my room for the exams which I have tomorrow, so please don't disturb me.

Test 2

穴埋め

91. How long _____ in this line of business so far?
    (A) had you been   (C) have you been
    (B) will you be   (D) are you

92. When I arrived home, my son _____ bed for more than 2 hours.
    (A) was lying in (B) was in (C) had gone to (D) had been in

93. The accountant _____ to analyze the accounts now.
    (A) has needed   (C) needs
    (B) has been needing (D) is needing

94. The new doctor will arrive next Friday before I _____ for my new assignment.
    (A) am leaving   (C) will leave
    (B) leave   (D) will be leaving

95. "How's Aunt Maud?"
    "She's still in the hospital, but _____ nicely."
    (A) she recovered   (C) she's recovering
    (B) she recovers   (D) she will be recovering

96. I'm sorry I can't help you. _____ with John this Saturday.
    (A) I have been fishing   (C) I fish
    (B) I go fishing   (D) I'm going fishing

Chapter 2 時制

97. The birds _____ nest here but they do now.
    (A) don't used to   (C) have used to
    (B) used to   (D) didn't use to

98. "What time should we meet?"
    "I know! _____ at seven in the bar."
    (A) We are going to meet   (C) We'll meet
    (B) We'll be meeting   (D) We're meeting

99. Do you think you _____ something when I visit you at 8 o'clock tonight?
    (A) are doing   (B) have been doing   (C) will be doing   (D) do

100. The director's presentation _____ completion when the protestors arrived.
    (A) was nearing   (C) will be near
    (B) was neared   (D) is near to

101. I _____ here so long I can't change my job now.
    (A) worked   (C) have been working
    (B) will have worked   (D) will be working

102. I know my friend wants to see me, so if he _____ tomorrow, I'll visit him next week.
    (A) doesn't come   (C) will come
    (B) would come   (D) didn't come

103. I received a phone call from the new company director yesterday. He _____ the plant on Friday.
    (A) is inspecting   (C) has inspected
    (B) would inspect   (D) would be inspecting

104. We _____ with my husband's mother ever since her husband died.
    (A) are living   (B) live   (C) lived   (D) have lived

105. It seems fairly likely that the volcano _____ either tomorrow or the next day.
    (A) is erupting
    (B) erupts
    (C) is going to erupt
    (D) erupted

間違い探し

106. The player <u>went</u> to the manager's office <u>last</u> Friday to <u>apologize for</u> a public
                (A)   (B)   (C)

argument that <u>surfaced</u> two days earlier.
                  (D)

107. We <u>have trained</u> really <u>hard</u> so I am sure we <u>are winning</u> the match, the day
            (A)   (B)   (C)

<u>after</u> tomorrow.
(D)

108. <u>Judging by</u> the children's <u>expressions</u>, it is clear that they <u>are believing</u>
    (A)   (B)   (C)

everything <u>I'm saying</u>.
            (D)

109. I'm not <u>going</u> to transfer <u>someone</u> <u>of</u> John's experience; he <u>taught</u> for 10 years
         (A)   (B)   (C)   (D)

now.

110. We will not be able <u>to finish</u> this report by the deadline <u>which</u> the client
                              (A)   (B)

<u>specified</u> unless you <u>joined</u> the team.
  (C)   (D)

Chapter 2 時制

間違い探し（下線なし）

111. Everyone from the office will be drinking in the bar by the time we will arrive.

112. Did you see the news? They just announce the election results.

113. I read this book for three weeks and I'm still only on the first chapter.

114. I'm sure he is hating the work this time tomorrow, after the novelty has worn off.

115. After the seminar has finished, I accompanied the speakers to dinner at a restaurant nearby.

116. That's a very good, but unexpected, question. I try to answer it after I've had a little time to think.

117. They are pretending to be ignorant but I'm sure they are knowing of the affair.

118. Dr. Ueda has been performing an operation at the moment, so he can't come to the phone.

119. I wonder if Mr. Jones had ever chaired a meeting before presiding over the one we are having tomorrow.

120. When I entered the building the burglar had escaped through a back window, and I just saw his legs still inside.

Test 3

穴埋め

121. The terrible weather _____ the match to be cancelled.
    (A) causes   (C) caused
    (B) have caused   (D) was causing

122. I _____ cards with my colleagues after work during my many years with the company.
    (A) often play   (C) have often played
    (B) am often playing   (D) was often playing

123. The new drug was released on Monday, replacing one that _____ the market for over twenty years.
    (A) will be on   (C) is on
    (B) have been on   (D) had been on

124. I admit that I _____ the club at the time of the minor scandal.
    (A) am going to be joining   (C) had worked
    (B) belonged to   (D) was belonging to

125. I saw a game last Saturday in which the last place team _____ the one in first place.
    (A) beat   (C) had beaten
    (B) has beaten   (D) was beaten

126. Judging by the black clouds gathering over there, there _____ a storm later.
    (A) won't be   (B) is going to be   (C) is being   (D) is

127. The Prime Minister _____ foreign countries at the time of the stock market crash last week.
    (A) has been touring   (C) was touring
    (B) tours   (D) will be touring

Chapter 2 時制

128. I'll finish the housework after I _____ from the movies.
　　（A）return　（B）returned　（C）will return　（D）am returning

129. The day before yesterday, the government _____ its commitment to ratify last week's bilateral treaty.
　　（A）is confirming　　　　　（C）just confirms
　　（B）had confirmed　　　　（D）confirmed

130. We _____ this illness for over ten years and we have no intention of stopping now.
　　（A）researched　　　　　（C）have been researching
　　（B）will research　　　　（D）will be researching

131. This week, Glenda _____ with her grandmother while her apartment is being redecorated.
　　（A）lived　（B）was living　（C）is living　（D）lives

132. How often _____ for speeding this year?
　　（A）did you stop　　　　（C）have you been stopped
　　（B）had you been stopped　（D）have you stopped

133. My secretary _____ to meet you at the airport when your plane arrives.
　　（A）will wait　　　　　（C）is waiting
　　（B）is going to wait　（D）will be waiting

134. I _____ the opportunity to speak to my boss since Monday morning.
　　（A）haven't　　　　　　　（C）hadn't
　　（B）haven't been having　（D）haven't had

135. The burglar made off with the jewels before the shop _____ this morning.
　　（A）was opening　　　（C）opened
　　（B）has opened　　　（D）had opened

間違い探し

136. The police <u>have</u> <u>been knowing</u> <u>of</u> the suspect's <u>whereabouts</u> for almost a
　　　　　　　(A)　　　　(B)　　(C)　　　　　　　　(D)

week.

137. <u>It's</u> not sure but <u>the</u> two directors <u>are having</u> a meeting in Geneva next
　　　(A)　　　　　　　(B)　　　　　　　(C)

weekend to <u>sign</u> the contract.
　　　　　　(D)

138. The young woman, <u>who</u> <u>used</u> to sleeping on the floor, was restless and failed
　　　　　　　　　　　　(A)　(B)

to <u>get</u> a good <u>night's</u> sleep.
　　(C)　　　　(D)

139. Fred <u>has gone</u> <u>diving</u> now for twenty years and <u>it's</u> become an <u>integral</u> part of
　　　　　(A)　　　(B)　　　　　　　　　　　　(C)　　　　　　(D)

his life.

140. My sister <u>has been</u> coming to stay <u>next</u> weekend, so <u>can</u> you <u>clear up</u> the
　　　　　　　(A)　　　　　　　　　(B)　　　　　　(C)　　　(D)

spare room?

Chapter 2 時制

間違い探し（下線なし）

141. Please be sure that you wait until he is arriving back before leaving, because he won't have the key.

142. Most people think that the Republican Party is winning the next election.

143. The teacher isn't remembering the word that he intended to tell the students.

144. By the time the police arrived, the intruder has long since gone.

145. He has been wanting to climb Mount Fuji since he saw it for the first time, so he climbs it next week.

146. The company's share price was already falling when they announced the loss.

147. When I will go to England next year, would you be interested in coming too?

148. Could you check the latest sales figures while I will work on this report?

149. When my wife finally arrived, I was waiting there for well over an hour.

150. Sometimes, the doctor is prescribing herbal remedies instead of standard drugs.

ヒント

61) 科学的事実を述べるのはどの形？
62) 「ほら、見て！」と言われたら、rain の時制はいつ？
63) My supervisor は単数名詞。あとは意味から考えよう。
64) 未来の予定を表す未来形はどれ？
65) 状態動詞と動作動詞の使い方の違いは？
66) got the chance との比較。どちらがより過去か？
67) as soon as は時を表す接続詞。
68) 未来の予定を表すのはどれ？
69) 設問の文を実際に尋ねられたとして、自分で答えるときにどの時制を使うか考えてみよう。
70) lie/lay の区別と活用がポイント。
71) 人間をクローンしているという動作がいつ行われているのかを考える。常識も使おう。
72) 現在までの継続を表すのはどれ？
73) 主節の時制に注意。
74) 「クビになった日以来ずっと」は現在までの継続。
75) 単なる未来の出来事はどれを使って表す？
76) 動詞の形をよく見れば少なくともどこが間違っているのかは分かるはず。
77) 文章の構造、特に S+V に注意。
78) belong は状態動詞。
79) by the time は時を表す接続詞。
80) be doing は約束・手配済みの未来の予定で、未来を表すときは進行形の意味はない。
81) yet は普通、どんな文に使われる？
82) use to do は didn't がくっついている限り一般動詞扱い。
83) 興奮状態になったのはいつの話？
84) 許可を求める表現はどんな形？
85) 意味をよく考えること。and の前と後ろで意味が矛盾している。
86) 9時はいつの9時？
87) anticipate と take の時制を比べよう。
88) these days は「最近」であるから、時制は？
89) 現在までの継続。
90) 「じゃまするな」と言っているのは英語を勉強する習慣だから？ それとも今勉強している最中だから？
91) so far は「これまでのところ」。自分ならどの時制を使ってどのように答えるか考えてみよう。
92) 帰ったときに2時間寝たのではなく、帰ったときにはすでに2時間たっていたはず。
93) need は状態動詞。

Chapter 2 時制

94) before は時を表す接続詞。
95) 今、病院にいるのだから、どんな状態か考えてみよう。
96) 未来の予定の話。
97) used to は過去形の表現。
98) "I know" のあとに感嘆符「！」があることに注意。「じゃあ、こうしよう」ぐらいの意味。
99) 8時に訪れた瞬間の話。
100) 抗議者たちが到着した瞬間の話。
101) 現在までの継続。
102) if は条件を表す接続詞。仮定法かどうかも考えること。
103) on Friday はいつの金曜日か。また、(B)(D) の would は仮定法。
104) 現在までの継続。
105) 明日かあさっての話だが、予定ではない。
106) surfaced と went の時制を比べよう。
107) あさっての話をしている。
108) believe は状態動詞。
109) 「10年間ずっと教えてきた」という意味のはず。
110) unless は if ～ not と同じような意味。文全体の意味と時制を考えること。
111) by the time は時を表す接続詞。
112) 発表があったのはいつの話？
113) 3週間ずっと読み続けているはず。
114) hate は状態動詞。
115) 全体的にいつの話か考えよう。
116) 「あとでお答えします」と決めたのは話している最中のはず。
117) know は状態動詞。
118) 電話に出られないのは過去から現在までずっと手術してきたから？ それとも今、手術中だから？
119) 明日行う会議までの経験。
120) 逃げてしまったあとなら足が見えるはずがない。足が見えたということは……。
121) 習慣的動作か、過去に一度起こった動作かが問題。決め手は <u>the</u> match。
122) often という語に注意。また、時制を表す語がどれか考える。
123) いつの時点までの20年か考えよう。
124) belong は状態動詞。
125) 先週の土曜日に起こった出来事はどの時制？
126) later だから未来の話。だが、予定ではない。
127) at the time は時のある一点を表す。
128) after は時を表す接続詞。
129) おととい起こった出来事の時制は？ before にだまされないように。

130) 現在までの継続。
131) 習慣的動作ではなく、一時的な動作であることに注意。
132) 「止まるのか」「止められるのか」に注意。
133) 着いたときに「待つ」のか、「待っている」のか。
134) この場合の have は状態動詞。
135) made は過去形。
136) know は状態動詞。
137) it's not sure なのに断定はできないはず。
138) used to/be used to の混同に注意。
139) go の完了形は2種類あったはず。その意味を比べること。
140) 動作の継続を表すのか来週の予定を表すのか。
141) until は時を表す接続詞。
142) 選挙に勝つのは予定ではありえない。
143) remember は状態動詞。
144) "By the time S+V, S+V" の文ではどちらの S+V が先に起こる？
145) 未来の予定の話をしている。
146) already は完了形と一緒に使うとは限らない。
147) when は時を表す接続詞。
148) while は時を表す接続詞。
149) たとえば、待ち合わせの相手が今、到着したとして、「2時間も待ったよ」と言うならどの時制を使うだろうか。要するにこの問題はそれの過去バージョン。
150) 内容から考えて習慣的動作。

Chapter 3

Modals
助動詞

Test 1

穴埋め

151. "_____ open the window, please?" "Sure, go ahead."
　　（A) Will you　　　　　　　　（C) Can I
　　（B) Could you　　　　　　　（D) Shall I

152. Much to everyone's astonishment, Glenda _____ speak five languages fluently when she was five.
　　（A) could　（B) might　（C) has been able to　（D) can

153. The government _____ continue to throw money at the economy unless it can explain how it's going to pay for it.
　　（A) should　（B) ought to　（C) shouldn't　（D) ought not

154. The man _____ the burglary because he was in jail at the time.
　　（A) must have done　　　　　（C) couldn't have done
　　（B) might have done　　　　（D) would rather not have done

155. He's a very unpredictable man; he _____ do anything.
　　（A) can　（B) might　（C) ought　（D) is able to

156. Under the new flex-time system, the staff _____ be at the office until ten thirty in the morning.
　　（A) can't　（B) don't have to　（C) mustn't　（D) has to

157. I know it's very early, but _____ discuss next year's investment plan with you?
　　（A) could you　（B) would you　（C) will I　（D) might I

158. The political party _____ the election because they were so unpopular.
  (A) can't have won
  (B) could win
  (C) must have won
  (D) will win

159. I haven't decided yet, but I _____ invest my savings in the company.
  (A) can't (B) might (C) am able to (D) must

160. These great sea mammals are incredible; they _____ remain submerged for a very long time.
  (A) can
  (B) have been able to
  (C) must not
  (D) could

161. If you hope to have a chance of winning the race, you _____ to be training every day.
  (A) should (B) may (C) ought (D) are able

162. You _____ allow your children to play in this area because it is very dangerous.
  (A) aren't able to
  (B) mustn't
  (C) don't have to
  (D) shouldn't have

163. The government _____ change the policy even though it was clearly not working.
  (A) shouldn't have
  (B) can
  (C) might not
  (D) wouldn't

164. He _____ his driving test this time because he never practiced!
  (A) must have passed
  (B) can't pass
  (C) could have passed
  (D) can't possibly have passed

165. Excuse me, but _____ you your name and telephone number?
  (A) may I ask
  (B) am I able to ask
  (C) I might ask
  (D) might I inquire

Chapter 3　助動詞

間違い探し

166. After <u>getting</u> his license, <u>according</u> to the law, my friend <u>might</u> now teach other
    　　　　(A)　　　　　　　(B)　　　　　　　　　　　　(C)
    people <u>to dive.</u>
    　　　　(D)

167. Sorry <u>to bother</u> you, but <u>shall</u> I <u>borrow</u> your bicycle this <u>afternoon</u>, please?
    　　　(A)　　　　　　　(B)　　(C)　　　　　　　　　　(D)

168. You <u>may</u> love animals but <u>if you're</u> squeamish, you <u>ought not</u> consider
    　　　(A)　　　　　　　　　(B)　　　　　　　　　(C)
    <u>becoming</u> a vet.
    　(D)

169. If you really want to become <u>a successful manager</u>, you <u>might</u> not become
    　　　　　　　　　　　　　　　(A)　　　　　　　　　　(B)
    <u>too</u> friendly <u>with</u> the staff.
    (C)　　　　(D)

170. My financial advisor told me that the <u>company's shares</u> were <u>a good buy</u>, so
    　　　　　　　　　　　　　　　　　　(A)　　　　　　　(B)
    he <u>could know</u> about <u>the</u> bankruptcy then.
    　　(C)　　　　　　(D)

間違い探し（下線なし）

171. Fred doesn't have to drive his car at the moment because his license has been suspended for one year.

172. "Should I influence the management's decision in our favor?"
    "OK, I could try if you insist."

173. The company president is coming to speak to the staff next Monday. Would you mind inform them?

174. I know it's only my opinion but, since you had the chance, I think you must have attended the state's agricultural university.

175. Thanks to my mother, I could have read long before I started at school.

176. The girl's parents would like she didn't spend so much time with her boyfriends now.

177. The company should be able to increase production when they redesigned the factory layout. So why didn't they do it?

178. Am I able to borrow your computer for fifteen minutes or so to input these statistics?

179. John's clearing out his desk; he must be fired over that mistake he made.

180. You mustn't complete the report until Saturday because we won't need it until next week.

Test 2

穴埋め

181. I'm afraid your friend _____ wait for you here; it's a restricted area. Can you ask him to move?
　　　　(A) may　(B) isn't able to　(C) can't　(D) mightn't

182. If you feel so strongly about the issue, you _____ say something.
　　(A) ought to　　　　　　(C) shouldn't
　　(B) must not　　　　　　(D) are able to

183. Could you tell John that he _____ forget his books otherwise he'll be in trouble again?
　　　(A) doesn't　　　　　　(C) mustn't
　　　(B) isn't able to　　　　(D) doesn't have to

Chapter 3 助動詞

184. Would you make an appointment with Mr. Jones for me? I _____ to discuss my promotion.
  (A) would like
  (B) would rather
  (C) had better
  (D) really has

185. I _____ allow you to go home early as I don't have the authority to do so.
  (A) may (B) can't (C) mightn't (D) must

186. You _____ for membership of the institution only after you have completed this training course.
  (A) may apply
  (B) might apply
  (C) could make an application
  (D) can't apply

187. If you want to recover from the injury quickly, you _____ start training too early.
  (A) must
  (B) ought to
  (C) shouldn't
  (D) shouldn't to

188. I _____ in a strange position last night. My back feels terrible this morning.
  (A) must be sleeping
  (B) couldn't have slept
  (C) can have slept
  (D) must have slept

189. Come in and sit down. _____ a cup of tea?
  (A) Would you rather
  (B) Would you like
  (C) Do you like
  (D) Would you

190. Judging by the worried looks on the students' faces as they came out, it _____ a difficult exam paper for them.
  (A) might be (B) has to be (C) must have been (D) would be

191. _____ you let me have the key to the storage shed? I need something.
  (A) May (B) Might (C) Must (D) Can

192. If you've finished your homework, you _____ go see your friends.
  (A) might (B) may (C) are able to (D) have been able to

193. All applicants _____ submit their applications by the date shown above otherwise they will not be considered.
  (A) can (B) might (C) may (D) must

194. That's a very beautiful dress you're wearing. It _____ very expensive.
  (A) can be
  (B) can't have been
  (C) couldn't have been
  (D) must have been

195. The company _____ increase its profits in the past few years.
  (A) hasn't been able to
  (B) hadn't been able to
  (C) can't
  (D) might not have

間違い探し

196. You <u>ought</u> spend <u>some time</u> working <u>on the factory floor</u> so that you <u>can</u>
       (A)   (B)   (C)   (D)
understand our business better.

197. I'm <u>aware</u> I <u>must have</u> started the work <u>earlier</u>, but I was <u>so</u> busy.
        (A)   (B)   (C)   (D)

198. Am I <u>able to</u> be <u>excused</u> from tomorrow <u>morning's</u> lessons because I have to
          (A)   (B)   (C)
go to <u>the</u> dentist?
       (D)

199. You <u>mustn't</u> call <u>the police</u> after an accident if <u>no one</u> <u>is hurt</u>.
          (A)   (B)   (C)   (D)

200. The secretary <u>must have</u> known <u>of</u> the meeting because she was on
                         (A)   (B)
<u>vacation</u> when we <u>fixed</u> the date.
   (C)   (D)

Chapter 3 助動詞

間違い探し（下線なし）

201. I'm afraid we can have rain this weekend so I'm going to take an umbrella.

202. I might not be able to mow the lawn since I got back but it was because of the weather.

203. I might not be able to attend the conference since I am out of the country at that time.

204. The company may complete work on the anti-pollution equipment or it will face heavy fines.

205. "I heard Tom is back."
"He must be back already. He said to me that he was going to be away for more than 2 weeks."

206. He can swim very well but I don't know for sure because I've never seen him swim.

207. The insurance company mustn't pay out on the claim because the client failed to report the crime to the police.

208. I know the police don't usually ask to see IDs, but, according to the law, they might do so.

209. The company's chief engineer had to work very hard because he finished the job in such an incredible time.

210. Despite the fact that she was in great pain at the time, she will not go to see a doctor.

Test 3

穴埋め

211. All applicants _____ use a personal computer if they want to be selected.
  (A) can be able to   (C) might be able to
  (B) have to be able to   (D) have been able to

212. If I have enough time, I _____ visit the castle.
  (A) would (B) would like to (C) will like to (D) want

213. Mr. Smith isn't at work again today, so he _____ from the flu yet.
  (A) cannot recover   (C) can't have recovered
  (B) could recover   (D) must have recovered

214. I felt I had to quit my last job because I _____ tolerate the working conditions.
  (A) can't (B) couldn't (C) might (D) may not

215. The company _____ come and repair my computer. Otherwise, I will sue them for breaking the contract.
  (A) might (B) may (C) mustn't (D) has to

216. George is out playing with his friends so he _____ have finished his homework.
  (A) can (B) mustn't (C) wouldn't (D) must

217. The government is wary about raising taxes because it _____ delay the current economic recovery.
  (A) may (B) is able to (C) can (D) couldn't

218. Judging by the slowness of the work, they _____ able to recruit enough workers.
  (A) may have been   (C) must have been
  (B) may not have been   (D) might be

219. I _____ buy some more high quality paper for my printer. Otherwise, I won't be able to finish the report in time.
　　　（A）may　（B）shouldn't　（C）must　（D）can

220. The police suspect that the burglar alarm _____ turned off at the time of the robbery.
　　　（A）must have　　　　　　　（C）should be
　　　（B）may be　　　　　　　　（D）might have been

221. The boy's father _____ forgive his son for his bad behavior and so didn't speak to him for a week.
　　　（A）can't　　　　　　　　（C）couldn't
　　　（B）is unable to　　　　　（D）might not

222. The party _____ entered the coalition because its policies are totally different from those of the other party.
　　　（A）should have　　　　　（C）shouldn't have
　　　（B）must have　　　　　　（D）mustn't have

223. "The sales director is on the phone!" "_____ talk to him now. Tell him I'll call him back."
　　　（A）I'd rather not　　　　（C）I'd rather
　　　（B）I'd like to　　　　　（D）I wouldn't

224. The workers _____ enough time to sound the fire alarm because of the high speed with which the fire spread.
　　　（A）may not have had　　　（C）can not have
　　　（B）might have　　　　　　（D）must have had

225. The law says that all drivers _____ be able to produce their licenses when requested to do so by the police.
　　　（A）mustn't　（B）ought　（C）may　（D）have to

間違い探し

226. Tell George that he might borrow the apartment while we are away if he wants
    (A)   (B)   (C)
    to.
    (D)

227. The boss would rather to finish the contract early so that we can move on to
              (A)   (B)   (C)
    more lucrative business.
    (D)

228. You can complete this work by the date specified in the contract, otherwise we
        (A)   (B)   (C)
    will have to pay compensation.
    (D)

229. Mr. Wells always receives very generous bonuses. He can be a very
                    (A)   (B)   (C)
    valuable employee.
    (D)

230. I'm afraid you can't sue the company because legally a company might
                    (A)   (B)   (C)   (D)
    dismiss an employee for gross incompetence.

Chapter 3 助動詞

間違い探し（下線なし）

231. I could have bought a mobile phone because I didn't have an appropriate kind of identification.

232. I'm afraid I haven't been able to attend this year's congress, because I had to cover for a sick colleague at work.

233. If Fred comes back again after lunch, he would get to see the boss prior to the meeting.

234. The manager must have tried to fix the problems he caused instead of just resigning. Now, we'll have to clean them up.

235. Fred came to work by bus today. His car can be being repaired at the moment.

236. That must be Catherine's car; she doesn't have enough money to buy a car like that.

237. Jane must pass her university entrance examinations because she's throwing a big party tomorrow.

238. Jane is still coming to college with her father so she mustn't have passed her driving test yet.

239. Miss Jones! Will you bring your notepad, please? Mr. Green would like you take the minutes of the departmental meeting.

240. Last night I have had to postpone the meeting since some of the appropriate people can't come.

ヒント

151) 何のために2人目のセリフがあるのか考えよう。
152) 過去の習慣的能力。
153) 意味を考えないと選べないので、文の意味をとるのに集中しよう。
154) 「やったはずがない」という意味はどれ？
155) 「何をやるか予想もつかない男」から考える。
156) 意味から考えて「必要がない」になるはず。
157) 文末の with you に注意。
158) because 以下をきちんと読もう。
159) but までがきちんと読めているかどうかがポイント。
160) 主節の動詞が are であることに注意。あとは習慣的能力の話か、これまでずっとできてきたという継続を表すのかを考える。
161) 前節の意味は「そのレースに勝ちたかったら」。
162) can/be able to の違いと don't have to/mustn't の違いに気をつけよう。
163) 助動詞の過去形は過去の意味でないことがある。
164) 合格したのか、していないのかをまず考えよう。
165) can/be able to の区別と、inquire のとる文型に気をつける。
166) according to the law が何のために書かれているのか考える。
167) 許可を求める表現。
168) ought の使い方を考えよう。
169) may＝might にならないことがある。
170) 知っていたのかどうかを考える。
171) because 以下は「1年間、免許を停止された」の意味。
172) 何のために2人目のセリフがあるのか考えよう。
173) mind も inform も動詞。
174) it's only my opinion に注意。
175) could/was able to/could have done の違いを考える。
176) that節をとるような動詞を使うべき。
177) 第2文をよく読み、第1文と比較してみよう。
178) can/be able to の区別。
179) なぜ John が自分の机を片付けているのだろうか？
180) 「やってはいけない」というのはきつすぎるのでは？
181) 後半は「ここは立ち入り禁止区域です」の意味。
182) 内容から助動詞を決めよう。
183) otherwise は「さもないと」。ここから文の意味が推測できるはず。
184) 空欄の直後は to であることに注意。
185) as は because と同じ意味。

Chapter 3　助動詞

186) may＝might ではないときもある。
187) 文の意味から助動詞を決める。
188) 時制に注意。
189) 好きか嫌いかを尋ねているのではなく、紅茶をすすめているのである。
190) 時制に注意。もう試験が終わっているから外に出てきたのである。
191) 依頼表現になるのはどれか？
192) can/be able to の違いと may/might の違いを考えよう。
193) 締め切りまでにすることを説明している。
194) 買ったのは過去。
195) can の活用。「過去数年間」というのは今も含めて数年間と考える。
196) should＝ought ではない。
197) must have done に「〜しなければならなかった」の意味はない。
198) can/be able to の区別を考えよう。
199) 「けが人が出なければ、警察を呼んではいけない」というのはきついのでは？
200) 「知っていたに違いない」というのは文意から考えてもおかしい。
201) can は習慣的な能力・可能性を指す。
202) 「帰ってきてからずっとできていない」になるはず。
203) might が may の過去形として使われることは少ない。
204) or が「さもないと」の意味になるためには、第１節がどんな意味を持たなければならないのかを考える。
205) already は肯定文だけで使われるわけではない。
206) なぜ "I don't know for sure" と言っているのかを考える。
207) 「保険会社は払ってはいけない」というのはきつすぎる。
208) なぜ、"according to the law" があるのか考えよう。
209) must の過去形は had to だけではない。
210) いったいいつの話か考えよう。
211) 文意から考える。
212) 「好きになる」のではなく「行きたい」という意味になるはず。
213) 助動詞の時制に注意。
214) 時制に注意。
215) sue は「訴える」。文意から適切な助動詞を考える。
216) must の否定形が mustn't なのは「〜しなければならない」のときだけ。
217) current「現在の」という言葉に注意。
218) 文意から適切な助動詞を選ぶ。
219) 「レポートを時間どおりに終えることができないだろう」から考える。
220) S＋V の関係に注意。
221) 時制に注意。
222) この party は「政党」の意味。coalition は「連立」。あとは文意から考えること。

223) なぜ、「あとでかけ直す」と言っているのかを考えよう。
224) 時制に注意。
225) produce はここでは「提示する」の意味。また、法律の話をしていることに注意。
226) may/might の違いを考えること。
227) would rather のあとにはどんな形がくるのか思いだそう。
228) 「さもなければ賠償金を払わなければならない」につながるためには、何を修正すべきだろうか？
229) 「いつも、多額のボーナスを受け取る」という文章とうまくつながるためには、何を修正すべきか考える。
230) legally は「法律上」。might は「〜かもしれない」の意味である。
231) could/was able to/could have done の違いを考えよう。
232) haven't been able to は「ずっと〜できていない状態が続いている」である。
233) 時制がいつなのかを考える。
234) must/have to は同じでも、had to/must have done は全く異なる。
235) can は習慣的能力と可能性を表す。
236) 第１文と第２文を矛盾なくつなぐためには何を直すべきか考える。
237) 明日、合格パーティをするのだからすでに合格しているはずである。
238) must have done「〜したに違いない」の否定形は mustn't have done ではない。
239) would like は want と同じ意味であり、使役動詞ではない。
240) この since の意味は「〜以来」ではない。

Chapter 4

Infinitives, Gerunds & Participles
不定詞・動名詞・分詞

Test 1

穴埋め

241. It is extremely difficult _____ your own defense in a legal trial.
(A) for arguing
(B) so as to argue
(C) in order to argue
(D) to argue

242. Yesterday, I saw Mr. Brand on the street, but when I talked to him this morning I _____ him.
(A) pretended not to have seen
(B) pretended not to see
(C) pretend not to have seen
(D) pretended to not see

243. Fred sat by his window and watched the farmer _____ the crop.
(A) finish to harvest
(B) finish harvesting
(C) finishing to harvest
(D) to finish harvesting

244. _____ for long distances on the freeway usually makes me feel very tired.
(A) Drove
(B) In order to drive
(C) Driving
(D) Driven

245. The young woman _____ out the washing is my wife, Mary.
(A) hung (B) hangs (C) hanged (D) hanging

246. _____ in a factory during the summer vacation, John didn't have time to go abroad.
(A) Being worked
(B) To work
(C) Having worked
(D) Working

247. James arrived two hours early _____ an important task before everyone else got there, but it wasn't early enough.
  (A) to completing   (C) completing
  (B) completed   (D) to complete

248. When Mr. Glynn heard about his promotion, he was _____ he took everyone out for a drink.
  (A) so happy that   (C) very elated
  (B) too happy that   (D) too happy

249. I _____ feel cheated when I saw how close I had come to winning.
  (A) couldn't but   (C) had better
  (B) would rather   (D) had better not

250. My professor told me it was worth _____ companies before applying to work for them.
  (A) visit (B) visiting (C) a visit (D) to visit

251. I'm having the television antenna _____ next week to improve the quality of the reception.
  (A) replace (B) replacing (C) replaced (D) to replace

252. I'm sorry, but I have a lot of _____ under such conditions.
  (A) trouble to be working   (C) trouble to work
  (B) trouble working   (D) troubling to work

253. Although I had planned _____ the loan as quickly as I could, my financial circumstances made this impossible.
  (A) having paid back   (C) paying back
  (B) to pay back   (D) to have paid back

254. Fred told the little girl, whom he had discovered standing at the corner crying, _____ while he looked for a policeman.
  (A) to have been waiting   (C) to wait
  (B) wait   (D) waiting

255. The private tutor whom my parents employed to teach me helped me _____ my university entrance examination.
　　(A) to be passed　　　　(C) pass
　　(B) to have passed　　　(D) passing

間違い探し

256. It is impossible appreciating your own failings without good advice.
　　(A)　　　　　(B)　　　　　　(C)　　　　　　(D)

257. John, can you help me? I seemed to have misplaced my keys; I can't find them
　　　　(A)　　　　　　(B)　　　　(C)
anywhere.
(D)

258. I was sitting in my car and I saw a masked man to enter the bank and then a
　　(A)　　　　　　(B)　　　　　　　　　(C)
few minutes later rush out again.
　　　　　　　(D)

259. Having bought a good strong pair of shoes is always a very time-consuming
　　(A)　　　　(B)　　　　　　(C)　　　(D)
process.

260. Steaks preparing in the way I showed you should satisfy your customers.
　　　(A)　　　　(B)　(C)　　　　　　(D)

間違い探し（下線なし）

261. Having lived in the center of the city, the children don't have the chance to see many wild animals.

262. It is clear that the government is going to have trouble collect enough tax revenue to fulfill its promises.

263. Having seriously injured myself, I had a good friend performed the ballet in my place.

264. It is absolutely no use to complain about the government if you don't do your civic duty and vote.

265. You ought not to have said such a cruel thing after everything that she has done for you. You'd rather make it up to her.

266. Unfortunately for John and Freda, there were too many people in the movie theater that they couldn't see the movie.

267. According to the recycling movement, the local government is encouraging them trying to cut down on the amount of waste.

268. Although I considered to go to Scotland on my vacation, my friends persuaded me to go with them to Mexico instead.

269. The government called an early election not to lose the advantage gained from the economic recovery.

270. Look now! I can see that 40-inch snake come out from underneath the leaves over there.

Chapter 4 不定詞・動名詞・分詞

Test 2

穴埋め

271. The factory security guard went back to his room after he finished _____ all of the doors.
　　　　(A) locking　(B) to lock　(C) at locking　(D) the locking

272. I didn't want to see my old school _____ of funds so I contacted some other former students to help.
　　　　(A) starved　(B) starving　(C) to starve　(D) starvation

273. _____ down the fast flowing river, I didn't see the rock until my boat hit it and turned over.
　　　　(A) Being canoed　　　　　(C) Canoeing
　　　　(B) Having canoed　　　　(D) Canoed

274. My manager is extremely good _____ his time.
　　　　(A) organization of　　　　(C) to organize
　　　　(B) at organizing　　　　　(D) in organizing

275. The young man heard the woman _____ in the distance and walked towards the sound of her voice.
　　　　(A) singing　(B) to sing　(C) sang　(D) sung

276. Hey! Can you feel the bug _____ up your back now?
　　　　(A) crawl　(B) crawled　(C) crawling　(D) to crawl

277. The teacher walked down the corridor and entered the classroom _____ an overhead projector.
　　　　(A) having carried　　　　(C) carried
　　　　(B) carrying　　　　　　　(D) with carrying

278. The soldier, who had been awake for almost 36 hours, tried _____ to fall asleep.
   (A) in order   (B) not   (C) so as not   (D) in order not

279. It was very nice _____ to receive such a wonderful gift on my retirement.
   (A) of me   (B) for me   (C) for I   (D) of I

280. _____ unemployment before, the man knew exactly how to claim his benefits.
   (A) To experience   (C) Experiencing
   (B) Having experienced   (D) Experienced

281. The crowd watched the former champion _____ by an unknown player.
   (A) to be beaten   (B) beats   (C) beaten   (D) beating

282. My teacher is angry because I forgot _____ the homework assignment in time.
   (A) complete   (C) completing
   (B) completion   (D) to complete

283. After a colleague of mine proved to me that I had been mistaken, I _____ my words.
   (A) was made eating   (C) made eat
   (B) was made to eat   (D) got him to eat

284. I _____ a window at the back of the room but I refused because I was cold.
   (A) was asked to open   (C) asked him to open
   (B) was asked not to open   (D) was asked him to open

285. It was very annoying _____ to leave your briefcase on the train.
   (A) for   (B) yourself   (C) of you   (D) for you

Chapter 4 不定詞・動名詞・分詞

間違い探し

286. When the company accountant started checking my expenses, I admitted
     (A)   (B)
     to have included some personal expenses.
     (C)   (D)

287. As I watched the climbers progressed up the steep slope, I couldn't help
     (A)   (B)   (C)
     but worry about their safety.
     (D)

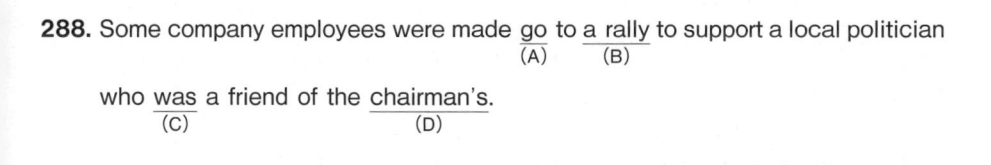

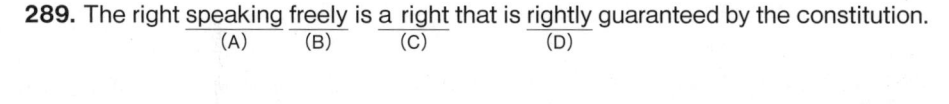

288. Some company employees were made go to a rally to support a local politician
                                      (A)   (B)
     who was a friend of the chairman's.
         (C)   (D)

289. The right speaking freely is a right that is rightly guaranteed by the constitution.
               (A)   (B)   (C)   (D)

290. The girl sat at her desk in the corner of her room studied for the following
                  (A)   (B)   (C)
     day's examination.
     (D)

間違い探し（下線なし）

291. Last year, I got a doctor friend of mine give me a complete medical checkup.

292. I had so much to drink last night I can't remember to stand on the table to sing a song.

293. I saw the old tomcat being putting outside by the neighbors and knew we were in for a noisy night.

294. Employed an accountant, the self-employed man didn't have to worry about filing his tax return.

295. My friends, both of them called George, are not particularly interested going on a climbing holiday this summer.

296. A friend of mine saw the robbery took place and called the police, who arrived before the robbers left.

297. A young man stopped me on the street and asked me where he goes to buy a street plan.

298. As I entered the lobby, I noticed the old grandfather clock stand in the corner of the adjacent room.

299. Hi! Did you just get here? The concert appears to be put off for a couple of hours.

300. The friends hesitated inviting the new student to the party because everyone was really unsure of what he was like.

Chapter 4 不定詞・動名詞・分詞

Test 3

穴埋め

301. Unfortunately, the leader didn't have the foresight _____ it was time to step down.
　　　(A) for realize　(B) to realization　(C) to realize　(D) realizing

302. The young journalist went on a military training course _____ be able to work as a war correspondent.
　　　(A) so as　(B) in order to　(C) so as not to　(D) not to

303. Miss Smith _____ gone when I get back or I'll be furious.
　　　(A) had not better have
　　　(B) would rather not have
　　　(C) couldn't but not have
　　　(D) had better not have

304. It goes _____ that too much television is detrimental to children's eyesight.
　　　(A) not saying　(B) saying　(C) without saying　(D) with say

305. The local government is thinking of having garbage _____ by a private contractor.
　　　(A) be collected　(B) collected　(C) collecting　(D) collect

306. My best friend is too _____ to play tennis this weekend.
　　　(A) busy being studied
　　　(B) busy studying
　　　(C) busy having studied
　　　(D) busy to study

307. George lifted the hood of his car and listened to the engine _____ with a strong feeling of satisfaction.
　　　(A) idles　(B) idled　(C) idling　(D) to idle

308. Being physically strong and supple is essential in _____ a successful badminton player.
　　　(A) becoming
　　　(B) become
　　　(C) to become
　　　(D) order to became

309. I noticed my colleague _____ for something in the filing cabinet as I passed the door.
   (A) searching (B) search (C) to search (D) to be searching

310. The local authority decided _____ to increase welfare spending because of a budget shortfall.
   (A) in order (B) so as not (C) in order not (D) not

311. The girl was just walking past the school when she _____ someone climbing through a window.
   (A) happened to seeing   (C) happened to see
   (B) happened seeing   (D) happened to have seen

312. _____ that there wasn't enough money to replace the machine, the engineer tried to repair it.
   (A) To tell   (C) Having told
   (B) Telling   (D) Having been told

313. I have never heard that song _____ like that before; it was wonderful.
   (A) to be sung (B) singing (C) sang (D) sung

314. The politician, who had been arrested, denied _____ any bribes.
   (A) to take (B) taking (C) having took (D) being taken

315. _____ children have everything they want makes them greedy and spoiled.
   (A) Letting (B) Having (C) Making (D) Allowing

Chapter 4 不定詞・動名詞・分詞

間違い探し

316. The <u>elderly</u> lady learned <u>skiing</u> <u>this</u> winter <u>in</u> a ski resort in the Swiss Alps.
 　　　(A)　　　　　　　(B)　(C)　　　(D)

317. When I went <u>to see</u> the boss this morning, he appeared <u>to prepare</u> <u>for</u> a
 　　　　　　(A)　　　　　　　　　　　　　　　　　　(B)　　　(C)
 meeting <u>so</u> I didn't disturb him.
 　　　　(D)

318. The young hunter <u>lay still</u> on the grass and his <u>keen</u> eyes followed the deer
 　　　　　　　　(A)　　　　　　　　　　　(B)
 <u>move</u> out from <u>under</u> the trees.
 　(C)　　　　　(D)

319. <u>A</u> good friend's <u>sister's</u> hard work <u>was</u> essential in <u>to build up</u> the new
 (A)　　　　　　(B)　　　　　　(C)　　　　　　(D)
 company.

320. Unfortunately, I didn't notice the mud <u>slid</u> down the incline <u>until</u> it was <u>too</u> late
 　　　　　　　　　　　　　　　　(A)　　　　　　　　　　(B)　　　　(C)
 <u>to do</u> anything.
 　(D)

間違い探し(下線なし)

321. The old man came slowly into the room supporting by his frail wife on one side and a nurse on the other.

322. After having difficulty breaking into the Japanese market, the manager suggested to do a deal with a Japanese firm.

323. Being out of the country, I got my brother negotiate a housing loan on my behalf.

324. I saw the car recover by the police parked in the police pound; it was in a terrible state.

325. Sitting together on the train 3 times that week, the couple got to know each other very well.

326. It wasn't very polite to you to come to the event in such ragged clothing. You should have dressed properly.

327. When I went to the police station to report the accident, I was made fill out a report.

328. While worked his way through the building, the pest control specialist sprayed the rooms with a chemical.

329. Janet was feeling a little sleepy as she drove up the expressway so she stopped resting at a service area.

330. The company had its manufacturing process analyze by a consultant to improve efficiency.

Test 4

穴埋め

331. Listen! Can you hear that bird _____ in the distance? Isn't it beautiful?
　　　(A) to be singing　　　(C) sing
　　　(B) to sing　　　　　　(D) singing

332. Don't put your fingers in the koalas' cage if you don't want _____.
　　　(A) to have been bitten　(C) to be bitten
　　　(B) to be biting　　　　 (D) to bite

333. That piece of music, _____ by a great musician, became so popular.
　　　(A) composing　　　　(C) to be composed
　　　(B) composed　　　　 (D) will be composed

334. _____ in from across the desert, the wind is extremely dry.
　　　(A) To blow　(B) Blowing　(C) Being blown　(D) Blown

335. _____ a very scary horror movie makes me very frightened.
  (A) Be watching
  (B) Watch
  (C) In order to watch
  (D) Watching

336. Despite my busy schedule, I _____ to take the children to the beach.
  (A) promised (B) suggested (C) refused (D) felt like

337. The boss had his secretary _____ to come and help him with the meeting in the warehouse.
  (A) paging (B) pages (C) page (D) paged

338. The company spends over $10,000 a year _____ the building clean.
  (A) keeping
  (B) having kept
  (C) on to keep
  (D) by keeping

339. The professor is believed to _____ on his current research for over 20 years.
  (A) have been working
  (B) work
  (C) have worked
  (D) be working

340. I remember feeling the ball _____ me on the shoulder.
  (A) hit (B) hitting (C) to hit (D) to be hitting

341. I stopped _____ karate after I sustained a serious knee injury during a match.
  (A) to play (B) doing (C) to do (D) playing

342. The secretary didn't have _____ to issue the key to the safe.
  (A) authority enough
  (B) enough authority
  (C) too much authority
  (D) so much authority

343. We need a machine _____ the repetitive tasks performed by some of our unskilled workers.
  (A) take over
  (B) taken over
  (C) taking over
  (D) to take over

344. To be perfectly honest, I'd _____ out with you tonight; there's a great movie on TV.
  (A) better not go
  (B) rather not go
  (C) not rather go
  (D) love to go

345. The family _____ the summer ball this year is one of the oldest families in the district.

(A) hosted　(B) hosts　(C) hosting　(D) being hosted

間違い探し

346. They set off at 5 o'clock in the morning enabling themselves to reach the
　　　　　(A)　　　　　　　　　　　　　　　　(B)　　　　　　　　　(C)
summit before noon but they had to turn back half way.
　　　　　　　　　　　　　　　　　(D)

347. The bank manager agreed to lend me money building the house I
　　　　　　　　　　　　　　　　(A)　　　　　　　(B)
had dreamed of .
　　(C)　　　(D)

348. My brother spends all his free time to practice for his next amateur dramatics
　　　　　　　　　　　　(A)　(B)　　　(C)　　　　　　　　　　(D)
performance.

349. Having been tired after the long outbound journey, Mr. Smith was unable to
　　　　(A)　　　　　　　　　　(B)　　　　　　　　　　　　　(C)
concentrate on the conference speeches.
　　　　　(D)

350. After a long stressful day, relax in a nice hot bath calms me down.
　　　　　　(A)　　　　　(B)　　　(C)　　　　　　　　　　(D)

Chapter 4　不定詞・動名詞・分詞

間違い探し（下線なし）

351. John! Put on the clothes to lay out on the bed and come in here.

352. The teacher told us to be so quiet we could hear a pin dropping.

353. The climber, who is reported to have died, was found safe and well this morning, much to everyone's astonishment.

354. My family is planning for making a trip to Egypt in February to see the pyramids.

355. I hadn't seen a house damaging so extensively for a considerable time.

356. Having been out of contact with my family for some time, I didn't know about my cousin's wedding.

357. The company, which was understaffed, made all of its employees to work over the weekend.

358. The company management expects each and every member of staff attends the company softball game.

359. Remembering my mother's birthday was nice of you; she was thrilled with the present.

360. Can you see that scruffy looking wall over there? It'll need to plaster within the next few weeks.

Test 5

穴埋め

361. It was extremely annoying _____ her to have to study in the room during the construction work.
　　　(A) at　(B) to　(C) of　(D) for

362. The expedition is said _____ the lost valley of Shangri-la, but frankly, I doubt it.
　　　(A) to find　　　　　　(C) to be found
　　　(B) to found　　　　　(D) to have found

363. Many people gathered to watch the small boat _____ over the horizon.
　　　(A) disappear　　　　(C) to be disappearing
　　　(B) to disappear　　 (D) disappearance

364. I dislike _____ all day sitting at a desk.
　　　(A) to spend　　　　(C) spend
　　　(B) spending　　　　(D) the spending

365. Don't worry! You won't feel the catheter _____ inside your body.
　　　(A) moves　(B) moved　(C) to move　(D) moving

366. _____ gas for his tractor, the farmer drove to the nearest gas station 10 miles away.
　　　(A) Needing　　　　(C) Having needed
　　　(B) Needed　　　　 (D) To need

367. The policemen _____ the premises without the required search warrant.
　　　(A) were made enter　　(C) was seen entering
　　　(B) were let to enter　　 (D) were seen to enter

368. None of the others could decide _____ so I suggested meeting at the school.
　　　(A) where we meet　　(C) to meet location
　　　(B) meeting place　　　(D) where to meet

Chapter 4 不定詞・動名詞・分詞

369. Realizing that everyone would overlook that very problem was very smart _____.
　　　（A）you　（B）that you　（C）for you　（D）of you

370. The little boy came walking up the street _____ his new school bag.
　　　（A）swing　　　　　　　　（C）swung
　　　（B）being swung　　　　　（D）swinging

371. I was surprised when I saw the doll _____ in the corner of the room because I thought I'd put it away on the shelf.
　　　（A）to be lying　（B）lie　（C）to lie　（D）lying

372. The two military jets came in to land, _____ by a distance of less than 20 yards.
　　　（A）separating　　　　　（C）separated
　　　（B）separation　　　　　（D）a separation

373. Last year, I probably spent over $1,000 _____ exquisite Italian food.
　　　（A）to go　（B）going　（C）eating　（D）to eat

374. I started _____ when I was about 9 years old and I've been collecting them ever since.
　　　（A）collecting for stamps　　（C）stamps collecting
　　　（B）stamp collection　　　　（D）to collect stamps

375. The young couple had their dog _____ by a friend, while they redecorated the house.
　　　（A）taken care of　　　　（C）take care
　　　（B）taken care　　　　　（D）taking care

間違い探し

376. The woman's husband, as(A) he got older, became an increasingly(B) difficult man for putting up(C) with(D).

377. The accountant stayed in the office overnight(A) not(B) to miss the completion(C) date for the tax return(D).

378. The young woman had been(A) made serving(B) tea in(C) violation of the company's(D) regulations.

379. If your father wants to have(A) an addition built(B), he needs applying(C) for planning(D) permission.

380. Unable(A) to get down off(B) the roof, the father had his son telephoned(C) the fire department to rescue him(D).

Chapter 4 不定詞・動名詞・分詞

間違い探し（下線なし）

381. The man was busy having fixed the roof of his house and so didn't hear the telephone ringing.

382. The job was a tricky one but they wanted to finish to ensure that they could go home early.

383. The young woman hadn't thought she was enough talented to become a successful dancer.

384. The young man was seen to steal into the school premises the night before the exam papers go missing.

385. My father doesn't drink very much; however, he enjoys to drink a glass of red Bordeaux with dinner.

386. The visitor asked the young lady to sit behind the reception desk where the toilet was.

387. Concerning about her husband's state of health, the woman insisted that he go and have a medical check up.

388. The children in this class spend an average of three hours a day to watch television.

389. Like many people, James always avoids to complete his tax return until the last possible moment.

390. Each time she saw a ballet, she couldn't help to think what life would have been like if she had become a dancer.

ヒント

241) 基本的な構文。「～することは～である」。
242) pretend よりも see のほうがより過去のはずである。
243) watch は知覚動詞。さらに finish も動詞を目的語にとる場合、ある決まった形をとる。
244) makes が V なのだから、空欄は名詞になるべき語が入る。
245) is がメインの V。よって、空欄は形容詞扱いの語が入る。
246) 「～なので」という because の意味を含む分詞構文。時制と態を考えること。
247) (C)(D) は文法的に可能。よって、意味から考える。(C) は分詞構文、(D) は to 不定詞。
248) 「あまりにも～なので～する」の意味になるものを入れる。
249) 時制を考える。空欄に入るべき時制と (A) ～ (D) の時制を比べてみよう。
250) worth はダイレクトに目的語をとる形容詞。そして、空欄のあとに companies があることに注意。
251) have は使役動詞。あとは、antenna と replace の関係が能動態の関係か受動態の関係かを考える。
252) 「働いているときに苦労がたくさんある」と考える。
253) plan は to do/doing のどちらかしか目的語にとらない動詞。あとは、時制を考える。
254) 文章の構造をしっかり考えること。メインの V は told である。
255) help は使役動詞。
256) 「～することは～である」はどのような構文だったか考える。
257) 時制を考えよう。I can't find them ... の意味をしっかり考えること。
258) see は特殊な使い方をする。
259) 時制を考えよう。
260) steaks と prepare の関係は能動態か受動態か？
261) 時制を考える。「昔住んでいたから、今機会がない」のか「今住んでいるから、今機会がない」のか？
262) collect の品詞は？
263) friend と perform の関係は能動態か受動態か？
264) it is no use「～しても仕方がない」は後ろにどんな形を必要としたか？
265) 文章の意味と使われている助動詞が合わないところがある。
266) 「あまりに～なので～する」という表現が正しく使われているかどうか。
267) 文法的にはこのままでも不可能ではない。よって、意味から考えること。特に try の使い方に注意。
268) consider には finish/enjoy/mind と共通の使い方がある。
269) 「～すること」の否定語と「～するために」の否定語は異なる。
270) 文法的には不可能ではないが、意味的にはおかしい。どんな状況かをよく考えよう。

Chapter 4 不定詞・動名詞・分詞

Look now! に注意。
271) finish は consider/deny/enjoy などと同じ使い方をする。
272) 文型は S+V+O+C である。空欄のあとに of が入っていることに注意。
273) Testing Pointは 分詞構文だが、特に問われているのは態と時制である。
274)「〜するのが上手である」は be good ＿?
275) hear は特殊な動詞。また、the woman と sing の関係を考えよう。
276) feel は感覚を表す動詞。また、文末の now に注意。
277) 分詞構文を問われている。態と時制に注意。carry の主語を考えよう。
278) 日本語で考えていると（B）（C）（D）の区別がつかない。品詞を考えよう。
279) I was very nice と言っているのか、to receive was very nice と言っているのかを考える。
280) 時制を考えよう。before に注意。
281) champion と beat「負かす」の関係を考える。
282) 一般に to do はメインの V より未来、doing はメインの V より過去を表す。
283) 使役動詞 make＋人＋do の受動態の形は？
284) but 以下まできちんと読むこと。
285) you were annoying が成り立つのか to leave ... was annoying が成り立つのかを考える。
286) admit は deny/finish/consider などと同じような使い方をする。
287) progress は「進む」。また、watch は that節をとらない。
288) 使役動詞 make＋人＋do の受動態の形は？
289) このままだと right と speak の関係は baby sleeping in the bed の baby と sleep との関係と同じになってしまう。
290) 文章の構造をよく考えること。メインのS＋V はどれだろうか？
291) get は使役動詞で have と同じ意味だが、使い方が他の使役動詞とは異なる。
292) 一般に to do はメインの V より未来、doing はメインの V より過去を表す。
293) どんな形になろうとも、動詞を見れば S＋V の関係を考えること。
294) 分詞構文が使われているが、メインの主語である man と employ の関係を考えよう。
295)「〜に興味がある」は interested ＿?
296) see はある特殊な使い方をする動詞である。
297) 時制を考えれば間違っている箇所は分かる。何に直すべきかは意味を考えよう。
298) stand という動作がどのように行われているのかを考える。
299) to be put off の時制を考えること。
300) hesitate は want/intend/hope などと同じ使い方をする。
301) foresight と realize の関係を考えること。
302) 意味を考えて入れる。
303) would rather/had better/cannot but の意味の違いは何か？
304)「〜は言うまでもない」というイディオムは何だったか？

305) have は使役動詞である。あとは、garbage と collect の関係を考える。
306) 「〜するのに忙しい」は be busy ___ ?
307) listen は知覚動詞。
308) 「〜することに不可欠な」はどのように表す？
309) notice は知覚動詞としても使える。colleague と search の関係を考えること。
310) decide のあとに必要な品詞が何かを考えること。
311) happen は目的語に to不定詞をとる。あとは、see の時制を考える。
312) tell という単語の使い方と、態、時制を考えよう。
313) hear は知覚動詞。あとは、that song と sing の関係を考える。
314) deny は enjoy/finish/consider などと同じ使い方をする。
315) 使役動詞はいずれも「〜させる」という訳をつけられるが、微妙にニュアンスが異なる。
316) learn は want/intend/hesitate などと同じ使い方をする。
317) prepare がどのように行われていたのかがポイント。上司に会った瞬間の情景を思い浮かべて考えてみよう。
318) follow は知覚動詞かそうでないのかを考える。
319) in は前置詞。
320) slid は slide の過去・過去分詞形。the mud と slide の関係を考えよう。
321) supporting の主語と態を考える。
322) suggest は consider/deny/finish などと同じように使う。
323) get は使役動詞で have と同じ意味だが、使い方が他の使役動詞とは異なる。
324) recover は「取り戻す、発見する」。あとは the car との関係を考える。
325) Sitting の時制は？
326) you ＝ polite の関係が成り立つ。
327) make＋人＋do の受動態は？
328) while は接続詞。work の時制と態を考えよう。
329) stop は to do/doing で意味が変わる。
330) had は使役動詞。あとは、process と analyze の関係を考える。
331) hear は知覚動詞。"Listen!" と言っていることに注意すること。
332) この場合の不定詞の主語は you であるので、bite との関係を考える。
333) that piece of music と compose の関係を考えること。
334) wind と blow の関係と文全体の意味を考える。
335) メインの S＋V を確かめること。
336) 空欄のあとが to不定詞であることに注意。
337) page は「呼び出す」。secretary と page の関係を考える。
338) spend＋金＋___ ?
339) work の時制を考えること。
340) feel は知覚動詞。原形と現在分詞（ing形）の違いは何か？

Chapter 4 不定詞・動名詞・分詞

341) stop＋to do/doing の違いは何か？
342) 文法だけではなく、意味もよく考えること。
343) a machine を説明する語句が必要だが、(B)(C)(D)はともに名詞を説明する働きを持っているので、意味をよく考えること。
344) I'd は I would と I had の場合がある。
345) is がメインの動詞。あとは、family と host の関係を考える。
346) このままでも文法的にはおかしくないが、but 以下の文章があるために意味的におかしくなる。論理的におかしいのはどの箇所か？
347) このままでは build の主語は money になってしまう。
348) 「～に時間を費やす」は spend time ＿＿＿？
349) 時制を考えよう。
350) 下線部の品詞と文章の構造を考えよう。
351) lay out は「並べる、そろえる」。あとは、文章全体の意味と、clothes と lay out の関係を考える。
352) 文法的には全く問題がない。しかし、意味的には人間の感覚では不可能なことを述べている。
353) report/die/find の時制をそれぞれ比べてよく考えること。
354) 「～することを計画する」になるはず。
355) house と damage との関係を考える。
356) be out of contact と know の時制を比べて考えること。
357) 意味から考えると間違いに気がつかない。文章の構造をよく考えること。
358) expect の使い方をよく考えよう。
359) Remembering was nice for you と言っているのか、you were nice と言っているのかどちらか？
360) need は to do/doing のどちらをとるかで意味が変わる。
361) she ＝ annoying か to have to study ... ＝ annoying かを考える。
362) said と found の時制を比べよう。
363) watch は知覚動詞。
364) dislike は consider/deny/mind などと同じ使い方をする。
365) feel は知覚動詞。
366) need の時制と態を考えよう。
367) 知覚動詞・使役動詞の受動態はどのように作るのかを思い出すこと。
368) 時制と、名詞の使い方に注意すること。日本語で考えていると罠にはまる。
369) you were smart だと言っているはず。
370) 知覚動詞は使われていない。また、bag が swing の目的語である。
371) see は知覚動詞。あとは、意味から考える。
372) separate の主語は何か？
373) 「～するのにお金を使う」は spend＋金＋＿＿＿？

374) 動詞の collect の使い方をよく考えること。また、collection は完全な名詞である。
375) their dog と take care of の関係を考える。
376) put up with の目的語が man である。つまり、putting up with が形容詞となって後ろから man を説明していることになる。
377) 「〜するために」の否定語は？
378) 使役動詞 make の使い方と、その受動態を思い出すこと。
379) need to do/doing の違いは？
380) have は使役動詞。son と telephone の関係を考える。
381) having fixed の having の意味をよく考えよう。
382) to do にはいろいろな意味があるので、それを１つ１つ思い出すこと。
383) enough は修飾する単語の品詞によって置かれる位置が異なる。
384) 知覚動詞に不定詞は使えないが、例外があるはず。
385) 日本語で考えていては間違いは見つからない。動詞の使い方を考えよう。
386) ask の意味は２つある。「頼む」ともう１つは？
387) Concerning の品詞は？
388) spend はどのように使うのか考える。
389) avoid の使い方は？
390) 「〜せずにはいられない」は cannot but do＝cannot help ＿＿＿＿。

Chapter 5

Relatives
関係詞

Test 1

穴埋め

391. A student who attends the same school as my children _____ in the National Junior Tennis Competition.
　　(A) are participating　　(C) is competing
　　(B) are taking part　　(D) compete

392. I'm only asking you to do _____ you can; I'm not expecting a miracle.
　　(A) who　(B) that　(C) what　(D) which

393. Jonathan can clearly remember that the day _____ his friend arrived in the country was wet.
　　(A) on when　(B) when　(C) where　(D) in which

394. The office design _____ has been proposed by the management is being circulated so that the staff can suggest changes.
　　(A) who　(B) whom　(C) of which　(D) that

395. For _____ want to learn to speak English well, there are classes every Saturday morning.
　　(A) a high school English teacher who
　　(B) those who
　　(C) a sales representative who
　　(D) whoever

396. My wife is always awake, waiting for me, no matter _____ I return home.
　　(A) whatever time　　(C) how late
　　(B) how late time　　(D) when late

397. The government official _____ was convicted of stealing cars has been fired from his post at the ministry.
　　(A) whom　(B) whose　(C) who　(D) which

398. The police are still looking for the weapon _____ the assailant attacked his victim.
　　(A) with which　(B) which　(C) by which　(D) that

399. Your father will get you _____ bicycle you want.
　　(A) what　(B) which　(C) no matter which　(D) whichever

400. The car stopped suddenly, _____ to the other cars crashing.
　　(A) which led　(B) what led　(C) that resulted　(D) resulting

401. The politician _____ electorate chose was completely new to politics.
　　(A) which　(B) whose　(C) whom the　(D) that

402. I have a friend _____ grandfather was a famous Himalayan climber.
　　(A) whom　(B) which　(C) that　(D) whose

403. _____ the number of plant species is decreasing in this forest area are many and various.
　　(A) Whatever　　　　　　(C) The reasons for which
　　(B) The reason why　　　(D) Why

404. The girl _____ the two boys are fighting doesn't like either of them.
　　(A) in which　(B) about who　(C) over whom　(D) of whom

405. The university _____ well-established reputation for scientific research is looking for a new physics professor.
　　(A) whose　(B) that has a　(C) of which a　(D) which

Chapter 5 関係詞

間違い探し

406. The policeman <u>to whom</u> was injured <u>in</u> a recent bank robbery <u>will be given</u> a
　　　　　　　　　(A)　　　　　　　　(B)　　　　　　　　　　　　(C)
special <u>bravery</u> award.
　　　　　(D)

407. <u>What</u> <u>happened</u> here last night have to be a secret <u>between</u> you and <u>me</u>!
　　　(A)　　(B)　　　　　　　　　　　　　　　　　　　　(C)　　　　　　(D)

408. <u>When</u> I called yesterday, the police <u>were taking</u> the victim back to the place
　　　(A)　　　　　　　　　　　　　　　　(B)
<u>which</u> she <u>was</u> attacked.
　(C)　　　　(D)

409. I don't enjoy <u>serving</u> customers <u>who</u> likes <u>are</u> difficult <u>to ascertain</u>.
　　　　　　　　　(A)　　　　　　　(B)　　　(C)　　　　　(D)

410. The mountain railway <u>which</u> the remote <u>villages</u> rely for their daily <u>needs</u> is
　　　　　　　　　　　　　(A)　　　　　　　(B)　　　　　　　　　　　　(C)
<u>in need</u> of rebuilding.
　(D)

間違い探し（下線なし）

411. Nobody really realized that the reason which she'd explained to us was, in fact, totally untrue.

412. The company accountant which the investigating team suspected of having falsified the books was arrested yesterday.

413. Don't hesitate to ask one of the staff for no matter what you want; they will happily oblige.

414. The journal written by John Smith who has been published for 80 years is widely read by medical professionals.

415. Sales of the latest car model are flat, what is a major surprise for most people in the industry.

416. No matter what difficult the job gets, you must push on with it for the sake of the company.

417. The managers who are responsible for this section of the plant is in a meeting at the moment.

418. If you'd like to come this way, I'll show you the room where the great playwright was born in.

419. For the sake of your own pride, you must finish the race how long it takes you.

420. This company needs a leader who abilities are up to the task of rebuilding the company's sluggish sales.

Test 2

穴埋め

421. _____ I ask to do the work, it never gets done properly, so I'd better do it myself.
　　　(A) Whom　　　　　　　(C) Whomever
　　　(B) Whenever　　　　　(D) No matter how

422. I will continue to do the job in my way, _____ everyone says.
　　　(A) no matter what　(B) whenever　(C) what　(D) in what

423. The road _____ I normally walk to school is closed for repair.
　　　(A) who　(B) which　(C) down which　(D) along what

424. Mr. Jones couldn't believe _____ he was being told about the company's financial situation.
　　　(A) who　(B) in that　(C) what　(D) which

425. The scriptwriter _____ became a billion dollar box-office success has agreed to write another.
　　　(A) whose last play　(B) who　(C) which　(D) that has

426. An elementary school girl _____ I teach piano to won first prize in a national piano competition.
　　　(A) to whom　(B) which　(C) whose　(D) whom

427. The hard disk of the computer _____ my brother bought last week has already crashed.
　　　(A) whom　(B) which　(C) who's　(D) whose

428. There is a golf range behind the hotel for _____ want to keep their swing in good condition.
　　　(A) our guest who　　　　　(C) those who
　　　(B) whoever　　　　　　　(D) a professional golf player that

429. The reason _____ I get up early every morning to exercise is that it is still cool at that time of the day.
　　　(A) when　(B) how　(C) why　(D) which

430. Do you know the woman _____ I was speaking a few moments ago?
　　　(A) whom　　　　　　　　(C) with who
　　　(B) with whom　　　　　　(D) with which

431. _____ who started working for the company last week need to undergo a lot of training.
　　　(A) The management trainees　(C) A manager
　　　(B) The employee　　　　　　(D) The new worker

432. Can you remember the day _____ you were elected for the first time?
　　　(A) where　(B) on which　(C) on when　(D) which

433. It has been decided that there will be a training seminar open to _____ wants to come.
　　　(A) whomever　(B) no matter who　(C) whatever　(D) whoever

434. The company that we have been _____ has suddenly pulled out of the talks.
　(A) negotiated　　　　　　(C) negotiating
　(B) negotiated of　　　　　(D) negotiating with

435. The players _____ the tax authorities suspect of having under-declared their income have been sent warning letters.
　(A) whom　(B) whose　(C) that are　(D) who are

間違い探し

436. After many <u>months'</u> searching, <u>the</u> explorers <u>found</u> the valley <u>which</u> the
　　　　　　　　(A)　　　　　　(B)　　　　(C)　　　　　　(D)
Abominable Snowman was believed to live.

437. What the speaker said <u>in reply</u> to the last questions were <u>completely</u> irrelevant
　　　　　(A)　　　　　　(B)　　　　　　　　　　　　　　(C)
<u>to</u> the issue.
(D)

438. I have very <u>fond</u> memories of the house <u>where</u> I used to <u>live</u> in when I <u>was</u> a
　　　　　　　　(A)　　　　　　　　　　　(B)　　　　　(C)　　　　　(D)
little boy.

439. Workers <u>whom</u> contributions to the <u>company's</u> profits are most significant
　　　　　　(A)　　　　　　　　　　　(B)
<u>will be given</u> substantial <u>raises</u>.
　　(C)　　　　　　　　(D)

440. The area the two countries <u>have</u> been <u>arguing</u> for many years <u>is</u> rich <u>in</u>
　　　　　　　　　　　　　　(A)　　　　(B)　　　　　　　　　(C)　　　(D)
mineral deposits.

間違い探し（下線なし）

441. I asked the man next to whom I was sitting on the train if I could read his newspaper.

442. A representative of the car factory who supplies most of the employment in this area announced the plant's closure.

443. No matter whoever goes in to talk to the old man, we can't seem to persuade him to leave his home.

444. What happens while he is underwater, it is extremely important that he remain calm.

445. Many people came to the old man's funeral to show their last respects, that indicated his popularity.

446. The reason because I am so busy at the moment is that the deadline for this work has been moved up.

447. The worker about whom I was responsible made a serious blunder that cost me my job.

448. The sleeping bag in that the great explorer slept the night before reaching the summit is being auctioned.

449. Please ask whatever you think would benefit from the experience to attend.

450. Students from this school are gaining places at the best universities, on which reflects the quality of the teaching.

Test 3

穴埋め

451. Feel free to go _____ you want to in the house.
　　　(A) wherever　　　　　　　(C) whichever part
　　　(B) no matter who　　　　 (D) to wherever

452. _____ about the situation, you must never let the staff see it.
　　　(A) No matter how you feel frustrated
　　　(B) However you feel frustrated
　　　(C) How frustrated you feel
　　　(D) No matter how frustrated you feel

453. Young people are getting married later, _____ is affecting the country's birth rate.
　　　(A) who　(B) which　(C) that　(D) this

454. The students weren't really paying attention _____ the teacher was saying.
　　　(A) to　(B) that　(C) in which　(D) to what

455. The fire safe is in a room _____ only I have the key.
　　　(A) where　(B) for which　(C) in which　(D) which

456. The girl _____ on a train in France last year came to stay with my family this summer.
　　　(A) which I met　　　　　(C) who meeting
　　　(B) whom I met　　　　　(D) that I have met

457. _____ my boss visits my office, I'm never at my desk.
　　　(A) No matter where　　　(C) What time
　　　(B) Whenever　　　　　　(D) Whatever

Chapter 5 関係詞

458. Jeff returned to the mountain _____ he first learned to climb many years ago with his uncle.
　　　（A）how　（B）on where　（C）on which　（D）in which

459. We need a good reason _____ we can give to the directors to prevent the factory closure.
　　　（A）which　（B）why　（C）for which　（D）with which

460. The court appointed an official to take over the running of the company _____ had filed for bankruptcy.
　　　（A）which　（B）whom　（C）whose　（D）who

461. The client _____ you speak should be present at the next hearing.
　　　（A）for who　（B）for that　（C）who　（D）for whom

462. The recession has hit this area badly, _____ has depressed house prices.
　　　（A）what　（B）that　（C）this　（D）which

463. _____ comes to the meeting today, you must try to keep your composure.
　　　（A）Whomever　　　　　　（C）Whoever
　　　（B）Who　　　　　　　　　（D）No matter whoever

464. The artist _____ painting my brother bought has since become very famous.
　　　（A）that　（B）who　（C）which　（D）whose

465. You know the girl _____ works by the door in the financial department? She'll be able to answer your questions.
　　　（A）whom　（B）whose　（C）which　（D）who

間違い探し

466. The workforce, which company has suffered massive losses this quarter,
　　　　　　　　　　　(A)　　　　　　(B)　　　　　　　　(C)

faces the prospect of unemployment.
(D)

467. A staff member with who you are acquainted has failed to submit his expenses
　　　　　　　　　　　(A)　　　　　　　　　　　(B)

correctly again.
(C)　　(D)

468. I can remember very vividly the time which I was chased and bitten by a
　　　　　　　　　　(A)　　　　　　(B)　　(C)　　　　　(D)

Doberman Pinscher.

469. Looking for a building for my company, I visited one designed by Mr. Corbusier
　　　(A)　　　　　　(B)　　　　　　　　　　　　(C)

who was built 20 years ago.
(D)

470. This was the second time the boy was caught shoplifting, this caused the
　　　　　　　　　　　　　　　　(A)　　　　　　　　(B)

judge to pass a harsher sentence.
　　　(C)　　　　(D)

Chapter 5 関係詞

間違い探し（下線なし）

471. The politician always seems to be unavailable for comment no matter whenever the editor calls him.

472. Ten years later, I eventually married a woman for whom I had first dated in my first year in college.

473. The person who most people in the office come for good advice is away on business.

474. The film star from America always encounters the same screaming crowds to where he goes.

475. The police are still questioning everyone in the area, that means they didn't arrest anyone yet.

476. Who the professor is, I have no intention of wasting my time sitting through another boring lecture.

477. The roof was not constructed correctly and that's what the wind caused so much damage to it.

478. The students who the head teacher saw smoking behind the bike shed was suspended for a week.

479. The teenager received a present from the old lady whom he had saved her from drowning the previous year.

480. The salesclerks saw the girl that stole the toy and was able to give police a very good description.

ヒント

391) 4つの選択肢を見て Testing Point を考えてみよう。あとは、S＋V の確認。
392) 選択肢の中で先行詞が不要の関係詞はどれか？
393) the day が his friend ～ country の中でどこにどのように挿入できる関係になっているのかを考える。
394) the office design が人か物かを考える。
395) 空欄のあとの want に注意。
396) 「どんなに遅くなろうと」の意味。「どんなに」が「遅く」を説明している。
397) official が was ～ cars のどこにどのように入るかを考える。
398) weapon が the assailant ～ victim のどこにどのように入るかを考える。
399) no matter ～ と ～ever は使い方が異なる場合がある。
400) 先行詞は何かを考える。
401) chose の主語は electorate。politician が関係詞節の中のどこにどのように入るかを考える。
402) a friend が grandfather ～ climber のどこにどのように入るかを考える。
403) 選択肢に飛びつかずに、文章の構造をよく考えること。S＋V の確認は忘れないこと。
404) the girl を the two boys are fighting の中に挿入して考えてみよう。
405) is looking がメインの動詞かそれとも関係詞節の動詞かを考える。
406) 関係詞の前に前置詞がある場合、その前置詞＋先行詞が関係詞節の中に挿入できる関係になるはず。
407) S＋V の確認を忘れずに。
408) the place を関係詞節に挿入して考えよう。
409) likes の品詞を何ととるかがカギ。
410) the mountain railway を関係詞節に挿入してみよう。
411) 関係詞の問題は、まず先行詞を関係詞節に入れてみる。
412) accountant は人か物か。
413) no matter ～ と ～ever は使い方が異なるときもある。
414) 関係詞は先行詞のあとに置くのだが、関係詞の直前の単語が先行詞本体とは限らない。
415) 関係詞 what は関係詞節とともに長い名詞の固まりを作る。
416) difficult は形容詞であり、the job とセットになっているわけではない。
417) S＋V の確認。
418) where＝in/on/at which であるから、in the room を関係詞節に挿入しても成り立つ関係にならなければならない。
419) how long it takes you は「どれぐらい時間がかかるか」であり、「どれだけ時間がかかろうとも」ではない。
420) abilities ～ sales までに leader を挿入できる場所がない。あとは、director と abilities の関係を考える。

Chapter 5　関係詞

421) so 以下を読めば、前半では他人が仕事をやるという意味になっていることが分かる。
422) 「みんなが何を言おうとも」の意味。
423) I ～ school のどこにどのように the road が挿入できる関係になっているかを考える。what は the thing which であることを忘れずに。
424) 先行詞がないことに注意。
425) became の補語は success であることに注意。success は人を指す語ではない。
426) won は win の過去形である。よって、直前の to は何？
427) 先行詞は人か物か？
428) 先行詞をよく見比べること。
429) the reason を関係詞節に挿入して考えること。
430) 先行詞は人。また、たとえば with のあとは he/his/him のどれが入る？
431) S+V の確認。
432) the day を関係詞節のどこにどのように入れるかを考える。
433) 前置詞 to のあとだから空欄に入る語は名詞を作るものでなければならない。
434) the company と negotiate の関係を考える。
435) the players を関係詞節に挿入して考える。
436) the valley を関係詞節に挿入して考える。
437) メインの動詞は were である。
438) when の前の in は何のためにあるのかを考える。
439) workers と contributions の関係を考える。
440) 先行詞 the area を関係詞節に挿入して考えよう。
441) the man が I was sitting ～の文章のどこにどのように挿入できるかを考える。
442) supplies の主語を考える。
443) no matter ～ ＝ ～ever。
444) what は名詞の固まりを作る関係詞。
445) indicated の主語は前の節全体。
446) because は関係詞ではない。
447) 原則どおり、まず先行詞を関係詞節に入れて考えること。
448) that が which の代用にできない場合がある。
449) 文章の構造を考えることが先。ask には 2 つ意味があることに注意。
450) 先行詞は前の節全体。
451) wherever には前置詞が含まれている。
452) how は単独で使われているのか、何かとセットになっているのかを考える。
453) is affecting の先行詞は何か？
454) pay attention to で 1 つの熟語。また to は前置詞なので後ろは名詞の固まりがくるはず。
455) 文法的には (D) 以外すべてが当てはまる。あとは、a room を関係詞のどこにどのように入れるかを考える。

456) 時制に注意すること。
457) 「いつ訪れても」になるのはどれ？
458) the mountain が関係詞節のどこにどのように入るかを考える。
459) a good reason は we 以下の関係詞節のどこにどのように入るか？
460) the company を受ける関係詞は？
461) speak の使い方を考えること。
462) 先行詞は前の節全体。
463) comes の主語は空欄に入るべき語。また、no matter 〜は〜ever と同じ。
464) painting と artist の関係を考える。
465) girl は人を表す名詞で works の主語。
466) company はここでは可算名詞の単数形として使われている。
467) たとえば、with のあとに he/his/him のどれを入れるか考えよう。
468) the time が関係詞節のどこにどのように入るかを考えよう。
469) 関係詞は先行詞のあとに置くが、関係詞の直前の単語が先行詞本体とは限らない。
470) スピーキングならこのままでも可能。ただし、原則としてコンマで2つの文をつなぐことはできない。
471) no matter 〜 = 〜ever。
472) whom に for がついているから、for a woman が関係詞節の中に挿入できる関係になっているはず。それをチェック。
473) the person が most people 〜 advice のどこにどのように入るかをチェック。
474) 品詞の使い方が間違っている箇所がある。何に直すかは意味を考える。
475) スピーキングならこのままでも可能。ただし、原則としてコンマで2つの文をつなぐことはできない。
476) "Who the professor is" は名詞の固まり。
477) このままでは caused の目的語が2つあることになる。
478) S+V の確認。
479) このままでは、the old lady が he had saved 〜の文章の中に挿入できる関係にない。その理由を考える。
480) S+V の確認。

Chapter 6

Conditionals
仮定法

Test 1

穴埋め

481. If you are sure you want to dye your hair, I _____ it for you tomorrow afternoon.
- (A) would do
- (B) will do
- (C) am doing
- (D) would have done

482. I wish I _____ so rude to Mr. Smith last week. Now that he's the boss he'll really give me a hard time.
- (A) am not
- (B) wasn't
- (C) wouldn't have
- (D) hadn't been

483. If my grandfather, Harold, had still been alive then, he _____ my brother's wedding very much.
- (A) would have enjoyed
- (B) will enjoy
- (C) would enjoy
- (D) enjoyed

484. If only my parents _____ able to come to see me this summer, they'd have loved today's festival.
- (A) will be
- (B) would have been
- (C) had been
- (D) were

485. Have you asked Margaret yet if she _____ there because I want to meet her?
 (A) will be (B) were to go (C) was to go (D) were

486. _____ an extremely understanding school principal, our son would have been expelled.
 (A) But for (B) But (C) Except (D) If it had been for

487. If the meteorological report indicates bad weather, the rocket launch _____.
 (A) will be delayed (C) would be delayed
 (B) could have delayed (D) will delay

488. If, in the future, you _____ unable to make it to a meeting, would you telephone to inform us as soon as possible?
 (A) would be (B) were (C) should be (D) will be

489. If the computer _____ invented, I would be doing this work on a typewriter now.
 (A) wasn't (C) wouldn't be
 (B) hadn't been (D) wouldn't have been

490. If the weather _____ fine today, why didn't you go outside to play?
 (A) were (B) was (C) is (D) had been

491. The community is to hold a meeting to decide if it _____ the construction of the power plant.
 (A) were to oppose (C) would have opposed
 (B) would fight (D) should fight

492. If the company president were to be taken ill suddenly, there _____ no one in a position to take over responsibility.
 (A) will have been (C) will be
 (B) would have been (D) would be

493. "_____ the government increases the rate of inheritance tax?" "We'll be in trouble then!"
 (A) If (B) What for (C) Why (D) What if

494. If my previous company _____ bankrupt, I wouldn't be running my own business now.
 (A) didn't go (C) wouldn't have gone
 (B) wouldn't go (D) hadn't gone

Chapter 6 仮定法

495. If the car _____ to break down on the way, I'll call you to come out and give me a tow.
　　　(A) were　(B) is　(C) fails　(D) should happen

間違い探し

496. If the government increased the rate of income tax too much before the
　　　(A)　　　　　　　　　(B)　　　　　　　　　　　　　　　　(C)
economy gets better, consumer spending will decrease.
　　　　　　　　　　　　　　　(D)

497. With a week left before his final examinations, my friend wishes to spend more
　　　(A)　　　　(B)　　　　　　　　　　　　　　　　　　　　　　(C)
time studying last year.
　　　(D)

498. If the education authorities won't do anything to improve the curriculum,
　　　　　　　　　　　　　　　　(A)　　　　　　　(B)
we'll secretly do it ourself.
　(C)　　　　　　　　(D)

499. If only I was given more time to double check the work, we wouldn't have had
　　　　　(A)　　　　　　　　　(B)
such problems on site.
(C)　　　　　　　(D)

500. If I started studying ballet at a much earlier age, I would now be working for
　　　(A)　　　　　　　　　　(B)　　　　　　　　　　　(C) (D)
a major dance company.

間違い探し（下線なし）

501. But for the embassy's intervention, he will be in prison waiting for trial now.

502. If the economy is in better shape, the government would be able to cut public spending.

503. If the stock market is to crash, you'd be in serious trouble because all of your savings are tied up in shares.

504. If the heads of state fail to reach a significant agreement at the summit, the press criticizes them heavily.

505. The guy I was talking to over there wishes we were here earlier. He says we could have helped him.

506. If my colleague didn't make such a stupid mistake, I would be sitting in the bar now enjoying a cool beer.

507. I'm just calling to ask you if you attend the meeting next Monday afternoon at two.

508. It's high time the government does something to address the problem of homelessness in this area.

509. If the boys are to help their mother in the house from time to time, she wouldn't be suffering from such stress now.

510. If I would have a lot more money than I presently have, I would buy a piece of land and build a house.

Chapter 6 仮定法

Test 2

穴埋め

511. If the school soccer team doesn't get any injuries, it _____ a good chance of winning the tournament.
- (A) have
- (B) would have had
- (C) will have
- (D) would have

512. We're not sure yet if the school _____ able to afford new textbooks next year.
- (A) can be
- (B) were to be
- (C) will be
- (D) should be

513. If the weather _____ so dry on the day of the fire, our house would still be standing.
- (A) weren't
- (B) hadn't been
- (C) wasn't
- (D) wouldn't be

514. If it _____ for your family connections, you would not have landed such a cushy job.
- (A) were
- (B) were not
- (C) would not be
- (D) is not

515. If our college quarterback were a better player, he _____ for our college.
- (A) won't play
- (B) won't have played
- (C) wouldn't be playing
- (D) would play

516. If you don't have enough time to complete the project on schedule, you _____ for a few more staff.
- (A) could have asked
- (B) had better ask
- (C) would ask
- (D) would have asked

517. If you _____ see Christopher when you visit the plant next week, tell him to give us a call sometime.
- (A) should
- (B) were to
- (C) will be seeing
- (D) happen

518. If only I _____ my camera with me. The scenery is absolutely spectacular.
- (A) had brought
- (B) brought
- (C) did bring
- (D) bought

519. If I _____ a bonus similar to last year's one, I would have gone out and bought a new car.
- (A) receive
- (B) received
- (C) will receive
- (D) had received

520. If my friend had chosen a different career path, he _____ wealthier than he is.
- (A) will be much
- (B) would be far
- (C) should be a lot
- (D) could be very

521. Looking at the quality of his work, it's _____ he wanted to get fired.
- (A) if
- (B) as
- (C) as like
- (D) as if

522. If my friend hadn't been so good at chess, he _____ writing books on it now.
- (A) wasn't
- (B) won't be
- (C) wouldn't be
- (D) wouldn't have been

523. You could ask my friend if he _____ you a lift to the station tomorrow.
- (A) can give
- (B) were to give
- (C) should give
- (D) was to give

524. If my little brother were not so intelligent, he _____ a lawyer.
- (A) won't have been
- (B) hadn't been
- (C) would have not been
- (D) wouldn't be

525. If you _____ me to the sales presentation, its impact won't be as strong.
- (A) are not going to accompany
- (B) don't accompany
- (C) hadn't accompanied
- (D) weren't to accompany

Chapter 6　仮定法

間違い探し

526. If the weather <u>were to remain</u> this good for the <u>rest</u> of the <u>growing</u> season, we
     　　　　　　　　　(A)　　　　　　　　　　　　　(B)　　　　　(C)
     should get a great <u>apple crop</u> this year.
     　　　　　　　　　　　(D)

527. <u>If</u> the local community <u>decides</u> <u>to oppose</u> the construction of <u>the</u> waste
     (A)　　　　　　　　　　　 (B)　　　　 (C)　　　　　　　　　　　　　　(D)
     disposal facility?

528. If the weather <u>wasn't</u> so wet yesterday, I wouldn't <u>be</u> outside now <u>piling up</u>
     　　　　　　　　(A)　　　　　　　　　　　　　　　　　　(B)　　　　　　　(C)
     sandbags to prevent <u>flooding</u>.
     　　　　　　　　　　　(D)

529. My best friend <u>doesn't know</u> <u>yet</u> if he <u>should</u> have the time to go <u>on</u> vacation
     　　　　　　　　(A)　　　　　　(B)　　　　 (C)　　　　　　　　　　　　(D)
     with me.

530. If you <u>got up</u> early and climb to the first <u>hut</u> on the mountain, you <u>should</u> be
     　　　　(A)　　　　　　　　　　　　　　　　(B)　　　　　　　　　　　　(C)
     able to get a spectacular sunrise <u>shot</u>.
     　　　　　　　　　　　　　　　　　(D)

間違い探し(下線なし)

531. If the price of our raw materials increases any further, we would be out of business by the end of the year, so I'm relieved prospects are good.

532. If the party had managed to raise more funds for its election campaign, it would be more successful last week.

533. The two boys now wish they wouldn't have sprayed water over the neighbor because they've both been grounded.

534. From the way he's talking, it sounds that he had no choice but to accept the transfer.

535. If the children in class 4A had not been so unruly, their classroom would still be in pristine condition.

536. With storm clouds building overhead, the climbers asked themselves if only continuing the climb was a good idea.

537. If you were more careful about whom you invited to the party, there wouldn't have been so many arguments.

538. With weather like this, if it is the summer vacation, I would go to the beach.

539. I know we need to cut costs, but if the quality of our product should suffer, we lose our customers overnight.

540. If the show were as good as you say it is, it should have no trouble in pulling the large audiences it requires.

Chapter 6 仮定法

ヒント

481) if 節の時制が現在形だから仮定法それとも直説法？
482) wish は that 節に仮定法をとる。あとは、that 節の時制を考える。
483) 直説法/仮定法の区別と時制を考える。
484) if only は仮定法をとる。
485) この場合の if は「もし」ではない。
486) 「〜がなければ」はどれか。時制にも注意。
487) if 節の動詞が indicates という現在形を使っている。
488) 主節に would を使っているからといって仮定法とは限らない。
489) 主節が would＋動詞だからといって、if 節が過去形とは限らない。それぞれの時制を考えること。
490) if 節の時制と、ありえる話なのかありえない話なのかを考える。
491) この if は「〜かどうか」。
492) were to は「仮に」を表す仮定法の表現。あとは、いつの話かを考えよう。
493) 「もし〜したらどうなる」を表す表現は？
494) 主節は今の話だが、if 節はいつの話？
495) 主節には will が使われている。
496) 主節には will が使われている。また、if 節の時制を考えよう。
497) wish to do がいつの動作を指すのかを考える。また、wish のその他の使い方は？
498) if 節に will が使えないのは will が単なる未来を表す場合である。
499) if only は仮定法の表現。あとは、if 節の時制を考える。
500) まずは仮定法か直説法かを考えて、その後 if 節と主節の時制を検証する。
501) but for は仮定法の表現。
502) if 節の動詞は is であり、主節が would be であることに注意。
503) 主節と if 節の動詞の形を比べること。あとは、be to が何を表したのかを思い出そう。
504) 動詞の時制を考える。
505) wish＋that 節は仮定法をとる。
506) if 節の S＋V が実際に起こったのか起こっていないのかを考える。
507) この場合の if は「もし」ではない。
508) it's time S＋V は仮定法の表現。
509) if 節と主節の動詞の形を比べること。あとは、are to/were to の違いを考えよう。
510) if は条件を表す接続詞。そして時と条件を表す接続詞の使い方を考える。
511) if は起こりうる話かそうではないのかを考える。
512) この if は「〜かどうか」。
513) 「あの日乾燥していなかったら」は過去の事実の反対を述べている。
514) 「もし〜がなければ」という仮定法の表現が必要。
515) 主語が our college quarterback であることに注意。

516) 時制を考えよう。
517) 「万が一」を表すのはどれ？
518) if only は仮定法の表現。
519) receive が過去に行われたのか未来に行われるのかを考えよう。
520) 仮定法の表現。
521) 「まるで〜かのように」。
522) now に注意。
523) この if は「〜かどうか」。
524) 仮定法か直説法かを考えて、時制を確かめる。
525) 主節の won't に注意。
526) 主節の should に注意。
527) 文章の構造を考える。「もし〜したらどうなる」の表現。
528) 仮定法で if 節は過去の話。
529) 「私と休暇旅行に行く時間があるかどうか」なのだから、if のあとは「行く時間がある」と言い切る表現が必要。
530) if は条件を表す接続詞。
531) if 節の動詞は increases で主節は would be であることに注意。
532) 仮定法で主節は過去の話。
533) wish の that 節には if 節と同じ形を使う。
534) sound は that 節はとらない。
535) if 節で過去完了が使われている場合、それが過去の話とは限らない。
536) この if は「〜かどうか」の意味。
537) 仮定法で if 節は過去の話。したがって、形は？
538) 実際に夏休みかどうか考える。
539) lose は現在形。
540) should「〜するはずだ」は通例、直説法に使う。

Chapter 7

Interrogatives
疑問詞

Test 1

穴埋め

541. I could hear voices in your room; _____ were you talking to?
(A) which (B) whose (C) how (D) who

542. It's high time that the teenagers learned what _____ really like.
(A) real life is (B) is real life (C) real life (D) is life

543. We don't have enough resources to complete the research alone! Which company should we collaborate _____ ?
(A) to (B) for (C) from (D) with

544. Looking for a challenging job in a friendly environment? _____ join our team of management consultants?
(A) How about
(B) How come
(C) Why not
(D) Why don't

545. _____ did the boss react to your idea for increasing sales of the new product?
(A) How (B) What (C) Which (D) Whom

546. Of the two solutions, _____ will be the most successful?
(A) which do you know
(B) which you think
(C) which do you think
(D) do you believe which

547. Which _____ employees is most likely to make good management material?
(A) of the new (B) new (C) from the (D) one

548. What kind of bike do you _____ your father will buy you for your birthday?
(A) think (B) want (C) wish (D) know

549. There are so many nice dresses! Which one _____?
(A) are you interested
(B) are you going to buy
(C) are you satisfied
(D) are you going to choose from

550. _____ new employees do we need to recruit to man the new warehouse facility?
(A) How many   (B) How much   (C) What type   (D) Which of

551. I'm afraid you must decide _____ you wish to continue the course. I recommend against it.
(A) when   (B) whether   (C) how   (D) why

552. I can't for the life of me understand _____ she didn't tell me about the meeting yesterday.
(A) what   (B) why   (C) how often   (D) how

553. There's a new exhibition at the City Gallery. _____ should go to write an article about it?
(A) When   (B) Whom   (C) How   (D) Who

554. If you are so busy with your work, _____ come you're out every night enjoying yourself?
(A) why   (B) what   (C) how   (D) who

555. The first year students have yet to learn _____.
(A) who is the President
(B) whether the President is
(C) if is the President
(D) who the President is

Chapter 7　疑問詞

間違い探し

556. What did you realize that your son was missing from the group?
　　　(A)　　　　　　　　(B)　　　　(C)　　(D)

557. The teachers at the school weren't at all sure what the boy was eligible for a
　　　　　　　(A)　　　　　　　　　　　　　　(B)　　　　(C)
university scholarship.
　　　　　(D)

558. You said you wanted to go to an amusement park this weekend! Which one do
　　　　　　(A)　　　　　　(B)　　　　　　　　　　　　　(C)
you want to go?
　　　　　(D)

559. How about the government is increasing politicians' salaries when the rest of
　　　(A)　　　　　　　　　　　　　　(B)　　　　　(C)
the country is facing pay cuts?
　　　　　(D)

560. Who are we going to borrow such a large amount of money in such a short
　　(A)　　　　　　(B)　　　　　　　　　　　　　　　　　(C)
space of time?
　(D)

間違い探し（下線なし）

561. We have no way of knowing what is the full extent of the damage caused by the earthquake.

562. How much spending money do you know we need to take with us on vacation?

563. How are you going to suggest for the theme of this year's festival parade?

564. I know it's really none of my business, but at when did you get up this morning?

565. "What kind of cars have you owned since you started to drive?"
　　　"It must be about five!"

566. Given that you're too busy to do the housework, why you don't hire a maid to do it for you?

567. Isn't that Alison over there by the ticket machines? Who is she talking?

568. Of the two alternative designs, do you expect which the boss will choose at the meeting tomorrow?

569. If you have no plans for your summer vacation, what about all of you come scuba diving with us on the south coast?

570. How many climbers encountered as you were coming down the mountain yesterday?

Test 2

穴埋め

571. _____ haven't the research team submitted the results of their investigation yet?
 (A) How (B) Why (C) Who (D) What

572. The new secretary would like you to show her _____ she has to do when locking up the building.
 (A) how (B) what (C) where (D) who

573. What emergency measures _____ if such a situation were to arise?
 (A) would take the government (C) the government would take
 (B) the government takes (D) would the government take

574. I know the government must do something about the recession but _____ the tax burden on future generations?
 (A) how come (C) what for
 (B) what about (D) why about

Chapter 7 疑問詞

575. I know the information is classified, so _____ members of the organization can we talk about it?
　　　(A) to which　　　　　　(C) with what
　　　(B) with who　　　　　　(D) to whom

576. _____ it will cost to paint the whole house both inside and outside?
　　　(A) How much you think　　(C) Do you think how much
　　　(B) How much do you know　(D) How much do you think

577. When you went to the gym yesterday, _____ was teaching the aerobics class?
　　　(A) how　(B) when　(C) where　(D) who

578. _____ dam needs to be constructed to maintain water supplies at their current level?
　　　(A) How large　　　　　(C) How big a
　　　(B) How much　　　　　(D) How many

579. If you really want to do something to help people, _____ you apply to work for the Red Cross?
　　　(A) how come　　　　　(C) why not
　　　(B) why don't　　　　　(D) how don't

580. Your father wants to know _____ you are going to be late home, so make sure to phone.
　　　(A) how long　(B) how　(C) weather　(D) if

581. For what reason _____ the principal called us to his office today?
　　　(A) you think that　　　(C) do you think
　　　(B) you know that　　　(D) do you know

582. You've been working here for quite some time now! _____ is it now?
　　　(A) How much years　　(C) How old
　　　(B) How many year　　 (D) How long

583. Do you know _____ we have to hand this holiday assignment in first thing on Monday morning?
　　　(A) when　(B) what　(C) if　(D) which

584. I'll give you a choice of two flavors. _____ do you want?
　　　(A) What one　(B) Whose　(C) Which one　(D) How many

585. This is a sensitive issue. _____ did you mention it?
　　　(A) Who　(B) To which　(C) To whom　(D) Whom

間違い探し

586. You've looked at a lot of new houses! What are you going to buy?
　　　　(A)　　　　(B)　　　　　　　　(C)　　　　　(D)

587. The authorities aren't exactly sure if many people were made sick by eating
　　　　　(A)　　　　　　　　　　(B)　　　　　　　　　　　　　　(C)

　　　the tainted food, but they know it was a lot.
　　　　　　　　　　　(D)

588. You've just moved into a new house, haven't you? How far does it take
　　　　　　(A)　　　(B)　　　　　　　　　　　　　　　(C)

　　　to walk to the station?
　　　　(D)

589. That meeting lasted an extremely long time! What issue was everyone arguing
　　　　　　　　(A)　　　　　　　　　　　　　(B)　　　　(C)

　　　with?
　　　(D)

590. The boss thinks we should do something to improve company morale. How
　　　　　　　　　　(A)　　　　　　　　　　　　　　　　　　　　　(B)

　　　come throwing a party?
　　　 (C)　　(D)

Chapter 7 疑問詞

間違い探し（下線なし）

591. "There are going to be about 30 people at the party. How much pizzas are we going to need?"
"About eight large ones."

592. Please contact your personal banking advisor to see when your financial position is adequate to support a loan.

593. How many people have you already replied to the conference invitations?

594. The plumber was unable to discover what had the leak caused that had flooded the kitchen floor.

595. How many people do you think can your sister attract to her new modern art exhibition which starts Friday?

596. Whom from the class is prepared to go to the principal's office to complain about the contents of the curriculum?

597. The government hasn't indicated how much it intends to raise the basic rate of income tax or not.

598. "When are you going to spend your summer vacation?" "We're going to Italy!"

599. I'd like Mr. Gould to explain to us how can the company best increase its sales in this difficult economic climate.

600. What does the professor know the outcome of this experiment will reveal about the nature of the universe?

ヒント

541) you were talking to ＿＿ に入るのは、人か物か？
542) 間接疑問文で、主語は real life。
543) 問いに対する答えをフルセンテンスで答えたとき、company の前に必要な前置詞はどれか？
544) 空欄のあとが join という動詞の原形であることに注意。
545) 4つの選択肢の中で品詞が異なるものがある。
546) Yes/No で答えられるかどうかがカギ。
547) employees が複数形、動詞が is であることに注意。
548) 空欄のあとには S＋V がある。そして、Yes/No で答えられるかどうかを考えること。
549) 日本語で考えているとどれも正しく見えるので注意。質問に対する答えをフルセンテンスで答えるとしたらどういう文になるのか考える。
550) 可算・不可算と冠詞に注意。
551) I recommend against it. の意味をよく考えること。
552) 「理解できない」につながるような疑問詞を考えること。
553) 空欄に入る疑問詞は主語かそうでないのか？
554) 空欄のあとの come に注意。
555) the President が間接疑問文の主語と考えよう。
556) what の品詞を考える。
557) what の品詞を考える。
558) 疑問文に対する答えをフルセンテンスで考えてみるとき、何か付け足す必要があることに気がつくはず。
559) about は前置詞。
560) 疑問文に対する答えをフルセンテンスで考えてみるとき、何か付け足す必要があることに気がつくはず。
561) what は主語ではない。
562) Yes/No で答えられるかどうかを英語・日本語訳の両方で考えてみる。
563) suggest の使い方を考える。
564) 疑問文の答えをフルセンテンスで考えれば分かる。
565) "It must be about five!" の意味をよく考えれば、会話がかみ合っていないことが分かる。
566) 「～してはどうですか」の表現は何だったか？
567) 日本語で考えている限り気がつかない。talk の使い方をよく考えること。
568) Yes/No で答えられない疑問文のはず。
569) about は前置詞。
570) このままだと How many climbers が主語になる。encounter の使い方を考えてみよう。

Chapter 7　疑問詞

571) 疑問詞が主語なのかそうでないのかを考える。
572) do の目的語になりうるのはどれか考える。
573) What emergency measures が主語かそうでないのかを考える。
574) 空欄のあとには 1 つの長い名詞があるだけである。
575) 疑問文に対する答えをフルセンテンスで考え、もとの疑問文と比べてみよう。
576) Yes/No で答えられるかどうかを考える。
577) 空欄は was teaching の主語である。
578) dam は可算名詞単数形であることに注意。
579) 空欄のあとには S＋V がある。
580) 日本語で考えると間違うので、文法的に考える。how late は「どれくらい遅く」である。
581) Yes/No で答えられるかどうか？
582) 4 つの選択肢のうち、文法的に間違っているものが 2 つある。
583) first thing on Monday morning は「月曜日の朝イチで」。
584) 2 つのうちから選ばされている。
585) 疑問文の答えをフルセンテンスで考えてみよう。
586) 選べる対象がある場合は、what ではなく何を使うのだったか？
587) このままでも文法的にはおかしくないが、意味的に不自然。but they know 以下が前半と合わない。
588) take は時間を尋ねるときに使われる動詞。
589) argue と issue の関係は？
590) How come ＝ Why である。
591) pizza が複数形になっていることに注意。
592) 何を確認するために advisor に連絡を取るのかを考える。
593) How many people の文中での働きを考える。
594) that 以下は関係詞のパート。よって直前は先行詞。
595) 間接疑問文は語順に注意。
596) is の主語は何かを考える。
597) 文末まできちんと読もう。
598) 第 1 文と第 2 文の関係を考えよう。
599) 間接疑問文の語順は？
600) what の働きは何かを考える。what は know の目的語ではない。

Chapter 8

Nouns & Pronouns
名詞・代名詞

Test 1

穴埋め

601. When I was a boy, we used to have _____ in the house. They would eat everything.
　　　(A) mouse　(B) mouses　(C) mice　(D) mices

602. How long is _____ before the curtain rises? Do I have time to get a drink at the bar?
　　　(A) it　(B) the play　(C) time　(D) the minute

603. I wish the school would put a limit on the _____ that can be given on any evening.
　　　(A) amount of homework　　(C) amount of homeworks
　　　(B) number of homework　　(D) number of homeworks

604. When I arrived, many of my friends were eating pizza and they asked me if I wanted _____.
　　　(A) either　(B) both　(C) none　(D) any

605. The university's educational standards are not what they were but _____ students still apply to go there.
　　　(A) a great deal of　　(C) the great many
　　　(B) a large number of　　(D) any

606. When I left the house this morning, _____ was really sunny so I didn't bother to bring an umbrella with me!
　　　(A) that　(B) mostly　(C) what　(D) it

607. Although these days most people are not regular churchgoers, come Christmas day people nationwide _____.
　　　（A）go to the shrine　　　（C）go to the church
　　　（B）go church　　　　　　（D）go to church

608. After it rained, the farmer went round his fields to help three _____ stand up after their fleeces had become soaked.
　　　（A）sheep　（B）sheeps　（C）deer　（D）horses

609. I haven't read _____ so far but it seems like a good read.
　　　（A）much of the book　　（C）many books
　　　（B）much book　　　　　（D）many of the books

610. Either you or one of _____ members of the club has to report to the principal to explain the damage to the room.
　　　（A）another　（B）the others　（C）the other　（D）both

611. The bank would like people to contact their local branch for _____ concerning loans.
　　　（A）further advices　　　（C）any further advice
　　　（B）little advice　　　　 （D）some advices

612. The company employs _____ young graduates but few of them stay very long.
　　　（A）plenty of　　　　　　（C）the large number of
　　　（B）a great deal of　　　 （D）a large amount of

613. The old man gave _____ child $10 to spend on whatever they pleased.
　　　（A）each of the　（B）each　（C）all of the　（D）his

614. Unlike many of our competitors, we can offer you our complete range of services at _____.
　　　（A）none of branches　　 （C）all of our branch
　　　（B）any of our branches　（D）almost our branches

615. _____ is anticipated that around 50,000 people will attend the open-air concert this summer.
　　　（A）There　（B）What　（C）It　（D）When

間違い探し

616. In Switzerland last year, I visited Gruyere, <u>where</u> I saw the <u>cheeses</u> piled
　　　　　　　　　　　　　　　　　　　　　　　　　(A)　　　　　　(B)
　　one upon another on long shelf.
　　　　(C)　　　　　　　(D)

617. <u>Any</u> of the <u>government</u> departments are supposed to cease <u>to exist</u> after
　　　(A)　　　　(B)　　　　　　　　　　　　　　　　　　　　(C)
　　the restructuring next spring.
　　　　(D)

618. Anyone seeking extra <u>informations</u> is asked <u>to proceed</u> to the counter, where
　　　　　　　　　　　　　(A)　　　　　　　　(B)
　　a member of <u>staff</u> <u>is available</u> to help.
　　　　　　　(C)　　(D)

619. We will have to buy <u>the</u> new computer because I've just found we're <u>short</u> of
　　　　　　　　　　　(A)　　　　　　　　　　　　　　　　　　　　　　(B)
　　computer <u>power</u>. What <u>type</u> should we buy?
　　　　　　(C)　　　　(D)

620. One aircraft <u>overshot</u> the runway, <u>delaying</u> many <u>another</u> flights. Fortunately no
　　　(A)　　　　(B)　　　　　　　(C)　　　　(D)
　　one was hurt.

Chapter 8 名詞・代名詞

間違い探し（下線なし）

621. Didn't anyone hear the bell? That's well past 12 o'clock. Go and get your lunch and we'll start again at 2:00.

622. Three years after the protocol was signed, all of governments around the world continued to avoid implementing it.

623. After a long hard day training, I was extremely tired so I went to the bed in my room and settled down for the night.

624. Any person currently enrolled on the courses have to indicate their specialization preference by the end of the week.

625. Every day, I go to the station by my bicycle to catch the 8:57 train. I usually chat to a friend who also goes on that train.

626. All the embassy officials and their wifes came to the reception in honor of the retiring ambassador.

627. Every morning, while reading the newspaper, the man would have two toasts and a cup of coffee.

628. It was thought that either his mother or father would attend the PTA meeting but none of them are likely to come.

629. None of the school is taking part in a street parade in September and so every student is busy building the float.

630. I broke my arm after slipping on a banana which my baby daughter had spat out onto the floor.

Test 2

穴埋め

631. _____ from that ethnic group came together to reinforce their cultural identity.
- (A) A person
- (B) Much the person
- (C) The peoples
- (D) Many people

632. It would be fair to say that _____ students have no idea why they're studying this subject.
- (A) almost
- (B) none
- (C) most of the
- (D) neither of the

633. The woman called City Hall to try to find out a couple of _____.
- (A) information
- (B) informations
- (C) numbers of information
- (D) pieces of information

634. That warehouse store over there near the station sells _____ merchandise at unbelievably low prices.
- (A) plenty
- (B) a large number of
- (C) large amount of
- (D) a great deal of

635. _____ the start of the summer vacation tomorrow so everyone has to help to tidy up the school.
(A) It's (B) What's (C) That's (D) This is

636. A few years ago, I went from Southampton to New York _____. It was great!
- (A) with a ship
- (B) by the ship
- (C) on a big ship
- (D) by a big ship

637. Climbing the mountain, one man fell and broke his leg but _____ in the group were able to carry him to safety.
(A) the others (B) most (C) either (D) another

638. When the office worker arrived at his desk, he saw a note outlining _____ he had to finish that day.
　　（A）a few task　　　　　　　（C）the three works
　　（B）the pieces of job　　　　（D）the three tasks

639. There was an accident on the expressway this morning, which involved 7 cars, but miraculously _____ drivers was seriously hurt.
　　（A）any　　　　　　　　　　（C）neither of the
　　（B）all the　　　　　　　　　（D）none of the

640. Right everyone! _____ time for all new students to go and meet the principal. He's in the main hall.
　　（A）Now is　　　　　　　　（C）What is
　　（B）That is　　　　　　　　（D）It is

641. None of the children in the small school wanted _____ teacher to leave, but numbers had fallen so much that there was no choice.
　　（A）some　　　　　　　　　（C）either
　　（B）neither　　　　　　　　（D）both

642. It had been a tough meeting but we all went off to _____ afterwards.
　　（A）eat the lunch　　　　　（C）eat my lunch
　　（B）eat some lunches　　 　（D）eat lunch

643. The elderly couple had managed to save _____ money prior to their retirement so they could enjoy life.
　　（A）little　　　　　　　　　（C）large amount of
　　（B）a great deal of　　　 　（D）any

644. Three of us share this office but fortunately _____ of the others smokes.
　　（A）either　　　　　　　　　（C）none
　　（B）neither　　　　　　　　（D）all

645. I enjoyed playing _____ very much but I kept spraining my ankle so I had to stop.
　　（A）the basketball　　　　　（C）sackbut
　　（B）the bagpipes　　　　　　（D）volleyball

間違い探し

646. Oh damn! I've just put a <u>run</u> in my <u>tight</u>, and I don't have <u>time</u> to buy
                                   (A)   (B)   (C)

<u>any more</u> before the party.
  (D)

647. He couldn't eat <u>some</u> food due <u>to allergies</u>, but there were still <u>some</u> <u>thing</u> that
                      (A)   (B)   (C) (D)

were OK.

648. <u>When</u> we woke up, the weather was <u>so bad we</u> decided <u>to take</u> our time and
     (A)   (B)   (C)

eat <u>traditional</u> English breakfast.
     (D)

649. <u>There</u> was a very successful meeting <u>we had</u> last Friday, wasn't it?
    (A)   (B)

<u>Everyone's</u> attitude <u>was</u> very positive.
    (C)   (D)

650. He is very <u>fussy</u> about hygiene. Every morning he <u>wakes up</u> and brushes his
            (A)   (B)

<u>tooth</u> for exactly two and <u>a</u> half minutes.
 (C)   (D)

Chapter 8　名詞・代名詞

間違い探し（下線なし）

651. The research team's leader was unable to give the planned presentation. The other member of his large group came instead.

652. There would be absolutely no chance of competing in a global marketplace without investing in more equipments.

653. Unfortunately, most of the politicians who are fighting this general election has made any effort to present their policies.

654. Although the soccer club denied any wrongdoing, both of its players was taken into custody for questioning.

655. Construction workers didn't go to the school today to work on the new gym because of the torrential rain.

656. Come on everyone! We can't stay here all day! It's the other four hours to the summit and we must return before dark.

657. This is fairly easy for me to switch between speaking English and French but other languages take me a bit more time.

658. All of the products will not work in this country due to voltage supply differences but the others should be OK.

659. Almost the government departments are lobbying behind the scenes to maintain their slice of the budget allocations.

660. We were going to try to move house ourselves but we had too many furnitures so we called a company.

ヒント

601) mouse の複数形は？
602) 時を表す代名詞は？
603) homework は可算名詞か不可算名詞か？　また、amount/number of の区別は？
604) 「少しでも」を表す代名詞。
605) students が複数形であること、そして可算名詞であることに注意。
606) 天候を表す代名詞。
607) 地図上の教会を指すのではなく、お祈りする場所としての概念的な場所を指す場合の church の使い方は？
608) fleece が何か知らなくても文脈から推測できるはず。
609) it が何を指すのかを考えよう。
610) members が可算名詞の複数形であることに注意。
611) advice は可算か不可算か？
612) young graduates は可算名詞の複数形。
613) child は可算名詞の単数形。
614) branch は「支店」で、数えられる。
615) that節以下が本来の主語。
616) 可算名詞の単数形を限定詞なしで使うことはできない。
617) 動詞が are supposed であることに注意。
618) 不可算名詞を複数形にはできない。
619) What type should we buy? の意味をよく考えて、前文を読み直そう。
620) another は an+other からできている。
621) 時を表す文の主語になる代名詞は？
622) all of の直後には何がくるか？
623) settled down for the night は「寝た」と同じ意味。
624) S+V をよく考える。
625) 「自転車で」と「自分の自転車で」は別の表現。
626) スペルが fe で終わる名詞の複数形は？
627) bread は不可算名詞。ということは、toast は？
628) either は「どちらか」。では、none の使い方は？
629) so 以下の文章と合うように前文を書き換える。
630) spit out は「吐き出す」。したがって、このままだとこの赤ちゃんはすごい食べ方をしていることになる。
631) together に注意。
632) 動詞が have。
633) information は TOEIC お約束の問題。可算か不可算か？
634) merchandise が可算か不可算か知らなくても無冠詞単数形で使われている。

Chapter 8　名詞・代名詞

635) 時を表す文の主語。
636) 「船で」と「大きな船で」は別の表現を使う。
637) 動詞が were。
638) job/task/work が可算か不可算かを考える。
639) 動詞が was であることに注意。
640) 時を表す文の主語。
641) teacher が単数形。
642) breakfast/lunch/dinner/supper は形容詞ありのときとなしのときで使い方が異なる。
643) 「多量の」を表す表現。
644) the others に注意。あとは意味をよく考えること。
645) 楽器とスポーツの区別をつけること。
646) タイツは trousers と同じ使い方。
647) some thing と something は別の英語。
648) breakfast/lunch/dinner/supper は形容詞ありのときとなしのときで使い方が異なる。
649) 付加疑問文が wasn't it? である。
650) 「歯」の単数形と複数形は？
651) group と言っているのだから、グループには3人以上が参加していると考えるのが自然。
652) equipment は TOEIC お約束の問題。可算か不可算か？
653) S+V の確認。
654) S+V の確認。
655) school が地図上の建物を指すのか、それとも勉強する場所を指すのかを考える。
656) 「あと4時間」を表す表現は？
657) 文の主語は to 不定詞。
658) 文法的には間違っているとは言い切れないが、よく考えると意味がおかしい。
659) 日本語で考えていると気がつかないが、品詞が異なる使い方をされている単語がある。
660) furniture は TOEIC お約束の問題。可算か不可算か？

Chapter 9

Adjectives, Adverbs & Comparison
形容詞・副詞・比較

Test 1

穴埋め

661. The mountains in this part of the range aren't _____ those elsewhere.
  (A) as high as
  (B) as high than
  (C) higher from
  (D) so higher as

662. The foreign students at this university seem to work much _____ the local ones.
  (A) more dedicated than
  (B) more diligently than
  (C) as hard as
  (D) industriously than

663. This is the _____ documentary program that I have seen in quite some time.
  (A) very interesting
  (B) more interesting
  (C) most interesting
  (D) extremely interesting

664. The new roller coaster at the amusement park we went to last year is _____.
  (A) unbelievable good
  (B) fascinated
  (C) very excited
  (D) really exciting

665. Since his childhood, the young man had always felt that he would go on to do _____!
  (A) dangerous thing
  (B) something dangerous
  (C) something danger
  (D) dangerous something

666. It is true to say that the boss has been too busy _____ to deal with the problem that you mention.
  (A) late (B) later (C) lately (D) of lately

Chapter 9 形容詞・副詞・比較

667. Despite carrying out an occasional job for the company, I _____ work for them full time.
　　(A) no longer　(B) now　(C) let alone　(D) longer

668. I haven't been able to train _____ I wanted because of a leg injury.
　　(A) as consistent as
　　(B) more consistent than
　　(C) as consistently as
　　(D) consistenter than

669. The children sat there open-mouthed as the old man recounted his _____ ghost story.
　　(A) frightened
　　(B) scared
　　(C) frightening
　　(D) scaringly

670. Of all the charity organizations in the city, this one does the most to help _____.
　　(A) the homeless
　　(B) the homelessness
　　(C) homelessly
　　(D) to homeless

671. The young entrepreneur has a Rolls Royce Silver Shadow _____ a Cadillac.
　　(A) so long as
　　(B) as beautiful than
　　(C) as well as
　　(D) on top as

672. The sea lions are _____ popular than the seals in the shows at the aquarium.
　　(A) far more
　　(B) by far the most
　　(C) far
　　(D) very much

673. The company executives are less concerned about the drop in sales _____ they pretend to be.
　　(A) more than　(B) as　(C) that　(D) than

674. The _____ can't always stay after school, because there are no buses after 5 o'clock.
　　(A) children living here
　　(B) living here children
　　(C) children here living
　　(D) here living children

675. The new welfare service's assessment system is causing _____ much concern.
　　(A) the elderly
　　(B) elder people
　　(C) elderly
　　(D) the olderly people

間違い探し

676. The unemployment rate of the city was as bad as that of the two
　　　(A)　　　　　　　　　　　　　　　　　　　　(B)　　　(C)
　　neighboring counties respectively.
　　　(D)

677. The new employees that everyone has been talking of was stupider than I
　　　　　　(A)　　　　　　　　　(B)　　　　　(C)　　　　(D)
　　thought.

678. When schools have violent students, some people say they should be not
　　　(A)　　　　　　　　　　　　　　　　　　　　　　　　　　　　　　(B)
　　reluctant to call the police than once they were.
　　　　　　(C)　　　　　　　　　　(D)

679. My mother was surprising by the amount of attention she was receiving, but it
　　　　　　　　　　　(A)　　　　　　(B)　　　　　　　　　(C)　　(D)
　　was her birthday!

680. This government has neglected its responsibility to look after nation's poor.
　　　　　　　　　　(A)　　　　　(B)　　　　　　　　(C)　　　　　(D)

Chapter 9　形容詞・副詞・比較

間違い探し（下線なし）

681. You can take the overhead projector that on the table over there for your presentation tomorrow.

682. It is of the utmost importance that we address this issue serious if we are to find a suitable solution.

683. The government can't no longer tolerate such sloppy accounting practices and so the National Tax Agency is cracking down on companies.

684. Judging by the incoherence of the young man's speech, his thoughts must be very confusing.

685. In a boxing tournament last weekend, the winner was three quarters heavy as I am.

686. The West Coast Marine Land has much the largest collection of captive marine mammals in the world.

687. This hiking route, which crosses the rock face by way of a small path, 50 cms wide, is not for fainthearted.

688. Even if the weather is bad, I still walk the Grandfather left me dog every day.

689. It is important to make sure that you run as fast as you are possible on the first leg to help the later runners.

690. The local government hasn't discussed pollution late, leading many people to think that it's no longer a problem.

Test 2

穴埋め

691. Mary, who works in the finance department, looks _____ before.
　　(A) unhappier　　(C) less happy as
　　(B) much more gracefully than　　(D) more friendly than

692. Although I'm usually _____ the subject, I couldn't follow this morning's presentation at all.
　　(A) interest in　　(C) interesting
　　(B) interested in　　(D) interesting in

693. Unfortunately, it is usually _____ who decide what kind of services are required by those in need.
　　(A) wealth　(B) the wealthy　(C) rich　(D) wealthy

694. I'm sorry but I don't have the information _____ your question in detail.
　　(A) to answer　　(C) about answers
　　(B) that answer　　(D) for answer

695. I went back to the shop to return the _____ article of clothing that I had bought three days before.
　　(A) finished badly　　(C) bad finished
　　(B) badly finished　　(D) finished bad

696. I'm afraid I can't understand the young woman's thinking, _____ her mother's.
　　(A) more difficult than　　(C) worse
　　(B) much less　　(D) no longer

697. I had to be honest and say that it was a very succulent steak, _____ one I had eaten for some time.
　　(A) a most tender　　(C) the more tender
　　(B) the tenderest　　(D) a tenderer

Chapter 9 形容詞・副詞・比較

698. The _____ this time last year closed making more than 50 people unemployed.
（A）I was working theater
（B）worked theater
（C）theater where working
（D）theater where I was working

699. The small travel agent's on the corner sells cheap train tickets _____ standard package holidays.
（A）as much as possible
（B）so well as
（C）as good as
（D）as well as

700. I must say, I'm _____ the government's decision to bail out the failing private company.
（A）surprising by
（B）angry for
（C）anger with
（D）surprised at

701. The young athlete was a good competitor and _____ to win the race.
（A）fought hard
（B）fought hardly
（C）hardly fought
（D）hard fought

702. The _____ at a conference in Hawaii is coming to talk to us about marketing methods.
（A）woman whom I met
（B）I met woman
（C）whom I met woman
（D）met woman

703. Although, based on examination results, this is a good school, the one up the road is far _____.
（A）the most popular
（B）popularer
（C）the popularest
（D）more popular

704. Although the zoo near here is quite big, it has _____ range of species than the city zoo.
（A）better
（B）a less impressive
（C）a low impression
（D）a small

705. Professional chess matches last about 4 times _____ amateur ones.
（A）longer than
（B）as long
（C）long as
（D）the longer than

間違い探し

706. <u>Looking after</u> her grandchildren was very <u>tired</u>, but the old lady <u>loved</u>
      (A)   (B)   (C)

<u>spending</u> time with them.
  (D)

707. This year, <u>three times</u> as many people <u>attended</u> the <u>aid</u> concert <u>than</u> last year.
                       (A)   (B)   (C)   (D)

708. Business leaders are meeting <u>on</u> the weekend to see what they can do
                                         (A)

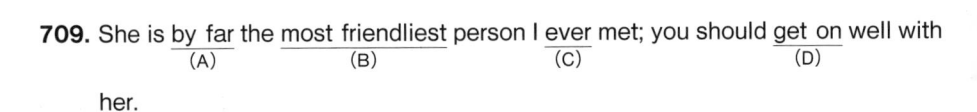

<u>to put</u> the area's <u>unemployment</u> back <u>to</u> work.
 (B)   (C)   (D)

709. She is <u>by far</u> the <u>most friendliest</u> person I <u>ever</u> met; you should <u>get on</u> well with
           (A)   (B)   (C)   (D)

her.

710. The company, <u>founded</u> a century ago, <u>is known</u> for the quality of its service
                   (A)   (B)

<u>as good as</u> the <u>prices</u> of its products.
  (C)   (D)

Chapter 9 形容詞・副詞・比較

間違い探し(下線なし)

711. The frightened children by the thunderstorm hid under their desks until the teacher coaxed them out.

712. Although the teenager plays very well tennis, she hardly wins because she cracks under pressure.

713. The young players didn't mind training hardly but they had completely lost their family lives because of it.

714. The surprising look on the young girl's face showed that everyone had managed to keep the party a secret.

715. Every morning, the monastery bells summon the faith to come and worship in the church.

716. The government ministers should be less concerned about internal party politics as they are.

717. The little boy was nosey, and being a most inquisitive boy got him into trouble.

718. Today's meeting will be lengthy because there are a few more to address issues. In fact there are 4 more items on the agenda.

719. The company chose that engineer for the job because he can work far more independent than the rest.

720. It is important for everyone to make as big an effort as possible to ensure that the guest's stay is a memorable one.

ヒント

661）「～ほど～ではない」の比較。
662）much の存在と work の品詞に注意。
663）that I have seen は「私が見た中で」。
664）ed/ing形の形容詞の区別は？
665）something は形容詞をどこに配置するのか？
666）形容詞と副詞の意味をもつ語に注意。
667）「もはや～していない」
668）品詞を考えること。
669）ed/ing形の形容詞の区別は？
670）形容詞を使って人を表す方法は？
671）「～も同様に」を表す表現は？
672）than に注意。
673）less は more と正反対の意味だが文法的に同じ働きをする。
674）形容詞と名詞の位置を考える。ただし、この場合の形容詞は2語で1語扱い。
675）「年老いた人々」を表す方法は？
676）比較している「失業率」が、いくつあるのかを考えよう。
677）S＋V の関係。
678）than に注意。
679）ed/ing形の形容詞の区別は？
680）形容詞を使って人を表す方法は？
681）that は関係代名詞として使われているようだが。
682）品詞に注意。
683）「もはや～ない」を表す表現は？
684）ed/ing形の形容詞の区別は？
685）「～と同じくらい」を表す構文。
686）最上級の強調は何を使うのか？
687）for は前置詞。だから、そのあとには何が必要か？
688）finds 以下の主語が何かを考える。
689）「できるだけ」を表す表現。
690）「最近」という意味にするには？
691）looks が現在形であることに注意。before との兼ね合いを考えよう。
692）ed/ing形の形容詞の区別は？
693）形容詞をどのように使えば「人々」を表すようになるのか？
694）your question は名詞の固まり。answer の品詞は？
695）bad(ly) は finished を説明し、finished は article を説明する。ここから語順を考えよう。

Chapter 9　形容詞・副詞・比較

696)「まして〜ではない」を表す比較の表現はどれか？
697)「私が食べた中で」から考えると原級・比較級・最上級のどれか？
698)「私が働いていた劇場」を表すのはどれか？
699)「〜と同様に」を表す比較の表現は？
700) 品詞と正しい前置詞の選択。
701) 形容詞と副詞の意味をもつ語に注意。
702)「私が出会った女性」の正しい語順は？
703) far はどんな比較の表現を強調するのか？
704) range の品詞と than に注意。
705) 倍数表現。
706) ed/ing形の形容詞の区別は？
707) as に注意。
708) 文法上は不可能ではないが、意味的にかなり不自然な箇所がある。
709) 最上級の作り方を思い出すこと。
710)「〜と同様に」を表す表現。
711) the children by the thunderstorm が可能かどうか？
712) V+O の間に副詞が入ることはあまりない。
713) 形容詞と副詞の意味をもつ語に注意。
714) 文法的には可能だが、意味が全く不明。不自然な箇所はどこか？
715) 難しい単語にとらわれずに文の構造から意味をとること。また、faith は名詞であることに注意。
716) less は more と反対の意味で、同じ使い方。
717) most は必ずしも最上級とは限らない。
718)「取り組むべき問題」は英語で何というか？
719) 品詞に注意。
720) as 〜 as の最初の as のあとには何がくる？

Chapter 10

Conjunctions & Prepositions
接続詞・前置詞

Test 1

穴埋め

721. The people believed _____ certain magical powers and so kept a small bunch attached to their belts.
- (A) when the herb had
- (B) what herb had
- (C) that the herb had
- (D) if the herb had

722. Margaret went out with some friends last Friday evening and returned _____ Saturday.
- (A) at late (B) late on (C) on late (D) in late

723. After _____ this work, I'll start work on the schedule for the new school year.
- (A) finish
- (B) I will finish
- (C) I'll have finished
- (D) I've finished

724. The man rode his bicycle up the road _____ his pet dog sitting in the basket.
- (A) and (B) by (C) with (D) too

725. The crops won't be very good this year because _____ during the spring.
- (A) the lousy weather
- (B) of weather lousy
- (C) the weather was lousy
- (D) some lousy weather

726. The company should try to modernize its plant _____ the economic climate is favorable.
- (A) despite (B) during (C) because of (D) while

727. If your company _____ to complete the contract on time, it will be subject to penalty payments.
- (A) fail (B) fails (C) would fail (D) will fail

Chapter 10 接続詞・前置詞

728. The company directors _____ the company's financial problems well into the night.
  (A) discussed about   (C) discussed on
  (B) discussed   (D) discuss of

729. The police do _____ job that some people say one must expect that mistakes will sometimes occur.
  (A) so a difficult   (C) so difficult
  (B) such difficult   (D) such a difficult

730. I'm sorry. I can't talk now. I have to prepare a presentation _____ our new product line by tomorrow.
  (A) to (B) on (C) in (D) over

731. Every time Fred _____ back to his hometown, the other guys take him out for a drink.
  (A) will go (B) goes (C) was (D) went

732. _____ busy periods the company's chief engineer seldom gets home before midnight.
  (A) While (B) Whilst (C) During (D) The duration of

733. The teacher decided to review the basic material _____ everyone would avoid silly mistakes in the exam.
  (A) that (B) in order to (C) so that (D) such

734. _____ you may think that the worst is over, I promise you it is just about to come.
  (A) If (B) Although (C) Despite (D) No matter

735. While I was staying in New Zealand, I _____ a level of English fluency that I couldn't have imagined.
  (A) reached up to   (C) reached at
  (B) reached to   (D) reached

間違い探し

736. It is believed whether the documents about the castle's ownership
　　　　　　　　　　　(A)　　　　　　　　　　　(B)
were destroyed during the Great Fire.
　　(C)　　　　　　　(D)

737. Ever since the company transferred its head office to New York on June 1975,
　　　　　　　　　　　　　　(A)　　　　　　　　　(B)　　　　　　(C)
business has been successful.
　　　(D)

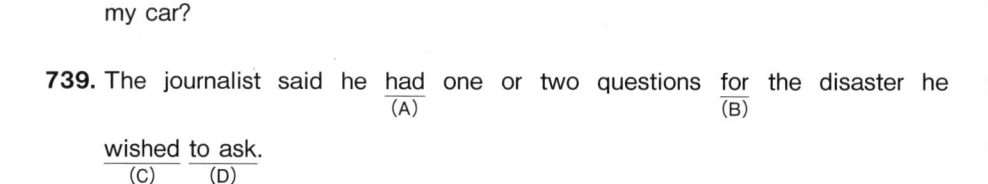

738. When you will meet my brother tonight, could you remind him that he still has
　　　　　　(A)　　　　　　　　　(B)　　　　　　　　　　　(C)　　　(D)
my car?

739. The journalist said he had one or two questions for the disaster he
　　　　　　　　　　　　(A)　　　　　　　　　　(B)
wished to ask.
　(C)　(D)

740. As long as the contractor gives us a satisfactory explanation for the shoddy
　　　(A)　　　　　　　　　　　(B)　　　　　　　　　　　　　　(C)
work, we won't use them again. So I want to see their report by Friday.
　　　　　　　　(D)

Chapter 10　接続詞・前置詞

間違い探し（下線なし）

741. The lady told the police that she saw a strange man enter hastily in the building at around 10:30 a.m.

742. We can choose either this contractor nor the other one, and it won't make much difference in terms of quality and cost.

743. Although my wife usually gets up 6 o'clock, I usually stay in bed another two hours.

744. You'll have to continue working on this project until Mr. Jones will come back from his vacation in Greece.

745. Children in the local area get up early while the summer vacation to do their morning exercises in the park nearby.

746. This particular professor's lectures are such interesting that they are always packed.

747. Despite discussing on the problem at great length, the engineers were unable to come up with a practical solution.

748. Since realized I would be unable to join them for their wedding day, I arranged for a video message to be shown.

749. Although the deadline to complete the contract had been postponed by the end of the month, the company managed to finish early.

750. During my stay in the French countryside, I was lucky enough to be able to attend to a traditional wedding ceremony.

Test 2

穴埋め

751. The security guard is absolutely certain that _____ all the doors as usual on the night of the break-in.
　　　　(A) locked　　　　　　　　(C) he locked
　　　　(B) were locked　　　　　(D) locking

752. Although he couldn't open the door _____ the key, he managed to open it with a screwdriver.
　　　　(A) by　(B) with　(C) from　(D) on

753. _____ the athlete is fully fit again, he stands a very good chance of qualifying for the Olympics.
　　　　(A) As for　(B) That　(C) For　(D) Now that

754. My wife and I made a lot of new friends _____ our vacation in Switzerland last year.
　　　　(A) whilst　(B) while　(C) during　(D) at

755. What are you talking about? Thelma Thistlewaite isn't a TV personality _____ a cartoon character.
　　　　(A) but also　(B) but　(C) neither　(D) either

756. Last week I _____ a conference on future telecommunications technology.
　　　　(A) went at　　　　　　　(C) went in
　　　　(B) attended on　　　　 (D) attended

757. The economist's speech _____ the future of the Japanese economy left many people apprehensive about the future.
　　　　(A) on　(B) in　(C) concerned　(D) to

758. _____ he was walking along the street, he gradually started to feel his feet getting colder and colder.
　　　　(A) For　　　　　　　(C) As
　　　　(B) Due to　　　　　(D) Because of

Chapter 10 接続詞・前置詞

759. If it _____ rain tomorrow, I'll take the family to the Alps for a picnic.
(A) doesn't　(B) won't　(C) don't　(D) wouldn't

760. Although, at first, she hadn't wanted to _____ the man, he turned out to be a wonderful husband.
(A) be married　(B) marry with　(C) marry　(D) marry to

761. As long as the government _____ its restructuring efforts, the economy should recover.
(A) continue
(B) continues
(C) will be continuing
(D) will continue

762. The fire alarm was activated _____ smoke coming from the kitchen, where my mother was frying steaks.
(A) by　(B) with　(C) due　(D) to

763. The report must be ready _____ next Friday so the directors have time to study it before the annual general meeting.
(A) until　(B) by　(C) in　(D) at

764. Harvard is a very good university so I don't understand why my cousin didn't want to _____.
(A) go to there　(B) go to here　(C) go here　(D) go there

765. _____ the weather turns bad, we have no option but to continue up the mountain.
(A) Although　(B) No matter　(C) Even if　(D) However

間違い探し

766. The police sealed off the street in order to that nobody could approach the
　　　　　　　　　　　　(A)　　　　　　(B)　　　　　　　　　　　　　(C)
suspect vehicle.
(D)

767. The accident occurred because a train that was being driven with an inexperi-
　　　　　　　　　　　　　　　　　　　　　(A)　　　　　　(B)　(C)
enced driver failed to stop at a red signal.
　　　　　　　　　　　　(D)

768. Despite this government has succeeded in controlling inflation, its welfare
　　　　(A)　　　　　　　　(B)　　　　　　(C)
policies have left it widely unpopular.
　　　　　　(D)

769. The young man was convinced whether he had done enough to secure his
　　　　　　　　　　(A)　　　　　(B)　　　　　　　　(C)
place on the team.
　　　(D)

770. The party of climbers finally reached to the summit at 2 p.m. but they had to
　　　　　(A)　　　　　　　(B)
leave quickly to get down before dark.
　　　　　　(C)　　　　　　(D)

間違い探し（下線なし）

771. Having lived in abroad for many years, the businessman found returning to his hometown difficult.

772. Nonetheless the economic outlook is bleak, sensible decisions taken now could turn it around in no time.

773. During you are working here, you must wear this protective clothing to prevent you from being injured.

774. The doctor assured his patients that he would tell them the results of the tests as soon as they would be available.

775. The pilot decided to turn round and return to the airport because of the plane's condition made continuing dangerous.

776. This was the first time I had ever attended to such a large wedding as a master of ceremony and I felt a little apprehensive about my behavior.

777. No matter who the outcome of this match is, the team should qualify for the next round of the tournament.

778. The number of people who go to church on Easter is falling. However, on Christmas Day there seems to be no change.

779. Before go out tonight, you must finish your homework. Otherwise, you won't have time to do it.

780. As long as you attend at least seventy-five percent of the classes, you will pass the course.

ヒント

721) 人々が何を信じていたのかを考えること。
722) late は時刻を指すと考えよう。
723) after は時を表す接続詞。
724) 「〜が〜の状態で」を表す前置詞はどれか？
725) because の品詞は？
726) 空欄のあとには S＋V がある。
727) if は条件を表す接続詞。
728) discuss がとる文型は？
729) so 〜 that と such 〜 that の区別は？
730) 「新製品のプレゼンテーション」の「の」を、他の日本語にするとどうなるか？
731) every time は時を表す接続詞。
732) busy periods は名詞の固まり。
733) 「S が V するように」を表す接続詞は？
734) 品詞と 2 つの節の意味を考える。
735) reach がとる文型は？
736) It が何を指すのかを考える。
737) on は 1 日に対して使う前置詞。では、月は？
738) when は時を表す接続詞。
739) 「〜に関する」を表す前置詞は？
740) 文法的には正しいが、意味がまったくおかしい。2 つの文章をつなぐために必要な接続詞は？
741) hastily に惑わされないように。
742) either に注意。
743) どこかで何かが抜けている。
744) until はどんな接続詞？
745) 「夏休みの間」になるはずだが、品詞を考えよう。
746) so 〜 that と such 〜 that の区別は？
747) 日本語で考えていると気がつかない。discuss の使い方は？
748) since はここでは接続詞。
749) 「〜まで」という日本語に注意。
750) attend の使い方は？
751) that 節の中に必要なものは？
752) 日本語で考えないように。「道具を使って」を表す前置詞はどれ？
753) 空欄のあとには S＋V がある。あとは品詞を考えよう。
754) 空欄のあとには長い名詞の固まりがあるだけ。
755) 「A ではなく B」

Chapter 10 接続詞・前置詞

756) go/attend の使い方をよく考えよう。
757) speech と the future の関係は？
758) 空欄のあとには S+V がある。
759) if は条件を表す接続詞。
760) marry の正しい使い方はどれか？
761) as long as は何を表す接続詞か？
762) smoke を道具ととってもよいのかどうか？
763) 金曜までに ready の状態になればよいのか、金曜までずっと ready の状態でなければならないのか？
764) here/there は名詞ではなく副詞。
765) なぜ turns が現在形になっているのか考えよう。
766) 「S が V するように」を表す接続詞は？
767) driven と driver の関係を考える。また、that 以下は受動態。
768) despite の品詞は？
769) convinced までの意味と、whether 以下の意味がかみ合わない。
770) reach の使い方は？
771) abroad の品詞は？
772) nonetheless の品詞は？
773) during の品詞は？
774) as soon as は時を表す接続詞。
775) because of の品詞は？
776) attend の使い方は？
777) outcome は人ではない。
778) Easter は、お祭りの期間を表す。
779) before の品詞は接続詞か前置詞。
780) at は attend についているのではない。